SV

Band 911 der Bibliothek Suhrkamp

Alexander Kluge

Lebensläufe

Suhrkamp Verlag

Druck: Nomos Verlagsgesellschaft, Baden-Baden
Printed in Germany
Erste Auflage 1986
ISBN 3-518-01911-2

2 3 4 5 - 08 07 06 05 04 03

Lebensläufe

VORWORT

Die Erzählungen dieses Bandes stellen aus sehr verschiedenen Aspekten die Frage nach der Tradition. Es handelt sich um Lebensläufe, teils erfunden, teils nicht erfunden; zusammen ergeben sie eine traurige Geschichte. Es mag darauf hingewiesen werden, daß sich gelegentlich auch kurze dokumentarische Passagen und Einblendungen aus fremden Texten finden.

Alexander Kluge

OBERLEUTNANT BOULANGER
HINSCHEIDEN EINER HALTUNG: KRIMINALRAT SCHELIHA
FRÄULEIN V. POSA
E. SCHINCKE
ANITA G.
MANFRED SCHMIDT
EIN LIEBESVERSUCH
EIN BERUFSWECHSEL
KORTI

OBERLEUTNANT BOULANGER

I

Im Februar 1942 richtete der Ordinarius für Anatomie an der Reichsuniversität Straßburg, Professor A. Hirt, folgendes Schreiben an einen der obersten Chefs im Reich:
Betr.: Sicherstellung der Schädel jüdisch-bolschewistischer Kommissare zu wissenschaftlichen Forschungen in der Reichsuniversität Straßburg.
Nahezu von allen Rassen und Völkern sind umfangreiche Schädelsammlungen vorhanden. Nur von den Juden stehen der Wissenschaft so wenig Schädel zur Verfügung, daß ihre Bearbeitung keine gesicherten Ergebnisse zuläßt. Der Krieg im Osten bietet uns jetzt Gelegenheit, diesem Mangel abzuhelfen. In den jüdisch-bolschewistischen Kommissaren, die ein widerliches, aber charakteristisches Untermenschentum verkörpern, haben wir die Möglichkeit, ein greifbares wissenschaftliches Dokument zu erwerben, indem wir ihre Schädel sichern.
Die praktische Durchführung der reibungslosen Beschaffung und Sicherstellung dieses Schädelmaterials geschieht am zweckmäßigsten in Form einer Anweisung an die Wehrmacht, sämtliche jüdisch-bolschewistischen Kommissare in Zukunft lebend sofort der Feldpolizei zu übergeben. Die Feldpolizei wiederum erhält Sonderanweisung, einer bestimmten Stelle laufend den Bestand und Aufenthaltsort dieser Gefangenen zu melden und sie bis zum Eintreffen eines besonders Beauftragten wohl zu behüten. Der zur Sicherstellung des Materials Beauftragte (ein der Wehrmacht oder sogar der Feldpolizei angehörender Jungarzt oder Medizinstudent, zugerüstet mit einem PKW nebst Fahrer) hat eine vorher festgelegte Reihe fotografischer Aufnahmen und anthropologischer Messungen zu machen und, soweit möglich, Herkunft, Geburtsdatum und andere persönliche Angaben festzustellen. Nach dem danach

herbeigeführten Tod des Juden, dessen Kopf nicht verletzt werden darf, trennt er den Kopf vom Rumpf und sendet ihn, in Konservierungsflüssigkeit eingebettet, in eigens zu diesem Zweck geschaffenen und gut verschließbaren Blechbehältern zum Bestimmungsort. An Hand der Lichtbildaufnahmen, Maße und sonstigen Angaben des Kopfes und schließlich des Schädels können dort nun die vergleichenden anatomischen Forschungen, die Forschungen über die Rassenzugehörigkeit, über pathologische Erscheinungen der Schädelform, über Gehirnform und -größe und über vieles andere mehr beginnen.
Für die Aufbewahrung und die Erforschung des so gewonnenen Schädelmaterials wäre die neue Reichsuniversität Straßburg ihrer Bestimmung und ihrer Aufgabe gemäß die geeignetste Stätte.

A. Hirt

Die Personalabteilung des Heeres bot die Leitung des Sonderunternehmens dem Oberleutnant Rudolf B. aus Flörsheim (Main) an. Boulanger hatte Medizin studiert. Praktisch bedeutete für ihn die Übernahme des Sondereinsatzes Abkürzung des Beförderungsweges. Eine eventuelle Übernahme in die Forschung war in Aussicht gestellt. Boulanger nahm die Chance wahr.

II

Rudolf B. war 1942 vierunddreißig Jahre alt. Er war mittelgroß. Sein Gesicht war olivfarben, seine Augenlider waren unbehaart. Es war möglich, daß sich unter seinen Vorfahren Römer oder (aus dem 18. Jh.) Franzosen befanden. Er hatte sich zur Pionierwaffe gemeldet, bereit, zu glänzen, Vorteile wahrzunehmen, rasche Lösungen zu vollbringen. Jahre hindurch bestand keine Gelegenheit zum Siegen, die medizinische Staatsprüfung bestand er nicht, technische Kenntnisse besaß er nicht. Mit nacktem gutem Willen wartete er auf seine Chance, die dann 1942 kam.

Guter Wille

Wenn eine Aufgabe darin bestünde, einen vorgezeichneten Weg immer geradeaus zu gehen, ohne sich hindern zu lassen oder schwach zu werden, so hätte B. diese Aufgabe maximal erfüllt. Durchschlagskraft und Verstand operierten, wenn man den Menschen mit Seneca als ein marschierendes Heer verstehen will, in diesem Fall auf der inneren Linie. Praktisch verlief allerdings keine Tätigkeit B.'s auf einem geradlinigen Fahrtweg. Daraus ergaben sich Zweifelsfragen, für deren Klärung der Durchsetzungswille allein nicht genügte. In diesen Fällen gibt es keinen guten Willen, weil es auf den Willen nicht ankommt. B. entschied sich in solchen Zweifelsfällen für die größtmögliche Wirkung.

Was er eigentlich lieber geworden wäre

Von Kind an wollte B. Wasserbauingenieur werden. Es gab jedoch in der Nähe von Flörsheim (Main) keine Wasserbauschule. Daher entschloß sich Boulanger, nach seinem Abitur, in Frankfurt (Main) Medizin zu studieren. Nach Schwierigkeiten in der Staatsprüfung scheiterte dieser Studiengang. B. wurde zum Militär eingezogen.

Vorteile der neuen Stellung

Mit Übernahme des Sonderauftrages stand Boulanger eine Gefahrenzulage von RM 2,65 für jeden Fronttag zu. Die Diensteinteilung, insbesondere die Bestimmung der Dienststunden, lag bei Oberleutnant Boulanger. Er nutzte das später gelegentlich aus, um einen Abstecher zu diesem oder jenem Ort in Rußland zu machen, der sehenswert war. Außerdem war es möglich, bei verschiedenen Stäben eingeladen zu werden und Freundschaften fürs Leben zu schließen. Drittens bestand die Möglichkeit, bei verschiedenen Intendanturen zusätzlich Decken, Materialien und Verpflegungsposten zu erhalten, was für eine fliegende Abteilung wie das Sonderkommando B. verhältnismäßig einfach war. Schließlich war zu berücksichtigen, daß die Zugehörigkeit zu Forschung und Lehre, wenn auch nur als Zubringer, prestigemäßige Vorteile brachte.

Überlegenheit von Forschung und Lehre
Zugehörigkeit zu Forschung und Lehre bedeutet Sicherung bis zum Lebensende. Forschung und Lehre sind frei. Die Angehörigen von Forschung und Lehre rangieren unmittelbar hinter der Partei, bei gesellschaftlichen Veranstaltungen nach der SS, aber vor den Deutsch-Ostafrikanern.

Unterstellungsverhältnisse
Disziplinarrechtlich unterstand B. in seiner neuen Position der Personalabteilung des Heeres, vertreten durch die Heeresgruppenchefs, diese vertreten durch den rangältesten Korpsgeneral aus der Reihe der ungerade benannten Korps. Mit keinem der zuständigen Chefrichter hatte Boulanger zu tun. Als Vorgesetzter im materiellen Sinn, der ihm hätte Weisungen geben können, kam nur Forschung und Lehre in Betracht. Im formalen Sinn befand sich B. zusätzlich unter der Befehlshoheit der Divisionskommandeure, in deren Frontbereich er sich jeweils befand. Ihnen konnte sich B. notfalls durch Überwechseln in einen anderen Divisionsbereich entziehen. Es kam aber zu keinen Konflikten.

Verhältnis zur Offiziersehre
Zeitweise fand B. in den Jahren nach 1942 die von ihm betriebene Metzgeraufgabe, die von anderen Offizieren mit einer Henkerstätigkeit verglichen wurde, abscheuerregend. Andere Offiziere, mit dieser Aufgabe betraut, hätten vielleicht zu trinken angefangen. Schon bei der Bearbeitung seines ersten Falles hatte B. innere Hemmungen zu überwinden.

Beim Abschneiden des Kopfes verließ B. in diesem Fall seinen Posten, auf die Gefahr hin, daß die Mitarbeiter Fehler begingen. B.'s Gedanke: Du darfst jetzt nicht zum Trinker werden.
Andererseits gibt es keine echten Hemmungen, einen anderen Menschen zu töten, wenn man nur deutlich genug sieht, daß es sich nicht um den eigenen Tod handelt. Das Empfinden der Unsicherheit, das B. bei vielen seiner Maßnahmen verspürte, beruhte in erster Linie auf der Mißbilligung seiner Tätigkeit durch verschiedene befreundete Offiziere. Diese Mißbilligung war jedoch nicht stichhaltig. Wies B. später den einen oder anderen ihm von der Truppe zugeführten Kommissar zurück, so befehligten dieselben Offiziere, die sein Sonderkommando kritisierten, das Peloton, das den Kommissar (meist unter Entstellung des Kopfes) erschoß.

Verhältnis zu Frauen
Ausgezeichnet

Gefängnisleben
Die Eroberung des Ostraumes bedeutete für viele freie Fahrt nach Jahren der Anpassung an beengte Verhältnisse. Es hätte dann aber die Inbesitznahme des Ostens z. B. Vergewaltigung und Beute, zumindest aber eine hinreichende Zahl von Bordellen mit einschließen müssen. Statt dessen wickelte sich die Inbesitznahme nach Regeln ab, die ebensogut die einer Gefängnisverwaltung hätten sein können. In dieser Hinsicht war die große Befreiung nach Osten 1941 ff. für B. identisch mit seiner größten Enttäuschung.

Antrittsbesuch bei Professor Hirt
Bei Professor Hirt gab es ein Menu aus vier Gängen: Königinsuppe, Fischgericht, Rehrücken auf Alexandra-Art, Kompott. Zur Kaffeetafel waren die Nichten des Professors gebeten. Erst gegen Abend verabschiedete sich Boulanger vom Profes-

sor. In eine der Nichten hätte er sich fast verliebt. Am anderen Morgen bestieg er den Zug nach Osten.

Die ersten Einsätze erfolgten in der Gegend von Orel. Nicht alle, die Boulanger gemeldet wurden, waren Kommissare. Es erwies sich, daß die Kommissarzahlen übertrieben wurden und die Einstufungen der Kommissare als »jüdisch-bolschewistisch« willkürlich erfolgten. Meist handelte es sich lediglich um Partisanenführer, die man als Kommissare einstufte. Bei der Truppe bestand große Zurückhaltung bei Auslieferung von an der Front gefangenen Offizieren, dagegen Freigebigkeit bei der Abgabe von Partisanen, obwohl die Erfahrung zeigte, daß sich die Kommissare eher unter den Offizieren befanden. Allerdings nahmen die Truppenführer auf Verlangen Partisanen wieder zurück (um sie selbst zu erschießen) und lieferten andererseits gefangene Frontkommissare an die Feldpolizei aus.

Das Problem lag vor allem in der richtigen Einstufung der Gefangenen als Kommissare und in der Beurteilung des zusätzlichen Unterscheidungsmerkmals »jüdisch-bolschewistisch«. Nicht jeder jüdisch-russische Offizier fiel darunter und nicht jeder Bolschewist. Boulanger versuchte Unterlagen für die Frage zu beschaffen: Von welchem Rang in der Parteihierarchie an ist ein Offizier Kommissar? Er erhielt von verschiedenen befragten Ic-Stabsoffizieren nur unzureichendes Material, das ihn von der Willkürlichkeit der Auswahlmethoden nur noch mehr überzeugte. Die Sorgfalt, mit der er sich der Ausführung seines Sonderauftrages und seinen zusätzlichen Recherchen zur Klärung der Voraussetzungen des Auftrags widmete, entsprach der Sorgfalt, mit der im Heer sonst höchstens die Verleihung hoher Auszeichnungen behandelt worden wäre. Daher erhielt B.'s Kommando bei einigen Stäben den Namen »Ordensverleihkommando«. Auch eine negativ bewertete Aufgabe – und gerade sie – muß mit aller zur Verfügung stehenden Energie und Intelligenz bewältigt werden. Es muß in der Ausführung das ausgeglichen werden, was in der Aufgabenstellung nicht durchdacht oder nicht zu billigen ist. Trotz seiner Bemühungen wußte Boulanger, daß er zahllose Irrtumsfälle nicht vermeiden konnte, und zwar handelte es sich um Irrtumsfälle zugunsten oder zuungunsten von Gefangenen. Die Irrtümer zugunsten von Russen (die z. B. nicht als jüdisch eingestuft wurden, obwohl sie Juden waren) ließen sich durch Sicherheitsquoten berücksichtigen; ein Verfahren, das sich bei der versehentlichen Einbeziehung Unschuldiger (z. B. Juden waren in Wirklichkeit nicht Kommissare, Kommissare waren keine Juden) verbot, da eine Sicherheitsquote hier zwar die Irrtumswahrscheinlichkeit eingrenzte, gleichzeitig aber die Effektivität bedrohte. Praktisch blieben für die Feststellung der Rassenzugehörigkeit nur grobe Gesichtspunkte, wie das Aussehen, Name und Vorname, allenfalls Schädelmessungen. Die starke Irrtumsmöglichkeit legte die Konsequenz nahe, diese Aktion überhaupt abzubrechen. Umgekehrt folgte daraus, daß man die Irrtümer bei Beibehaltung einrechnen und tolerieren mußte. So gab es für Boulanger Zweifel über Zweifel, die doch der sorgfältigen und guten Ausführung seines Auftrages nicht hinderlich sein durften. Daher kam es darauf an, daß er Gedanken und guten Willen dahin trug, wo sie der Ausführung nicht schaden konnten: er las in dieser Zeit philosophische Werke, da er eventuell sein (früher aufgegebenes) Studium später auf dieses Fach ausdehnen wollte.

III

Die Aufgabe, Präzision in das hoffnungslose Ende der kriegsgefangenen Kommissare zu bringen, erfüllte B. im Sommer und Winter 1942 in den Bereichen der Heeresgruppen Mitte und Süd (später der beiden südlichen Heeresgruppen). Im Februar 1943 wurde sein Tätigkeitsbereich auf den Kreis der Heeresgruppe Mitte begrenzt. Boulanger beschränkte sich damals nicht mehr auf eine oberflächliche anthropologische Untersuchung und die Befragung zur Person, bevor er die Gefangenen töten ließ, sondern führte auch Gespräche mit den Kommissaren, um einen Eindruck nicht nur ihres Äußeren, sondern auch ihrer Gedanken aufzubewahren. Die Gedankenmassen, die hier unmittelbar vor dem Tod der Schreibenden zu Papier gebracht wurden, wurden nach B.'s Meinung zusätzlich der Forschung dienstbar gemacht; dieser Eindruck von Qualität erhöhte B.'s Respekt vor dem ihm erteilten Auftrag. Es ist wohl immer so, daß man sich mit dem Gegner, den man selbst tötet (vorher hat man ihn noch lebendig gesehen), zu einem gewissen Grad identifiziert. So identifizierte sich Boulanger gewissermaßen mit der geistigen Leistung seines Forschungsgegenstandes. Er wußte nicht, wie er sich im Fall solcher Empfindungen verhalten sollte. Vielleicht hätte B. seine Praxis im Rahmen der bestehenden Befehle an seine damaligen Empfindungen anpassen können, indem er die den Gefangenen für schriftliche Äußerung zugebilligte Frist immer mehr verlängerte; da seine Empfindungen jedoch nicht den Grad der Klarheit hatten, den die bisherige Praxis aufwies, blieb es bei der bisherigen Praxis. Erschwerend trat im Sommer 1943 das Massenproblem hinzu. Zunächst zog sich die Heeresgruppe Mitte aus dem Orelbogen zurück. Die hinter der Front liegenden Gefangenenlager mußten in Eile geräumt werden. Das setzte wiederum eine beschleunigte Siebung in diesen Lagern durch das Kommando Boulanger voraus. Die Beurteilung, ob der Fall eines jüdisch-bolschewistischen Kommissars vorlag, mußte zeitweise auf andere Stellen delegiert werden. Insofern kamen an den Sammelstellen zum Teil Köpfe und Beschreibungen an, die ausgesprochene Mißgriffe waren. Änderungen am bisherigen Verfahren hätten diese Verwirrung voraussichtlich noch vergrößert.

Im Spätsommer 1943 nutzte der Russe die sich öffnende Lücke zwischen der deutschen Süd- und Mittelfront, auf deren Schließung sich alle Mühe der Führung konzentrierte, aus,

indem er an einer ganz anderen Stelle angriff. Am Tag des Angriffs kam es bei der 2. Armee zur Krise. In die Rückzugsbewegungen wurden die Etappenverbände und die Gefangenenlager mit hineingerissen. Die zum Entsatz herangeführte 33. Panzerdivision geriet, noch in den Eisenbahnzügen befindlich, in den russischen Angriff. Verzweifelte Stäbe versuchten durch Aufrechterhalten ihrer alten Hauptquartiere die Fluchtbewegung zu hemmen. In diesen Tagen befand sich die Fahrzeugkolonne der Abteilung Boulanger, die sechs russische Offiziere mit sich führte, in der Nähe des Knotenpunkts Schlichta bei Smolensk. Unweit eines Waldgeländes gerieten die Mitarbeiter Boulangers in einen Partisanenüberfall. Boulanger selbst entkam verwundet mit den Spitzenfahrzeugen. Später nahm man auf russischer Seite an, daß auch der Führer des »Ordensverleiherkommandos« in die Hände der Partisanen gefallen sei.
Das Erlebnis erschreckte Boulanger. Umgeben von siegenden deutschen Truppen, Stäben, die nichts einzuwenden hatten, und im Dienst der Forschung entwickeln sich keine Schuldgefühle; plötzlich verändert sich die Situation. Wie auftretende Zugluft ist das Schuldgefühl da, vor dem man sich hüten muß, wie Frühlingsanfang vor offenen Türen, die nur Erkältungen, ja Lungenaffektionen bringen.

IV

Im Lazarett Wiesbaden-Land verbrachte Boulanger die Jahreswende 1943/44 und einen Teil des Jahres 1944. Durch den Zusammenbruch der Heeresgruppe Mitte in den Augusttagen 1944 wurde die Hoffnung B.'s auf Beforderung hinfällig. Auch eine Übernahme in die Forschung schied aus. Die Übernahme in die zivile Forschung, die durch Fürsprache von Professor A. Hirt möglich gewesen wäre, scheiterte an der völligen Wiederherstellung B.'s. Die militärische Forschung war um diese Zeit bereits auf spezielle Probleme eingegrenzt, zu denen Boulan-

ger aus seinen Ost-Erfahrungen nichts beitragen konnte. Statt dessen wurde er nach seiner Wiederherstellung der »Zentralverwaltung für die Gefangenenlager in der Ostmark« überwiesen.
Noch einmal ergab sich vor Kriegsende für Boulanger Gelegenheit zu absoluter Hingabe in Wien. Die todgeweihte Stadt zog im Januar 1945 wie ein Heiligtum Heeresverbände und vor allem Offiziere in ihre Mauern – wenn man hier von Mauern und nicht besser von Palästen, Kanälen und Hügelketten spricht, die zu verteidigen waren. Am 14. Januar übernahm Generaloberst Rendulic die Verteidigung der Stadt und ließ tausend Soldaten aufknüpfen. Am 18. Januar (vierundzwanzig Stunden später zerstörte ein Luftangriff das Opernhaus) hörte der erweiterte Stab des jungen Gauleiters, darunter Boulanger, »Lohengrin«. In der Nacht vom 21. zum 22. Januar traten die Russen nach zweitägiger Ruhe zu einem neuen Großangriff auf Wien an. Stunden später war die Möglichkeit, hier den Tod zu finden, erschöpft. Die Panzer der Russen standen auf dem nördlichen Kanalufer; praktisch war die Stadt im Besitz der Russen. Von der letzten großen Gelegenheit blieb nackte Biologie übrig. Es gelang B., die amerikanischen Linien zu erreichen. Dort ergab er sich.

V

Wie leben Menschen wie B. heute?
Als Packer in einer Papiermühle bei Köln wurde Boulanger im Sommer 1961 von der Presse aufgespürt. Seine Straftaten unterliegen der Verjährung. Ein Korrespondent des Blattes »L'Humanité« bat um ein Interview. B. wurde in das Direktionszimmer geführt und antwortete. Auf die Frage nach seiner jetzigen Überzeugung sagte er, er sei Marxist. Was er tue? Man könne nichts tun.

Infektion am Gegner

Er habe sich gewissermaßen an seinem Gegner angesteckt. Er habe ja mit einigen von den Gefangenen gesprochen. Ob dann die Imperialisten in der Bundesrepublik besonders gefährdet seien, Kommunisten zu werden? Natürlich nicht. Man müsse näher an den Gegner herangehen. Ihm den Kopf abhacken? In gewissem Sinn. Das sei zu sehr christlich gedacht, sagte der Vertreter von »L'Humanité«.

Wiederbegegnung mit Forschung und Lehre

Nach Kriegsende ergab sich zunächst die Möglichkeit, das Studium wiederaufzunehmen, sobald die Universitäten wiedereröffneten.
Es wurden vier Vorkriegssemester angerechnet.

Sühne und Surrogate

Frage: Sie traten, wie ich an Ihrer Stirn sehe, einer schlagenden Verbindung bei?
Antwort: Auch das ein Kompromiß.
Frage: Aber wie kamen Sie dann ins Gefängnis?
Antwort: Nachdem ich mich 1953 mit der Institutsleitung in Marburg überworfen hatte, versuchte ich mich selbständig zu machen und ein kaufmännisches Unternehmen einzurichten, und zwar in der Tuchbranche. Diese neue Initiative führte zur Katastrophe, d. h., ich kam in Zahlungsschwierigkeiten, und daraufhin wurde ich eingesperrt.
Frage: Zusammen mit den Zuchthäuslern?
Antwort: Da wird kein Unterschied gemacht.
Frage: Wieviel Jahre?
Antwort: Drei Jahre. Der Gefängnisgeistliche betrachtete es als eine Sühne für meine Vergehen im Krieg.
Frage: Er verzieh Ihnen, weil es Kommissare waren?
Antwort: Mit der Gefängnisstrafe war für ihn alles in Ordnung. Er meinte, ich könnte vielleicht noch in Abessinien Lepra-Kranke pflegen.

Frage: Was ist das für eine Beschäftigung?
Antwort: Man bekommt ebenfalls Lepra, kann dafür den einen oder anderen Kranken retten.
Frage: Ein ungleicher Tausch, wenn man rund sechzig bis hundert gutgeschulte Spitzenfunktionäre gegen fünf bis sechs gerettete Lepra-Kranke in Abessinien tauscht. Man muß dazu schon der Meinung sein, daß alle Menschen gleich sind.
Antwort: Ganz Ihrer Meinung. Natürlich ist es kein vernünftiger Tausch.
Frage: Sie führen jetzt also, wenn ich Sie richtig verstehe, die Existenz der von Ihnen Gemordeten fort?
Antwort: Nein.
Frage: Was tun Sie konkret?
Antwort: Ich sagte ja schon: Tun darf man nichts. Man kann auch nichts tun. Nur eine Überzeugung haben.
Frage: Das ist etwas!
Antwort: Aber meine Wandlung ist auch nicht als Sühne oder Surrogat gemeint.

Einzelheiten zum Ordensverleihsystem
Wir kamen meist gegen Abend, weil wir vormittags noch mit den Präparierarbeiten an anderer Stelle zu tun hatten und teilweise große Wegstrecken täglich zurückzulegen hatten – unser Tag begann um fünf Uhr morgens und endete nicht vor zwölf Uhr nachts –; gegen Abend kamen wir in unseren Kübelwagen mit Anhängern für Geräte und Forschungsunterlagen an einer Sammelstelle an. Manchmal war ein Stab in der Nähe, und wir wurden dort zu einem Gabelbissen oder einem Umtrunk gebeten, oft wurden wir aber auch geschnitten, insbesondere während unseres Debuts bei den Nahtstellen-Divisionen der Heeresgruppe Nord, die eigentlich nicht in unseren Aufgabenkreis gehörte. Als ob das Klima darauf Einfluß hätte: von Norden nach Süden hin kann man von einer zunehmenden Aufnahmebereitschaft der Truppe für unsere

Tätigkeit sprechen, d. h. im Süden mehr, im Norden weniger. Das lag nun aber an ganz anderen Gründen als am Klima: in der Heeresgruppe Nord, die seit Winter 1941 praktisch festlag, hat sich der friedensmäßige Führungseinfluß am ehesten gehalten, die Truppe war also konservativ; anders im Süden und in der Mitte, wo mit den Ersatzverbänden immer wieder neuer Geist eingeflossen war. Man stand uns dort nicht mit der gleichen Skepsis gegenüber. Auch bei den konservativen Kräften bestand allerdings nie grundsätzliche Ablehnung unserer Arbeit, sondern nur deutliche Bedenken gegen die Art und Weise unseres Vorgehens. Man hätte es lieber gesehen, wenn die Kommissare standrechtlich erschossen und nicht durch die Spritzen getötet worden wären, die wir ihnen gaben, um die Köpfe unversehrt zu erhalten. Gerade die standrechtliche Erschießung hätte die Köpfe zerstört, auf die es uns maßgeblich ankam.

Sie kommen vom Thema ab. Wie ging Ihre Prozedur vor sich?

Wir schauten uns zunächst an, was an dem betreffenden Tag anlag. Das meiste, was für Kommissar galt, war kein Kommissar. In einem Fall war es ein Unteroffizier, ein andermal ein Flakoffizier. Wer im Lager zu forsch auftrat und seinen Leuten Vorhaltungen machte, erweckte den Anschein der Kommissareigenschaft. Hier tauchte auch gelegentlich der Begriff »freimaurerischer« Kommissar auf. – Obwohl das wahrscheinlich in Widerspruch zu meinen Anweisungen stand und die spätere Ausführung mit den persönlichsten Empfindungen belastete, habe ich mich immer wieder mit den uns vorgestellten Gefangenen unterhalten, da nach meiner Erfahrung dies die beste Auswahlmethode war. Am Grad der Bildung oder Schulung war am ehesten zu erkennen, was als Kommissar in Frage kam. Bei hinreichender geistiger Überlegenheit sprach vieles für Kommissar.

Ich will Sie nicht mit den Finessen des Auswahlverfahrens langweilen. Nach der Auswahl führten wir die Gruppe der jüdisch-bolschewistischen Kommissare zu den Messungen, selten geschah das noch in der Auswahlnacht selbst, oft erst am anderen Morgen, da wir nach der langwierigen Auswahlverhandlung wie tot in unsere Quartiere gingen. Oft nahmen wir die Kommissare, um Bewachungsmannschaften zu sparen, in unsere Quartiere mit, was uns dem Vorwurf aussetzte, wir hätten sie homosexuell mißbraucht. Mir ist kein solcher Fall bekanntgeworden – zutreffend ist, daß auch ein Liebesverhältnis dieser Art keinen der Kommissare in diesem Stadium des Verfahrens mehr gerettet hätte. Für die zurückbleibenden Körper hatte die örtliche Truppe Sorge zu tragen.

Vorsicht
Die Übernahme einer ähnlichen oder verwandten Tätigkeit werde er in Zukunft ablehnen. Er wäre äußerst vorsichtig. Und wenn es andere tun und er zusehe? Auch darauf erstrecke sich die Vorsicht. Wahrscheinlich werde er nichts tun und abwarten.

Aktivität und Inaktivität
Das Ordensverleihkommando sei der Versuch der Aktivität in seinem Leben, dem jetzt Inaktivität gegenüberstehe. So dürfe man sogar sagen: Ich bin Marxist; aber man dürfe nichts tun.

Versperrter Weg nach Osten
Frage: Warum gehen Sie nicht in den Osten?
Antwort: Die halten sich nicht an die Verjährungsfristen.

Was ist aus Professor A. Hirt geworden?
Das hat mich auch interessiert. Professor A. Hirt schrieb mir noch 1944 eine Karte nach Wien. Die Alliierten fanden dann in Straßburg die Reste seiner Schädelsammlung, die nicht mehr vollständig vernichtet werden konnte. Das Auswärtige Amt bat ihn um eine dienstliche Stellungnahme zu den in der schweizerischen Presse erhobenen Vorwürfen; Hirt versprach

unter dem 6. April 1945 rasche Antwort. Später ist er verschwunden.
Ob von der Verwundung 1943 etwas übriggeblieben ist? Schmerzen im rechten Armgelenk, eine periodisch wiederkehrende Bandscheibenentzündung. Er begebe sich dann in Behandlung eines Chiropraktikers.

Kein Schluck Kaffee
Während des Interviews hatten sich menschliche Kontakte zwischen B. und dem Vertreter der »L'Humanité« ergeben. Sie hätten nach Beendigung des Interviews gern noch einen gemeinsamen Kaffee getrunken. Es erwies sich aber als unmöglich. Die Kantine schenkte um diese Zeit keinen Kaffee aus, um den Betriebsangehörigen nicht Gelegenheit zu geben, ihre Schicht zu verlassen. Man durfte in der Kantine auch nicht sitzen. So trennten sich B. und der Interviewer, ohne eine Tasse Kaffee getrunken zu haben.

HINSCHEIDEN EINER HALTUNG: KRIMINALRAT SCHELIHA

I

Im Januar 1945 unternahm Kriminalrat Scheliha vom Reichskriminalhauptamt eine Dienstreise in die Gegend von Elbing. Folgendes war geschehen: Gegen einen Gutsbesitzer v. Z. wurde seit November 1944 von den örtlichen Behörden wegen Mordes ermittelt. Es kam jedoch aus irgendwelchen Gründen zu keiner Anklage. Die Behörden zeigten in diesen letzten Kriegsmonaten keine Lust, drastische Maßnahmen gegen eine an sich hoch protegierte Persönlichkeit einzuleiten. Viele Angehörige der örtlichen Behörden und der übergeordneten Behörden in Elbing neigten eher dazu, den Beschuldigten an die Front zu schicken. Ehe aber das Verfahren in dieser Form abgeschlossen werden konnte, gelangten die Akten an das Reichskriminalhauptamt in Berlin. Kriminalrat Scheliha sollte den Fall an Ort und Stelle klären.

Kriminalrat Scheliha ließ sich zwei Inspektoren, zwei Assistenten, eine Schreibkraft sowie eine kleine Schutzpolizei-Staffel überstellen, die er in Kraftwagen nachts über die Strecke Fürstenwalde–Schwiebus vorausschickte. Er hatte die Absicht, die Klärung dieses Falles mit einer letzten Inspektion der Provinz Westpreußen zu verbinden, ehe auch diese Provinz von den russischen Truppen überrannt würde. Er selbst folgte den vorausgeschickten Kraftwagen mit dem Tageszug nach Elbing. An diesem Tag gab die Armeegruppe des Generals Hossbach die Lötzener Sperre auf und durchbrach – als wandernder Kessel – in Richtung Westen die russischen Truppen, die hinter dieser Armee bereits die Provinz Ostpreußen zu besetzen begannen.

Es war im Grunde unverständlich, weshalb die örtlichen Partei- und Staats-Dienststellen den Beschuldigten Z. nicht der gerechten Sühne zuführten.

II

Scheliha hielt sich in Stadt und Festung Elbing, in der zu jener Zeit die Gefängnisse geleert und zahlreiche verräterische und desertierende Personengruppen füsiliert wurden, nicht auf, sondern hinterließ dort nur einen Inspektor, der ihm über die Hintergründe der Mordsache und die vielen umlaufenden Gerüchte über das Frontgeschehen berichten sollte. Im Kreisgefängnis – außerhalb von Elbing – wurde ihm gemeldet, daß im Zusammenhang mit örtlich begrenzten Fremdarbeiterkrawallen ein Gefangenenausbruch gelungen sei. Unter den Gefangenen befand sich der in Untersuchungshaft befindliche Z. Scheliha begab sich noch spät am Tage mit Kraftwagen und Begleitpersonal zum Landsitz des Z. in der Umgebung von Elbing. Es war ihm unverständlich, daß man diesen Mann nicht besser bewacht hatte.

Auf dem Gut war der Beschuldigte naturgemäß nicht mehr zu finden. Scheliha ließ einige der Knechte, die auf dem Gut arbeiteten, sowie den Geistlichen und den Ortsgruppenleiter der benachbarten Ortschaft befragen. Die Feststellungen ergaben, daß der Beschuldigte für wenige Stunden auf dem Gut erschienen war und für die weitere Flucht einen Jagdwagen benutzt hatte unter Mitnahme von sechs Pferden (jeweils zwei zum Auswechseln). Scheliha vermutete, daß der Beschuldigte die Richtung Pommern oder Niederschlesien, also eine eindeutig westliche Richtung, vermeiden würde; die Gefahr, daß er dabei einer Heereskontrolle in die Hände fiel und für einen Deserteur gehalten wurde, erschien hier größer als der Nutzen des näheren Weges. Eher war anzunehmen, daß der Beschuldigte in einem Bogen nach Südosten der Front zu geflohen war, weil er so hoffen konnte, das Generalgouvernement zu erreichen. Der Zusammenbruch der Weichselfront und die schnell nachstoßenden russischen Armeen hatten dort eine derartige Unordnung geschaffen, daß der Beschuldigte es wagen konnte, sich von dieser Seite der Reichsgrenze zu nähern.

Übrigens gab es im ganzen Umkreis des Gutes zur Tatzeit kein Fremdarbeiterlager, auch keine einzelnen Fremdarbeiter, Lungerer oder Deserteure, die die Tat begangen haben konnten. Der Hinweis auf streunende Ausländer entsprach der Einlassung jedes leugnenden Beschuldigten. Scheliha stand dieser Art von Ausflüchten grundsätzlich skeptisch gegenüber. Er prüfte aber doch die Möglichkeit, ob ein anderer als der Beschuldigte die Tat begangen haben könnte. Die Knechte waren in bestimmten Gebäuden kaserniert; während der Arbeitszeit wurden sie bewacht. Sie hatten keinen Zugang zum Herrenhaus, in dem der Mord geschah. Telefonisch wurde von Elbing durchgegeben, was der dort zurückgelassene Inspektor über die Hintergründe des Mordfalles Z. ermittelt hatte: es sei keine spezifische Protektion für v. Z. zu erkennen, aber eine verbreitete Unlust, diesen Mordfall zu diesem Zeitpunkt herauszustellen. Parteidienststellen waren nicht damit befaßt worden. Von den Justizstellen werde u. a. die Auffassung vertreten, daß die eigentliche Gefahr im Moment nicht von Leuten wie Herrn v. Z., sondern von zahllosen aufsässigen und desperaten Personengruppen drohe, die jetzt gegen Ende des Krieges und in Zusammenhang mit dem Einbruch der Weichselfront eine Chance der Auflehnung sähen. Ebenso ging die Stellungnahme der Staatsanwaltschaft dahin, daß man in der gefährlich angespannten Situation nicht sozusagen die eigenen Leute umbringen dürfe; man müsse den Fall vom Ergebnis her betrachten. Alle diese Gesichtspunkte entsprachen nicht der Auffassung von Kriminalrat Scheliha.

III

Scheliha brauchte weniger als eine Stunde, um sich von der Täterschaft des Gutsherrn zu überzeugen. Er ließ die Situation in den Räumen, in denen der Tote gefunden worden war, mit Kreidestrichen am Erdboden rekonstruieren und durchprobte mit den Assistenten das ziemlich primitive Verbrechen. Bei einem der Knechte wurden Kleidungsstücke des Z. gefunden, die die erwarteten Blutflecken aufwiesen. Diese und andere Beweismittel wurden mit dem Leiterwagen nach Elbing gesandt. Auch das Problem, daß der Mord besonders grausam ausgeführt und insofern nur schwer einem Gebildeten und aus guter Familie Stammenden zuzurechnen war (was den Gedanken nahelegte, daß vielleicht doch Fremdarbeiter die Täter waren), klärte sich nach den eingeholten Persönlichkeitsbeschreibungen zufriedenstellend auf. An sich war der Beschuldigte, darin stimmten alle befragten Personen überein, ein Mann von hoher Moralität, die in diesem besonderen Fall erst überwunden werden mußte. Es war selbstverständlich, daß die Verstümmelung des Gast-Kopfes ihre Ursache in den besonderen Anforderungen hatte, die der Gutsherr im allgemeinen an sein Gewissen stellte. Es handelte sich gewissermaßen um einen Kraftausbruch dieses Gewissens, das die Tat unter den gegebenen Verhältnissen nicht hindern konnte, dann aber doch in der Verstümmelung anderweitig seinen Ausdruck suchte.

Scheliha ließ seinen zweiten Inspektor auf dem Rittergut zurück mit der Weisung, dort bis zur Annäherung der Russen die nötigen Vernehmungen durchzuführen und sich bei herannahender Gefahr über Festung Elbing nach Berlin zu begeben. Er selbst ließ sich mit seinen beiden Assistenten und der Schreibkraft – der er während der Fahrt einen ausführlichen Bericht über die bisherigen Ermittlungen diktierte – zum Eisenbahnknotenpunkt Schmielau fahren. Von dort hoffte er im Zug oder mit Hilfe einer Draisine rasch nach Süden zu kommen. So konnte er erwarten, den Mörder auf einer der nach Süden führenden Straßen abzuschneiden. Etwa dreißig Kilometer vor Schmielau kamen ihnen aber auf der Landstraße in Dreierkolonne Heeresfahrzeuge entgegen. Jeweils drei Kraftfahrzeuge fuhren nebeneinander auf der verhältnismäßig engen Provinzstraße, später auch Panzerfahrzeuge zu zweit. An den Seiten der Panzer und auf den Wagen hingen die

Soldaten. Diese Kolonnen, die die Festung Elbing zu erreichen versuchten, drängten entgegenkommende Passanten – und auch die Fahrzeuge des Kriminalrats – von der Chaussee. Einige Motorradmelder schafften Platz vor der Kolonne, die ihn sich sonst selbst verschafft hätte; die Motorradmelder hatten den Auftrag, alles von der Straße zu räumen, sie verwiesen den Kriminalrat an den nächsten Offizier. Es dauerte aber längere Zeit, bis ein leitender Offizier zur Stelle war, weil es gar nicht leicht war, aus der schnellfahrenden Kolonne heraus einen Offizier anzurufen und zum Absteigen zu bewegen. Der Offizier war in Gefahr, wenn er abstieg, seine Gruppe zu verlieren; er befand sich in Lebensgefahr, wenn er absprang, weil er ohne seine Truppe wahrscheinlich standrechtlich verfolgt werden konnte. Es waren daher nur wenige Worte, die der Kriminalrat mit dem Offizier wechselte, ehe dieser wieder auf einen der dicht folgenden Lastwagen aufsprang. Scheliha verlor mehrere Stunden, in denen er nichts tun konnte, als warten und hoffen. Es bestand keine Aussicht, auch wenn er den Vorteil der Bahnverbindung hatte, den Mörder vor Eintritt in das Generalgouvernement abzufassen.

IV

In Eisenbahnstützpunkt und Festung Schmielau, einem Garnisonsstädtchen von vielleicht 15 000 Einwohnern, fand Kriminalrat Scheliha auf dem Wehrbezirkskommando eine intakte Fernschreibanlage vor. Telefonisch erhielt er von dem auf dem Gutshof des Beschuldigten zurückgelassenen Inspektor die letzten Ermittlungsergebnisse. Die Mordwaffe war in den Kellerräumen des Gutshauses gefunden worden, nach Elbing gebracht und dort erkennungsdienstlich behandelt worden. Hinzu kamen Zeugenaussagen von Knechten und Einwohnern.

Über das Fernschreibgerät konnte Scheliha einige Orte und Stützpunkte in Ostpreußen, Westpreußen und im Generalgouvernement (man konnte inzwischen schon sagen im ehemaligen Generalgouvernement) erreichen. Er versuchte so, den Mörder, der hier irgendwo im Kreis der Wälder und Auen entkommen wollte, einzukreisen; mit anderen Worten, er improvisierte eine Fahndung, wenn dieses System einer Fahndung auch erhebliche Lücken aufwies. Scheliha stieß aber gegenüber den Anforderungen, die er über den Fernschreiber an die verschiedenen erreichbaren Orte sandte, auf Lässigkeit, ja auf Ablehnung. Die Durchführung einer Fahndungsmaßnahme nach einer einzelnen Person wurde unter den gegebenen Umständen von den untergeordneten Stellen für unmöglich und für im Ergebnis nicht vertretbar gehalten. Als ob ein Mord dieses Kalibers ein Kavaliersdelikt ist! Scheliha ließ über den Fernschreiber folgenden Wortlaut an den Polizeigeneral in Krakau durchgeben:

– (Scheliha) In der Mordsache (folgt Aktenzeichen und nähere Angaben) stoße ich bei folgenden Dienststellen (folgen die Dienststellen) auf hinhaltende Behandlung. Ich erbitte Anweisung dieser Stellen. Scheliha, Kriminalrat.

Antwort erhielt er von einem Oberregierungsrat Dr. Schulze, einem Schüler Schelihas aus der Zeit am Alexanderplatz:

(Antwort) Anweisung an folgende Dienststellen (folgen die Dienststellen) gegeben, andere von Ihnen bezeichnete Dienststellen von hier nicht mehr erreichbar. Die Russen stehen bei Plock. Zusätzliche Fahndung von hier veranlaßt. Sollen wir ein Fahrzeug für Sie von hier aus zur Abholung schicken? Erbitte Antwort, Schulze, Oberregierungsrat.

– (Scheliha) Danke verbindlichst. Schönsten Gruß.

– (Antwort) Gehorsamsten Gruß.

Scheliha nahm an, daß v. Z. irgendwo auf der Strecke Schmiclau, Klopau, Mielczic die Reichsgrenze zu erreichen suchte, die in voller Länge hier ohne effektive Kontrolle zu sein schien. Um dorthin zu kommen, mußte er die Straße Klopau–Mielczic erreichen. Scheliha gab den Gedanken an eine der Verhaftung nachfolgende Inspektion der Provinz Westpreußen auf. Er setzte sich mit seiner Begleitung von zwei Assistenten, einer Schreibkraft und zwei Polizeibeamten in zwei Kraftwagen in Richtung Klopau in Bewegung.

V

Vorbei an verschiedenen primitiven Erschießungsszenen entlang der Fluchtstraßen, auf denen die Fahrzeuge des Kriminalrats von der Kraft, die sie besaßen, nur wenig zeigen konnten: – einerseits schien es in dem allgemeinen Durcheinander auf einen Mord mehr oder weniger nicht anzukommen, es war auch schwierig und fast unmöglich, diesen Mörder aus den zahllosen Menschen, die sich in verschiedenen Richtungen bewegten, herauszufinden; andererseits sah Scheliha keine vertretbare Möglichkeit, die Verfolgung in diesem Stadium abzubrechen. Er sah ein, daß die Kriminalbehörden – trotz bester und neuester Organisation im Reichskriminalhauptamt – nicht in der Lage und auch nicht befugt waren, einen solchen Katastrophenzustand kriminalistisch zu verarbeiten oder gar zu klären. Sie hätten dazu ihrerseits die Macht ergreifen und gewissermaßen eine kriminalistische Diktatur neben der bestehenden einrichten müssen. Um so genauer muß aber ein Kriminalist in diesem Augenblick, in dem er die Institution, der er angehört, versagen fühlt, sich für die Erfüllung seiner Aufgabe einsetzen und so – immer nach möglichst starker kriminalistischer Wirkung strebend – in der Tendenz, wenn schon nicht wirklich dem verletzten Recht Genugtuung verschaffen.
An diesem Tag wurden die Generale Hossbach und Reinhardt, die die wandernden Kessel in Ostpreußen befehligten, abgesetzt und durch die Generale Schwiethelm und v. Müller ersetzt. Im Generalgouvernement versuchten zwei Feldmarschälle, die fliehenden deutschen Truppen an verschiedenen Stellen zu sammeln. Der Generaloberst Rendulic, von der

Verteidigung Wiens hierherberufen, übernahm eine Villa und ließ einen Palisadenzaun um dieses Hauptquartier errichten. Kriminalrat Scheliha geriet auf seiner Verfolgungsjagd bis in die Nähe von Klopau.

VI

Am folgenden Tag verschlechterte sich die Situation im Raum westlich von Plock, die russischen Truppen überrannten mehrere der von Norden nach Süden etwa parallel zur Weichsel verlaufenden Straßen. Scheliha entschloß sich, eines seiner Fahrzeuge mit einem Assistenten und der Schreibkraft in Richtung der Reichsgrenze fortzuschicken, um die Frau nicht unnötig vielleicht gefährlichen Situationen in Frontnähe auszusetzen. Er selbst setzte die Verfolgung in Richtung Süden fort. Er ging von der begründeten Annahme aus, den Jagdwagen unweit Klopau beim Aufenthalt auf einem bestimmten Gutsbesitz abzufassen. Scheliha kam als Anhängsel eines Armeetransportes, der von einem energischen Leutnant geführt wurde, durch Klopau, das wenig später von den russischen Angriffstruppen umzingelt wurde.

Unweit Klopau, inmitten sich einer auf mehrere Kilometer erstreckenden Verkehrsstockung, wurde Scheliha am darauffolgenden Tage von russischen Garde-Truppen gefangengenommen. Er wurde von seinen begleitenden Polizisten und dem Assistenten getrennt und mit vielen anderen Gefangenen nach einigen Tagen Aufenthalt in Eisenbahnwaggons verladen. Die Akten über den Fall Z. wurden vernichtet, als das Fahrzeug des Kriminalrats aus Gründen, die nicht mehr geklart werden konnten, während des kurzen Gefechts, das der Gefangennahme vorausging, in Brand geriet.

Der Mörder Z. hatte gleich hinter der Stadt Klopau – nach einem eilig abgestatteten Besuch auf einem befreundeten Gutshof –, da er nach den äußeren Anzeichen auf die Nähe der Russen schloß, eine Straße zweiter Ordnung in Richtung

Westen eingeschlagen, die für den Jagdwagen benutzbar erschien. Er erreichte über diese Strecke nach einigen Tagen die Reichsgrenze bei Grünberg in Schlesien, die zu diesem Zeitpunkt nicht kontrolliert wurde. Über Glogau, Kottbus und Guben schlug er sich, später unter Verzicht auf seinen Jagdwagen, nach Schleswig-Holstein durch, wo er auf einem Rittergutsbesitz Aufnahme fand. Später siedelte er über ins Rheinland.
Währenddessen fuhr Scheliha in die entgegengesetzte Richtung.

Kant-Zitat:

> »Selbst, wenn sich die bürgerliche Gesellschaft mit aller Glieder Einstimmung auflöste (z. B. das eine Insel bewohnende Volk beschlösse, auseinanderzugehen und sich in alle Welt zu zerstreuen), müßte der letzte im Gefängnis befindliche Mörder vorher hingerichtet werden, damit jedermann das widerfahre, was seine Taten wert sind, und die Blutschuld nicht auf dem Volke hafte, das auf diese Bestrafung nicht gedrungen hat; weil es als Teilnehmer dieser öffentlichen Verletzung der Gerechtigkeit betrachtet werden kann. Es ist besser, daß ein Mensch sterbe, als daß das ganze Volk verderbe; denn wenn die Gerechtigkeit untergeht, so hat es keinen Wert mehr, daß Menschen auf Erden leben.«

VII

Als Scheliha 1953 aus der Gefangenschaft zurückkehrte, hatten sich die Umstände in Deutschland verändert. Scheliha nahm von einer weiteren Verfolgung v. Z.'s, der im Rheinland eine Stellung bekleidete, Abstand. Am 12. 6. 1961 hielt der zum Rechtsrat ernannte Scheliha vor dem Rotary-Club in S. einen Vortrag über »Justiz und Kriminalität«.
Aus der Diskussion:

(Beifall)

Der Präsident des Rotary-Clubs: Er möchte Herrn Dr. Scheliha für die Ausführungen danken. Er möchte aber auch betonen, daß in dem Kreise der Rotarier ein Gefühl für Recht und Unrecht durchaus vorhanden sei. Man solle über manche Dinge auch nicht zuviel nachdenken. *Rot. Benger-Ribana:* Der Vortragende habe die Jacke des Husaren Attila genannt. Es müsse natürlich heißen: der Dolman. Der Vortragende habe auch sonst sprachliche Mängel erkennen lassen. Ein mangelhaft gefaßter Gedanke sei aber auch dann kein rechter Gedanke, wenn es um die unbewältigte Vergangenheit gehe. *Rot. Plettke:* Die Justizprobleme beträfen immer nur einen kleinen Personenkreis. *Rot. Barabas:* Als im Strafvollzug stehender Jurist verstehe er nicht den Pessimismus des Vortragenden. Er sei da optimistisch.

(Beifall)

Einen wesentlichen Punkt habe Herr Scheliha nicht genügend berücksichtigt: das sei die Gnade. Wo Gerechtigkeit sei, da sei auch Gnade; eine Gerechtigkeit sei unvorstellbar, die nicht durch Gnade bereichert werde, wenn man auch zweifellos gegenüber den Gnadengesuchen heute einen strengeren Maßstab anlegen müsse.

(Starker Beifall)

Grundsatzdebatte

Rot. Geibel: Er könne sich nicht denken, daß das deutsche Volk im Jahre 1953 »ohne Wert« sei, wie der Vortragende gesagt habe. Deutsche Zucht und deutscher Wert, wie es im Deutschlandlied heißt, seien auch 1945 nicht untergegangen. *Rot. Pils:* Blutschuld hafte im Zweifel nicht auf dem Volke, da die Straftat auf dem Gebiet Westpreußens begangen worden sei. Sie hafte also auf Polen. *Rot. Waller:* Eine Gesellschaft könne sich gar nicht auflösen, auch wenn alle Mitglieder zustimmen, daher sei Kants Beispiel utopisch. *Rot. Henn:* Wenn er aus der Praxis des Bundestages sprechen dürfe: Es ergebe sich immer wieder, daß man gerade bei Hochverrat ernsthafte philosophische Erwägungen anstellen müsse, weil erfahrungsgemäß gerade die laxe Bestrafung im Sinne Kants Verderben über das Volk oder besser: ins Volk, bringe. *Rot. Glas:* Das Volk habe ja auf die Bestrafung damals gedrungen, lediglich der Apparat habe versagt. Aber Dr. Scheliha habe selbst Mäßigung empfohlen. Er habe das Beispiel ja nur wegen seiner geänderten Haltung erzählt. *Rot. Valentin:* Unverständlich sei ihm, daß nicht geprüft worden sei, ob v. Z. nicht in Notwehr gehandelt hätte. *Rot. Mertens:* Seines Wissens habe sich das Inf. Regt. 71 seinerzeit im Umkreis von Klopau befunden. Das hätte den Mörder suchen können.

Verschärfte Debatte

Präsident: Man müsse die Redezeit aus Zeitgründen auf eine Minute pro Person bemessen. Er bitte daher die Ausführungen kurz zu fassen. Nun bitte er fortzufahren. *Rot. Lambrecht:* Was es heißen solle, »daß jedem widerfahre, was seine Taten wert seien«. Philosophisch gesprochen, müsse man das als eine Frage der Praxis ansehen. *Rot. Bischof:* Selbstverständlich sei das eine Tatfrage. *Rot. Erb:* Und als Arzt könne man das nur unterstützen. *Rot. Katrin:* Es sei aber völlig richtig, daß besser ein Mensch sterbe, als daß das ganze Volk verderbe. *Präsident:* Das sei richtig; der Rotary-Club sei grundsätzlich sozialen Problemen aufgeschlossen, das sei aber kein eigentlich soziales Problem. *Rot. Katrin:* Ob aber im anderen Fall es keinen Wert mehr habe, daß Menschen vom Ende reden, das möchte er bezweifeln. *Rot. Jacoby:* Man müsse sich auf das Problem selbst konzentrieren. *Rot. Schmidthenner:* Es sei ein Bildungsproblem. *Rot. Glaube:* Wenn er aus der Praxis sprechen dürfte: schon Friedrich II., er meine den König und nicht den Kaiser, sage:

Der Beamte und der Philosoph bezögen ihre Stärke aus der Sachfremdheit. Er wolle aber heute nicht als Beamter und Philosoph sprechen, sondern als Praktiker, und Praxis bedeute Sachnähe. Wer sei noch bereit, z. B. sein Leben oder seine Freiheit für spezielle Probleme der Gerechtigkeit einzusetzen? *Rot. Sprengel:* Die Frage der Sühne, die Kant aufwarf, sei eine sehr spezielle und vielleicht sogar abwegige Frage. Vielleicht sei eine vorbeugende Polizeimaßnahme wesentlich wirksamer als jede nachträgliche Sühne. *Rot. Mainz:* Nicht der Rechtswegstaat, sondern der vorbeugende Rechtsstaat werde gebraucht, der bei der Polizei anfange. Schon Salazar habe das richtig gesehen. *Rot. Patzak:* Um auf Kant zurückzukommen: Zurückkehrend aus der Kriegsgefangenschaft, sei festzustellen gewesen, daß auch ohne Sühne und »Wert« im Sinne Kants die Entwicklung ihren Fortgang genommen habe. Man könne die eigentümliche Untergangsstimmung der letzten Kriegsmonate (allenfalls der Schummerstimmung im Advent vergleichbar) nur schwer rekonstruieren.

Zur Gerechtigkeitsliebe

Dr. Scheliba: Strafen sei Stimmungssache. Genauso seien Ermittlungsarbeit und Kriminalität selbst davon abhängig, daß die Einheit von Raum und Zeit gewahrt werde. Ohne spezifische Atmosphäre gelänge weder das Verbrechen noch die Ermittlung. *Präsident:* Er danke dem Referenten für diesen Vortrag. *Rot. Peickert:* Er habe immer die Gerechtigkeit für eines der unsinnigsten Ideale gehalten. *Rot. Balunga:* Er habe sich immer schon dafür interessiert, wie Justiz zur Kriminalität werde und wie Kriminalität sich der Justiz entziehe. Man müsse auch diese Fragen mit in das Problem hineinstellen. *Rot. Pils:* Gerechtigkeit sei ein totalitäres Prinzip. *Rot. Wuller:* Ohne Gerechtigkeit gehe es aber nicht. Der Kriminalist sei der Hund der Rechtssicherheit, der Richter der König der Justiz. *Präsident:* Er bitte um Kurzfassung, da die Zeit für die fruchtbare Diskussion beengt sei. *Rot. v. Bergmann:* Allzu große

Gerechtigkeitsliebe erinnere an eine Perversion, auch für Knabenliebe habe die Antike Argumente gewußt. *Rot. Eber:* Es sei eigentümlich, daß die Bezeichnung Gerechtigkeit in antiken Texten häufiger vorkäme. *Rot. Fürbringer:* Sie müsse sein! Ohne Gerechtigkeit könne man nicht leben. *Rot. Schumpeter:* Aber wieso das erwiesen sei? *Präsident:* Man solle nicht durcheinanderreden. Das Wort habe Herr Fürbringer.

Abschluß

Rot. Lebsius: Das heute besprochene Problem sei anregend gewesen. In sehr verdienstvoller Weise sei die Problematik der Rechtsordnung entwickelt worden. *Rot. Pichota:* Die Konsequenz in dem gehörten Vortrag habe besonderen Eindruck hinterlassen. *Rot. Arndt:* Endlich seien hier einmal offene Worte gefallen.

(Lebhafter Beifall)

Präsident: Nachdem die Diskussion viele anregende Gedanken ergeben habe, bitte er den Vortragenden um eine abschließende Stellungnahme. *Rechtsrat Dr. Scheliha:* Er danke für die Worterteilung. *Präsident:* Die Zeit sei fortgeschritten, er möchte im Namen aller Anwesenden sprechen, wenn er Herrn Dr. Scheliha für seine gültigen und aufschlußreichen Ausführungen danke.

(Warmer fülliger Beifall)

FRÄULEIN V. POSA

I

Die junge Gutsherrin, Fräulein v. Posa, ließ die Gattertore zur Straße schließen, damit die Leute nicht auf den Hof kämen. Später überlegte sie es sich anders und ließ die Gattertore wieder öffnen. Sie gab Weisung an die Küche, die Leute, die in den Hof einströmten, zu speisen. Rauch stand über der Stadt, der in der oberen Region durch den Wind abgeknickt war.
Dr. v. Posa wartete im Salon auf seinen Kaffee. Radio Luxemburg brachte ein passables Opernkonzert. Fräulein v. Posa versuchte Verbindung mit dem Domsuperintendenten in der Stadt zu bekommen, aber das war schon unmöglich, weil die Telefonanschlüsse zur Stadt wegen der Nähe des Feindes unterbrochen waren. Sie fühlte sich schuldig, weil sie die Hofgatter hatte zusperren wollen. Den ganzen Tag über passierten Flugzeuge von Westen nach Osten. Als sich Tiefflieger dem Gut näherten, rannte die Posa zu dem für die Familienmitglieder reservierten Luftschutzbunker hinter den Scheunen. Sie war wie besinnungslos, während sie lief. Auf dem Feldbett, das den kleinen Unterstand fast ganz ausfüllte, befanden sich der Pole und Gloria. Posa setzte sich auf die Bettkante zu den beiden und hinderte sie, als sie sich verlegen aufsetzen wollten. Sie suchte ihnen vielmehr die verstreut umherliegenden Kleidungsstücke zusammen. Der junge Pole saß zwischen den Frauen. Gloria begann sich, etwas frech, vor ihrer Schwester anzuziehen. Die Posa kümmerte sich den Tag über um die Leute, die sich im Hof und in den Scheunen niedergelassen hatten und Verpflegung empfingen. Später kam der Kreisbauernführer mit einigen seiner Leute und suchte wieder nach dem entlaufenen Polen. Sie fanden ihn diesmal, weil er unvorsichtig geworden war und sich hinter den Scheunen herumtrieb. Der Kreisbauernführer ließ ihn fesseln und verhörte ihn.
Gegen Abend näherten sich amerikanische Panzer der Stadt,

aus der ein langanhaltender Sirenenton zu hören war. Die Posa hatte mit den Knechten und Fremdarbeitern zu tun, die in kleinen Trupps von den Feldern hereinkamen. Sie waren begierig, Neuigkeiten zu erfahren. Am Abend war der junge Fremdarbeiter, Glorias Pole, verschwunden. Nachts wurden aus der Stadt zwei Geburten eingeliefert, und die Posa mußte ihren Vater überreden, daß er sie annahm: er war darauf angewiesen, sie anzunehmen – aber er hatte sich angewöhnt, sich dazu überreden zu lassen. Durch die Geburten war auch Gloria beschäftigt, die die Nabelschnur durchzuschneiden hatte, das einzige, was Dr. v. Posa nicht über sich brachte. Dies war der Tag der Befreiung.

II

Nachdem feststand, daß der Pole nicht wiederkehren würde, wurde die Posa allmählich ruhiger. Sie konnte in der Nacht, die auf den Einzug der Alliierten folgte, nicht einschlafen und kleidete sich deshalb wieder an und begann das Haus aufzuräumen. Die vielen Kreuze und Jesusfiguren im Haus, die sie beängstigten, trug sie auf einen Fleck zusammen. Sie hatte Angst, diese Gegenstände an ihren angestammten Plätzen zu sehen. Sie wünschte leidenschaftlich, wieder gut zu sein. Sie sah ungläubig, daß es Umstände gab, die es unmöglich machten, gut zu sein, und die doch keinen Ausgleich bereit hielten. Was sollte geschehen? Sie hatte in der Nacht eine Krise und betete (in einen Sessel gekauert). Dann weinte sie, bis sie einschlief.

Enthaltsamkeit
Sie hätte diesen jungen Fremdarbeiter, der Zugang zum Herrenhaus hatte, weil er nur im Herrenhaus zuverlässig versteckt werden konnte, zum Geliebten haben können. Aus welchem Grund nahm sie ihn nicht? Ihre Enthaltsamkeit trieb den Mann in die Arme der kleinen Schwester, die die Posa besser hätte schützen müssen.

Reaktion auf das Verschwinden des jungen Fremdarbeiters
Die Posa verlor etwas von der Beklemmung der letzten Tage, als sie sicher war, daß sie ihn nicht mehr finden würde, trotzdem suchte sie nach ihm, bis es dunkel war. Sie fuhr in ihrem Auto zu den verschiedenen Fremdarbeiterquartieren, in denen allmählich Freiheitsfeiern in Gang kamen, und fragte nach ihm. Er war nirgends gesehen worden.

Vampir Vater
Sie hatte, seit diese herrlichen, sonnigen Frühlingstage eingesetzt hatten, ein unbestimmtes leidenschaftliches Verlangen, das man nach allen Richtungen hätte wenden können, aber sie hatte als Abnehmer für diesen guten Willen lediglich ihren Vater, der sich davon aneignete, was er bekommen konnte. Er nutzte sie in seiner Praxis aus, wo sie für ihn Instrumente sterilisierte, oder er schickte sie mit Anliegen zu benachbarten Gütern oder in die Stadt: zu Kolonialwarenhändlern, Delikatessen besorgen.

Dr. v. Posa
Ernst, geb. 1886, Ausbildung als Arzt, wie schon sein Vater Arzt gewesen war. Alle sagten Ernst v. Posa eine glänzende Karriere voraus. 1914 stellvertretender Leiter des Feldlazaretts III in Lemberg, das die Verwundeten der zurückflutenden 3. Armee des Generals der Kavallerie v. Brudermann auffing. Posa geriet in die Falle von Przemysl, wohin er Teile seines Lazaretts von Lemberg hatte retten können. Tage später stand die eingeschlossene Festung Przemysl bereits auf verlorenem Posten. Aus russischer Kriegsgefangenschaft wurde Posa über Dänemark gegen kriegsgefangene russische Ärzte ausgetauscht. 1916 Besichtigung des Gefechtsfeldes vom 16. September 1914 an der Oise, auf dem zwei der Brüder Posa begraben lagen. Ob die Turkos ihnen die Augen ausgeschnitten hatten?
Nach Abschluß des Weltkrieges nur noch Bedürfnis nach den

»schönen Dingen des Lebens«. Reisen nach Mallorca, Ibiza 1921; Tunis und Griechenland 1923; Portugal- und Spanienreise 1928; Heirat 1920 mit Brigitte v. D., Scheidung nach 6 Jahren. Verschiedene Mittelmeer-Reisen 1932, 1935, 1936, 1937, 1939 (Frühjahrsreise), u. a. Korfu. Landpraxis und Entbindungsheim auf Gut Posa. Äußerst kälteempfindlich. Kann seit Przemysl Hunger nicht ertragen, daher der Tageslauf von vielen kleinen Mahlzeiten unterbrochen. Unwillig gegen Patienten. Spielt Geige.

Wende

Schon seit Februar erhoffte Fräulein v. Posa in ihren persönlichen Beziehungen und Absichten eine Wende. Sie merkte, daß sich etwas in ihr vorbereitete. Sie kannte diese Vorahnungen von früheren Anlässen und rechnete sich aus, daß nach dem Nullpunkt der letzten Jahre eine Aufwärtsbewegung kommen müßte.

Leichensuchergruppe

Die Posa fand lange Zeit keine Chance, irgend etwas zu tun, außer: Leute zu speisen, die sonst anderswo ihr Essen bekommen hätten, bis ihr die Leitung einer Leichensuchergruppe angeboten wurde. Sie übernahm diesen Auftrag und durchsuchte mit ihren Männern (teilweise Gutsknechten, teilweise von der Stadt zur Verfügung gestellten Arbeitskräften) die zertrümmerte Stadt nach Leichen. Sie fanden, mit Branntwein ausgestattet, um den Geruch ertragen zu können, am dritten Tag einen verschütteten Keller, in dem 60 Tote lagen. Sonst fanden sie einzelne Tote, armgroß verkohlte Körper, manche auch nur verschüttet und deshalb normal aussehend, die sie zu den Massengräbern transportierten, für die die Stadtverwaltung aufkam. Fräulein v. Posa bat um eine Woche Pause für ihre Männer, in der sie mit ihnen eine Kirche enttrümmern wollte. Das wurde aber auf Betreiben des Gesundheitsamtes abgeschlagen. In dieser Zeit dachte die Posa oft an den jungen Polen.

Auf der Suche nach etwas Gutem
Nachdem die Leichensuchergruppe auch das Stadttheatergrundstück aufgeräumt hatte, wurde sie aufgelöst und nicht zum Aufbau der Kirchen eingesetzt, wie Fräulein v. Posa es beantragt hatte. Fräulein v. Posa lief daher durch die Straßen auf der Suche nach irgend etwas Gutem, das sie tun könnte. Ihre Versuche auf der Militärregierung führten aber lediglich zu Mißverständnissen, die sie nicht aufklären konnte, weil sie darin keine Erfahrung besaß. Es gab keinen Markt für das, was sie vorhatte. Einen Monat lang beobachtete sie an ihrem Körper die Zeichen einer Schwangerschaft. Eine Schwangerschaft konnte es aber nicht sein. Gloria gestand ihr, daß sie mit dem Polen eine Unvorsichtigkeit begangen hätte. Sie sprach mit Gloria über den Polen und küßte die Schwester, als sie von ihm sprachen. Sie verlangte, nachdem sie die Unterredung gehabt hatte, noch stärker nach etwas Gutem.

III

Die Familie Posa ist im 17. Jh. aus den Niederlanden nach Jülich-Cleve eingewandert. Mit dieser Provinz kam sie dann an Preußen. Ein Premierleutnant v. Posa verhinderte bei der ersten Belagerung von Mainz unter den Augen seines Kurfürsten die Abschlachtung eines Zivilisten im Dorf Bretzenheim. Ein Mitglied der pommerschen Linie v. Posa lief 1793 zu den französischen Revolutionstruppen über und wurde nach der Besetzung von Paris 1815 füsiliert. J. H. v. Kirchheim, Vizepräsident des Oberlandesgerichts in Ratibor von 1836-1851 (seine Mutter eine Posa), hob 1848 den Haftbefehl gegen den Grafen Reichenbach auf. Der preußische König schrieb ihm: Verstehe das Erkenntnis nicht, spreche Ihnen meine Unzufriedenheit aus. v. Kirchheim wurde auf 5 Jahre beurlaubt. Als Abgeordneter im preußischen Landtag erhob v. Kirchheim état rechtliche Bedenken gegen diese Praxis. Noch auf der Rückreise wurde er wegen unwürdigen Verhaltens zwangspensioniert. Die vier damals als Landräte und Offiziere Preußen dienenden Posas traten von ihren Ämtern zurück. Die Familie Posa stellte in der folgenden Generation nur Ärzte. 1871 war es Generalarzt Franz v. Posa, der den Generalleutnant v. Voigt-Rhetz in der Schlacht von St. Privat auf den Schlächter Steinmetz aufmerksam machte. Steinmetz wurde am folgenden Tage durch einen anderen Armeeführer ersetzt.

In den I. Weltkrieg zogen acht v. Posa und v. Kirchheim. Der exzentrische Vormarsch der k. u. k. Armeen über Lemberg hinaus nach Norden kostete den meisten von ihnen das Leben. Sie fielen als preußische Verbindungs- und Sanitätsoffiziere in den Armeen Brudermann und Dankl und im Rahmen des preußischen Hilfskorps Woersch. Zwei andere v. Posa fielen gleich darauf im Westen, ohne etwas auszurichten. Den Weltkrieg überlebte lediglich der geschockte Ernst v. Posa auf Gut Posa in Nordhessen. Die Familie Posa geriet in den folgenden Jahren in eine Krise. Die übriggebliebenen und die nachwachsenden Posas: die gleichen Münder, Schatten um Mundhöhe, die gleichen neugierigen Augen, dunkelgelbbraune, sehr bald graue Haare, mahlende Schläfen bei Erregung, Adern an den Schläfen – wie die Posas um 1700, um 1800, um 1900, aber jetzt in der Krise.

IV

Was ist das Gute (bonum)?

Das Vaterland nicht, Europa – welches Europa? Schmerzstillen, Unglück lindern nicht. Sich der Schandtaten enthalten – was soll das sein? Ein Posa begeht keine Schandtaten. Die Wahrheit? Wem sie sagen? Enthaltsamkeit – nein. Was ist dann das Gute? Die Güter der Familie? Ja. Aber das kann nicht alles sein.

Oberstleutnant v. Hacke (mütterlicherseits Posa)
Liebe zu den ererbten Gütern in der Nähe von Braunschweig bedeutete das Ende von Ernst v. Hacke. Als Major aus dem I. Weltkrieg zurückkehrend (zuletzt 1919 in Hamburg Auflösung der Artilleriepferdebestände mit beträchtlichen Gewinnen für den Fiskus), hoffte er durch Volontärtätigkeit im Bankhaus Traeger, Pelckert & Co (Verwandte seiner Frau), die nötigen Geldmittel für die Erhaltung der Güter zu beschaffen. Tips von Münchner Bankfreunden bewegten ihn zu Spekulationen, bei denen er zusätzliches Geld verlor. Die überschuldeten Güter kamen unter Kuratel. Major v. Hacke ließ sich 1928 bis 1930 in Hannover als Sänger ausbilden. Ihm war von seinem ersten Ausbilder, Kammersänger Merkel v. Karonin, eine Karriere versprochen worden. v. Hacke warf sich auf die neue Aufgabe, die reiche Ausbeute versprach. In den Folgejahren erschien der Name Hacke in den Spielplänen von Coburg, Halberstadt, Kottbus, Torgau, Brandenburg und Danzig, aber nie an hervorragender Stelle. Die Nähe von Braunschweig mied v. Hacke. 1935 erfolgte die Rückberufung Hackes in die Wehrmacht. Im Oberstleutnantsrang nahm er am 1. September 1935 den Dienst im Kriegsministerium in Berlin auf. Polen-Feldzug und West-Feldzug versäumte er in entfernt gelegenen Stäben. Er sah die Chance, in diesem Krieg die Landgüter zu retten, wenn er sich auszeichnete. Freunde verschafften ihm 1941 eines der schneidendsten Werkzeuge des damaligen Heeres: das 2. niedersächsische Panzerregiment. Dies schöne Regiment fuhr im Verband des LIV. Panzerkorps in den Norden Rußlands. Blonde Niedersachsenschädel sahen aus den gut ausgerüsteten Panzertürmen. Spezialgerät aller Art stand zur Verfügung. Theoretisch konnte v. Hacke als Kommandeur dieser Waffe alle Klassen von Auszeichnungen bis zum Ritterkreuz und Eichenlaub erwarten. Die Auszeichnungen hätten ihn von allen Sorgen freigestellt, denn es war nicht anzunehmen, daß ein so hoch ausgezeichneter Soldat später seinen Schulden überlassen blieb. Die Fahrzeuge des Regiments fuh-

ren jedoch, noch ehe es zur Feindberührung kam, in ein weites Sumpfgelände ein. Inmitten der Offensive mußte das Regiment zurückgeführt werden. Eine Woche später sah sich das an einer anderen Frontstelle eingesetzte Regiment von den begleitenden Infanterieregimentern alleingelassen. Auf der Fahrt nach Leningrad wurde es rechts und links vom Feind in den Flanken gefaßt. Rückzugsbewegungen mußten eingeleitet werden. Der weinende v. Hacke stand mit seinen Offizieren an der Knüppelstraße und kontrollierte die nach rückwärts rollenden Panzer und aufgesessenen Grenadiere; währenddessen von den Seiten verzweifelte Verteidigungstätigkeit der MG-Trupps, die dem Regiment eine Chance zu geben versuchten.

Auch im Winter und im folgenden Frühjahr stellten sich keine Erfolge ein. Das bisher frei operierende Panzerregiment Hackes wurde in den Verband einer Panzerdivision zurückgegliedert. v. Hacke kämpfte eine Zeitlang vergeblich auf der Krim. An den Offiziersverschwörungen 1943/44 nahm Hakke-Posa auf Grund dieser Mißerfolge nicht teil. Er erhielt in Kroatien ein Gendarmerieregiment, das aber vor unlösbare Aufgaben gestellt wurde. Auch Erfolge hätten auf diesem entfernten Kriegsschauplatz zu keiner Beförderung oder Auszeichnung mehr führen können. Eine Liaison während eines Urlaubs in der Reichshauptstadt ließ dort neue Schulden auflaufen. Da zerstörte ein fehlgeleiteter englischer Bombenangriff das Objekt, um das es im Grunde ging: Gut Herford. Davon wußte der zum Oberst beförderte Hacke nichts, als ihn die Weisung eines der Freunde erreichte, zum Entsatz von Budapest beizutragen. So führte er seine Truppe auf Budapest. Seine von Südwesten vorgetragenen Angriffe verwirrten Belagerer und Verteidiger in der Stadt; die Rettung der Stadt wurde vom Plattensee her erwartet. Nach zwei Tagen zog sich das Regiment, im OKW-Bericht ausdrücklich genannt, auf die jugoslawische Grenze wieder zurück.

Dieser Glücksfall kam aus verschiedenen Gründen zu spät.

(Erst die Währungsreform milderte die Schuldenlage der v. Hackeschen Güter.) v. Hacke übernahm einen Divisionsstab im Chositz-Tal. Die aus Griechenland erwartete Division, die dieser Stab übernehmen sollte, erschien nie. Die Stäbe Hacke, Fehn und Kobe, die alle damals in den Tälern der ehemaligen Herzegowina vor der Entscheidung standen, entweder zu den amerikanischen Linien durchzustoßen oder sich den Partisanen zu ergeben, verhandelten mit einem Partisanenstab in Krtic-Chositz. Über Nacht floh der Partisanenstab, der sich seinerseits in Gefahr glaubte. Eine schwerbewaffnete Panzerkolonne mit den aufgesessenen Stäben Fehn, Kobe und Hacke gelangte bis zu den amerikanischen Linien bei Klagenfurt, wurde dort aber zurückgewiesen. Das war keine Komödie. Wenige Tage später wurden v. Hacke, Fehn und Kobe erschossen.

Baronin v. Posa

In der Nacht vom 2. auf den 3. Januar 1945 wurde der Baronin Posa das Gewissen fortgenommen. Das Gewissen war eine einfache Geldkassette, in der sich die Juwelen der Familie v. Posa befanden. Erika v. Posa hatte die Kassette mit der Reichspost, eingeschrieben, von Gut Posa im Ostland nach Nürnberg gesandt, sobald Freunde im OKH ihr Nachricht gegeben hatten, daß die Russen sich Posa näherten. Die Kassette kam sicher in Nürnberg an und wurde von einer Apothekerfamilie, wie schon zu Kriegsanfang verabredet, für die Baronin im »Goldenen Stern« (so hieß die traditionsreiche Apotheke) aufbewahrt. Die Baronin selbst hielt zu lange auf dem Gut aus. Mit ihren Fuhrwerken geriet sie in die Rückzugsbewegungen der deutschen Truppen. In den 20iger Jahren war sie mit diesen Fuhrwerken und Knechten vom alten Gut Posa bei Stolpe bis Berlin gefahren und hatte Veranstaltungen der Deutschen Volkspartei in Berlin geleitet. In den ersten Schneetagen verlor sie jetzt ihre Knechte, die Fremdarbeiter und die Wagen. Ihr eigener Wagen wurde von gepanzerten Fahrzeu-

gen die Straßenböschung hinuntergestoßen. Ein Wagenrad überrollte die Schienbeine der hingestürzten Frau. Auf Tragbahren brachten Soldaten sie in ein Lazarett. In Nürnberg erschien sie als Gelähmte, die sich im wesentlichen nur noch im Rollstuhl bewegen konnte, wenn sie nicht kriechen wollte. In der Nacht vom 2. auf den 3. Januar 1945 wurde die Stadt Nürnberg von alliierten Bombern angegriffen. Auch der »Goldene Stern« wurde von Brandbomben und Sprengbomben getroffen. Baronin v. Posa und die Hauseigentümer verbrachten die Zeit des Angriffs in den unteren Gewölben des »Stern«. Fünf ausgebaute Kellergeschosse beherbergten Heilmittel, Alkohol und Verbandstoffe. Als die Kellerinsassen Rauchentwicklung bemerkten, wurde der Mauerdurchbruch eingeschlagen, der zu dem Katakombensystem führte, das sich unter Nürnbergs Altstadt befindet. Ihr Gewissen an den alternden Leib gepreßt, versuchte Erika v. Posa zum Mauerdurchbruch zu kriechen, durch den sich die Hauseigentümer bereits gerettet hatten. Der Mauerdurchbruch war durch eine 50 cm hohe Schwelle von der Kellerebene des »Stern« abgeteilt. Von dieser Schwelle stürzte die Baronin in den wesentlich tiefer liegenden Katakombengang. Die schlecht verheilten Schienbeine brachen. Als sie um Hilfe rief, erschienen nach Stunden aus der Dunkelheit Plünderer, die ihr den einzigen Besitz, die Kassette mit dem Gewissen, fortnahmen.
Die Jahre 1945 bis 1948 überbrückte die Baronin im Lager Gartenstadt in der Fränkischen Schweiz, wohin man die Obdachlosen Nürnbergs zunächst gebracht hatte. Ihr Neffe, André v. Teck, kehrte 1949 aus russischer Kriegsgefangenschaft zurück. Er nahm die Baronin Posa zu sich nach Wiesbaden. Die Kassette tauchte später bei einem Juwelier wieder auf; Baronin v. Posa verleugnete sie. Die Schienbeine wuchsen zusammen, Baronin Posa verzichtete darauf, sich in nennenswertem Umfang zu bewegen.

Polizeirat v. Kirchheim

v. Kirchheims Betrachtungsweise (geb. 1900) war die der Logik. Die logische Betrachtungsweise ist die der inneren Verwaltung. Der Staat gilt ihr als eine Maschine: das führt aber nicht zur vereinfachten Betrachtung, sondern fordert Erfindung, wenn diese Maschinerie von Verwaltung und Polizei an die individuellen Notwendigkeiten und Wirklichkeiten angepaßt werden soll. 1923 trat v. Kirchheim in den Dienst der preußischen Inneren Verwaltung. 1929 trat er in den Polizeivollzug über; das Jahr 1933 überraschte ihn in Breslau bei der Aufklärungsarbeit an einem Mord. Am 28. Januar veranlaßte Kirchheim die Festnahme der Täter, die der SA angehörten. Wenige Tage später war Obergruppenführer Heines Polizeipräsident von Breslau und Oberpräsident von Schlesien. Am 6. Februar wurden Gewerkschaftsführer in ihren Wohnungen erschossen. Nach den Wahlen im März wurde Kommerzienrat Jägerlein in Begleitung eines Kreistagsabgeordneten erschossen aufgefunden. Zwei Arbeiterführer wurden am 16. März tot aufgefunden. In der Wohnung des Sekretärs Lindau erschienen SA-Leute und schossen. Als der Journalist König abends ein Haus in der Breiten Straße verließ, zerfetzte man ihm mit dem Rasiermesser das Gesicht. v. Kirchheim erschien in diesen Fällen zum Lokaltermin in Begleitung von zuverlässigen Polizeibeamten. Der Frau eines Gewerkschaftsführers, die um Schutz für verschiedene Gewerkschaftsangehörige bat, antwortete er: Was erwarten Sie von uns? Wir können uns kaum selbst schützen.

Was bedeutet Tapferkeit in einer Zeit, in der es darum geht, nicht zerdrückt zu werden? v. Kirchheim fand keine passende Gelegenheit für den traditionellen mutigen Auftritt. 1941 erhielt v. Kirchheim die Inspektion im Grenzraum Litauen – Ostpreußen. Hier waren Zuständigkeitsüberschneidungen zu beseitigen. v. Kirchheim arbeitete ein Gutachten aus, das namhafte Ersparnisvorschläge an personellen und sachlichen Mitteln für diesen Grenzraum erbrachte; das Gutachten war darüber hinaus auch für andere Grenzüberschneidungsgebiete von grundsätzlicher Bedeutung. In Allenstein hörte er später, daß während seiner Inspektion Vorkommnisse im Grenzraum stattgefunden hatten, von denen ihm nichts gesagt worden war. Bei »Aussiebungen« gab es in Garsden 201 Tote, in Krottingen 277, in Polangen 191, Tauroggen 255, Georgenburg 322, Wladislawa 192, Mariampol 68, Wirballen 230, Calvaria 150, Wilkowischen 300, in Szewekzwie und Vebirzewiai war die Zahl nicht festzustellen. Das waren Morde. v. K. begab sich nach Berlin und erhob im Innenministerium Beschwerde. Er erhielt zunächst keinen weiteren Auftrag. Später erhielt er ein Polizeiregiment im Kaukasus, für dessen Leistungen ihm das Ritterkreuz verliehen wurde. Der unangenehme Auftritt im Innenministerium schien vergessen. Dann aber wurde v. K. im Herbst 1944 erschossen. Nachträglich stellte sich heraus, daß der Anlaß für die Stellungnahme, die ihn das Leben kostete, schlecht gewählt war, denn die Ausschreitungen im Grenzgebiet waren bereits von anderer Stelle sistiert worden. Welcher Moment, welche Situation von den anstürmenden Gelegenheiten seit 1933 wäre aber für Kirchheims Intervention richtiger gewesen?

Die ehrgeizige Gerda v. Posa-Esebeck

Cousine Gerda wurde in Kattowitz von Kriminalbeamten als falsche Rotkreuzschwester überführt (in Wirklichkeit war sie minderjährig und nicht berechtigt, Rotkreuztracht zu tragen). Sie war erkannt worden nach der Beschreibung im »Deutschen Polizeiblatt« 1942, Bl. 1044-1046. Danach war sie schlank, 16 Jahre alt, mit Papieren versehen, die auf 22 Jahre lauteten. Sie trug unberechtigt ein EK II. Die Beamten identifizierten sie nach der Beschreibung im »Deutschen Polizeiblatt«. Eine falsche Rotkreuzschwester war in Rottenburg, München, Gleiwitz, Guben, Leipzig, Jena, Hannover, Kreiensen, Halberstadt, Goslar, Straßburg, Essen, Freiburg, Schneidemühl, Danzig, Allenstein, Litzmannstadt aufgetaucht. Mit dieser

Rotkreuzschwester wurde Gerda v. Posa verwechselt. Sie erhielt wegen Verletzung mehrerer Straftatbestände eine Gefängnisstrafe von 2 Jahren.

Der unglückliche Oberleutnant v. Posa

Seine Beförderung zum Oberleutnant wäre fast an seinem Widerspruchsgeist gescheitert. In Anwesenheit des Generalfeldmarschalls v. Reichenau kritisierte er die militärischen Ausbildungsmethoden. Der GFM lachte. Da die anwesenden Offiziere dieses Lachen als Wohlwollen auffaßten, unterblieb die Rückstufung des Oberleutnants in den Leutnantsrang. Einige Wochen später geriet der junge Posa in das Gefecht von Feodosia am Schwarzen Meer. Die Bezeichnung Schlacht ist erst bei einer Totenzahl von 1200 auf beiden Seiten zulässig; bei Feodosia fielen auf russischer Seite 16, auf deutscher Seite 240 Soldaten. Die Russen erschienen in der Nacht vom 26. zum 27. Dezember 1941 mit einem schweren Kreuzer im Hafenbecken von Feodosia. Sie leuchteten mit Schiffsscheinwerfern die deutschen Geschützstände an. Später landeten 23 000 Mann, die die bekannte Krise auf der Halbinsel Kertsch auslösten, die dem Korpsbefehlshaber v. Sponeck das Leben, der 46. Infanteriedivision die Ehre kostete. In diesen unglücklichen Zusammenhang wurde v. Posa, der das Gefecht lebend überstand, mit hineingerissen. Reformideen wurden ihm nicht mehr abgenommen. Er lief 1943 zu den Russen über.

Fräulein v. Posa

Als Tochter des praktischen Arztes Dr. E. v. Posa geb. 28. 3. 1921 auf Gut Posa: Nata v. Posa. Betreuerin der jüngeren Schwester Gloria v. Posa. Auf der Suche nach dem Guten, das zu tun ist; einfahrend in das Frühjahr 1945, Wende ist im Kommen, große Erwartungen verbinden sich mit dem neuen Jahr. Häufiger Kirchenbesuch, obwohl das Kirchengebäude ausgebrannt ist und nur eine Behelfsbaracke zur Verfügung steht. Wenn sie unerwartet gefragt worden wäre, was sie denn unter »Gutsein« verstünde, hätte sie nichts antworten können. Sie war ein kleiner Teil der verwirrten Familie Posa. Aber sie war sicher, daß ihr eine Antwort noch einfallen würde. Es muß schnell gehen. Diesen Frühling noch muß es gehen. Sie betete inbrünstig.

V

N. v. Posa übernahm im Herbst 1945/46 die kommerzielle Vertretung der Care-Paket-Organisation für das Land Hessen. Entfernt hatte dies noch mit Gutsein zu tun, zumindest war es eine Hilfsaktion. Sie erhielt ein angemessenes Jahresgehalt dafür. Dafür opferte sie die langerhoffte Wende. Solche Opfervorgänge waren ihr geläufig: es lief darauf hinaus, daß sie wieder einmal kapitulierte, wie schon gelegentlich früher: es wäre nicht intelligent gewesen, die Chance auszuschlagen.

E. SCHINCKE

I

Eberhard Schincke ließ sich, achtundvierzigjährig, in den ersten Jahren, die auf 1933 folgten, von Hitler täuschen. Er hatte das Buch »Deutscher Geist in Gefahr« gelesen, aber er glaubte in der nationalsozialistischen Bewegung einen idealen Kern zu sehen, den der Verfasser jenes Buches nicht sah. Schincke war gegen die Aristokratie des Geistes eingenommen. Er führte als Oberstudiendirektor die Domschule der kleinen Stadt S. Seine Kollegen und untergebenen Studienräte Reh, Mortchen, Neumann standen rechts von den Nationalsozialisten. Die anderen Kollegen wählten Staatspartei. Schincke neigte instinktiv eher zu den Nationalsozialisten als zu den Standpunkten der Kollegen. Er dachte, wie Nietzsche es uns gelehrt hat, nicht nur mit dem Kopf, sondern mit allen Sinnen, wie man ja auch ein Wort mit vielen Sinnen erspürt, wie man eine Frau, die man umfangen hält, auch nicht als Abstraktum empfindet. Natürlich empfand gerade die verfeinerte Wahrnehmungskraft Schinckes die Marschkolonnen in den Straßen als Störung, aber das war nicht das Wesen, sondern der Ausdruck der Bewegung. Andererseits mußte auch Schincke in seiner beleibten, elefantenartigen Gestalt, seiner etwas schlaffen und die Schultern hängenlassenden Haltung, wenn er saß, der SA unangenehm auffallen, obwohl gerade diese Abweichung vom üblichen Standard auf germanischem Erbgut beruhte, denn zu den ältesten germanischen Sprüchen gehört der Satz, daß ein wirklich starker Mann träge ist. Es kam eines Abends zu einer gefährlichen Situation, als Braunhemden ihm auflauerten. Andererseits handelte es sich hier aber offenbar um ein Mißverständnis, das am folgenden Tage aufgeklärt werden konnte. Schincke erhoffte sich etwas Unbestimmtes von dieser Bewegung, das Ausbrechen einer zweiten Romantik, die sich nicht auf eine kleine gebildete Schicht beschränkte, sondern die

Massen an ihren Glücksgütern beteiligte. Er sah ein, daß diese Massen für eine Entfaltung eigener Qualität vielleicht nicht geeignet waren, aber schon eine Freiluftaufführung der »Meistersinger« Ende 1933 vor dem Domportal unter großer Beteiligung der Einwohner, die in der Pause Würstchen brieten, versöhnte ihn wieder und ließ ihn einen hoffnungsvollen Schauer spüren, da jetzt gewissermaßen die Oper auf die Welt herunterstieg und das aktuelle Leben die Bedeutung erhielt, die es auf der Bühne hatte. In dieser Seelenverfassung heiratete er 1934. Er sah zwar inzwischen, daß die Provinz Provinz blieb, auch wenn sie jetzt ihre Maße vergrößerte. Er war zugleich hoffnungsvoll und mißtrauisch, ob die anfängliche Bewegung nicht in Wirklichkeit eher die bestehenden engen Verhältnisse endgültig festlegte, aber es war nicht seine Art, etwas, das ihn im Augenblick nicht unmittelbar behelligte, anzuklagen. Es gehörte schon ein starker Reiz dazu, ihn und seinen schweren Leib gegen die gesamte Umgebung, von der er schließlich lebte – und das dritte Reich umfaßte wie ein Hegelscher Begriff alles –, in Bewegung zu setzen. Wie die großen Demokratien der Neuzeit oder wie manche großen Gelehrten des 19. Jh. war er schwer in Ärger zu versetzen und gegen etwas einzunehmen. Kollege Neumann war jederzeit bereit, sich aufzuregen. Die Professoren, die sich an der Universität über die Nationalsozialisten aufregten, waren unangenehmer als die Nationalsozialisten. Schincke befand sich in einem ruhigen Fluß mit großen Inseln des Verstandes und der Sinne, auf denen er hinsegelte, weitgehend wohlwollend gegen die vorbeilaufende Landschaft. Er hatte im Jahr 1934 gar keine Lust, sich gegen etwas zu wenden, das ihn nicht unmittelbar bedrohte, wenn es ihn nur am Rande belästigte. Er war mit einer Reihe von Nationalsozialisten eng befreundet, in denen er die Modelle vor sich sah, die die Zukunft bestimmen würden. Auch der neue kulturpolitische Kurs des Ministers Rust, der selbst Philologe war, wirkte sich für ihn und die Schule günstig aus. Die klassische Sektion des für den ganzen

Regierungsbezirk eingerichteten Geschichtsvereins, deren Vorsitz Schincke führte, erhielt jetzt erhebliche Mittel, so daß man aufhören konnte, bloß zu dilettieren. Schincke untersuchte seit einigen Jahren die Bildungsreform des großen Karl. Es war nicht bloß Desorientiertheit, daß er sich mit diesem entlegenen Stoff befaßte. Er glaubte deutlich zu sehen, wie hier im Viergestirn Karl, Alkuin, Theodulf und Arn ein Bildungszentrum entstand, von dem schon dreißig Jahre später nur noch die Versteinerungen übriggeblieben waren. Das kurze Leben dieser kostbaren Pflanze Bildung wollte er literarisch einfangen und ihre Lebensgesetze beschreiben. Wie in einer moralischen Geschichtsschreibung der Antike bot sich die Geschichte des Niedergangs der Bildung in dreißig Jahren zur Darstellung an. Andererseits reizte die Entstehung von Bildung aus dem Nichts – denn was gab es wohl vorher an Bildung im barbarischen Franken? Darüber wollte er einen Essay schreiben. Selbstverständlich hätte er seine Gedanken auch an Stoffen der Gegenwart entwickeln können, aber dazu fühlte er sich nicht ausgebildet. Er hätte auch gefürchtet, durch seine Gedanken eine noch lebendige Bildung zu stören. Insofern zog er es vor, seine Gedanken an einem Beispiel zu entwickeln, an dem nichts mehr zu zerstören war. Hinzu kam eine in langen Studien erworbene Abneigung gegen die Aktualität, ein Verbot, an dessen Verbindlichkeit er nicht glaubte, das er aber doch einhielt. Schincke erhielt jetzt für seine Forschungen einen Assistenten zugeteilt; die Schule erhielt einen Turnsaal, der sich auch als Musiksaal benutzen ließ. Später wurde der Assistent allerdings wieder abberufen. Die günstigen Stellungnahmen der Regierung für klassische Philologie und Mittelalterforschung erwiesen sich als Bestandteil des alten Kalmierungsprogramms: daß der Geist sich mit antiker oder mittelalterlicher Geschichte befassen soll, weil das ungefährlicher ist als die Zuwendung zur Gegenwart. Seit der Jahreswende 1935/36 ließ sich Schincke von der Bewegung nicht mehr täuschen und nicht mehr weiter verführen. Aber was sollte er tun? Man könnte als Kontrast zu seiner Gleichmütigkeit im allgemeinen sagen, daß er, einmal gereizt, wirklich gefährlich sei. Aber was nützt diese Gefährlichkeit ohne Waffen? Er konnte schließlich das, was ihn reizte, nicht prügeln, und das, was er in sein Tagebuch schrieb, las keiner. In den Osterferien 1936 absolvierte er die letzten Pflichtübungen als Hauptmann der Reserve. Er brachte diese Zeit frierend und mit Magenverstimmungen kämpfend hinter sich. Bei der Abschiedsparade der an der Übung beteiligten Regimenter im Vorfeld der Stadt Qu. stand er seitlich von General v. Witzleben. Einer nach dem anderen verließen die paradierenden Regimentskommandeure ihre Posten vor den anrückenden Kolonnen, sprengten im Halbbogen zum Befehlshaber und meldeten. Der Oberst F. bekam sein Pferd, das sich dem Trott der übrigen Offizierspferde angepaßt hatte, zunächst nicht in Gang, bei der Meldung wurde er von dem General erkältend abgefertigt. Schincke fror während dieser Prozedur auf dem weiten Übungsfeld, über das der Wind sich ungehindert bewegte, wie alle anderen auf einem großen Pferd sitzend, nur behelfsmäßig auf die Strapazen eingerichtet. Er glaubte nicht, daß er diesen schrecklichen Tag je wieder vergessen würde. Er sah sich diese Übung an und glaubte schon nicht mehr an den Sieg der Nationalsozialisten. Im Rest-April und Mai kamen Reisen und Instruktionsfahrten, die Schincke als Beauftragter des Direktorenkreises und der Bezirksregierung zu unternehmen hatte; im Juni wurde er mit der Reorganisation der Seminarausbildung für den Lehrernachwuchs befaßt. Im Juli war ein kompliziertes Beleidigungsverfahren zwischen mehreren Mitgliedern des Lehrkörpers zu verhindern; eine innere Krise des Lehrkörpers, der durch den nötigen Anpassungsprozeß an die neue Zeit überfordert war. Seine Forschungen nahmen Schincke im August in Anspruch. Im September erhielt er einen Lehrauftrag an die benachbarte Universität; daneben erhielt er die Zuständigkeit zur Reorganisation neugeschaffener Nachwuchsausbildungslager. Was hätte er tun können? Er war nicht ausgebildet, ein fait accompli, wie das Dritte Reich, zum Gegner zu haben. Während der einander ablösenden Tätigkeiten des Jahres, wenn es sich um Schüler gehandelt hätte, hätte man von Beschäftigungstherapie gesprochen, bewegten sich Schinckes Gedanken weiterhin in ruhigem Fluß. Die Summe der kleinen Irritationen und Beobachtungen führte aber unterhalb dieses Flusses zu einer plötzlich ausbrechenden Antipathie gegen die Bewegung, der er bis dahin vertraut hatte. Viele der nationalsozialistischen Kollegen und Universitätslehrer erwiesen sich jetzt als kaltgestellt. Er hatte noch die Hoffnung, daß die Wende von 1933 auf qualifizierter Ebene nochmals wiederkommen könnte, wenn z. B. die Ablenkung Hitlers durch die Außenpolitik ein Ende fand, aber er wurde inzwischen schon immer mehr ein Feind der Träger dieser neuen Ordnung. Er las Fragmente aus »Lotte in Weimar«, die aus der Schweiz hereingebracht wurden, und sammelte Vernunftgründe für das Versagen der nationalsozialistischen Revolution, die in einen Turn- und Patriotenstaat einmündete. Er las viel im Nietzsche. Alles dies spielte sich naturgemäß im reinen Geiste ab. Niemand erfuhr etwas von seiner geänderten Einstellung. Er war nicht schwatzsüchtig. Mit seiner jungen Frau sprach er darüber, aber auf sie konnte er sich verlassen. Schincke war in der Trennung von Idee und Wirklichkeit aufgewachsen. Er konnte lange Zeit mit mentalen Vorbehalten auskommen. Der geistige Mensch lebt in der Vergangenheit und der Zukunft genauso wie in der Gegenwart, und die Gegenwart ist für ihn auch das, was in der Gegenwart unmöglich ist, was von der Gegenwart gewissermaßen erschlagen worden ist; er kann also auch mit einer ungeborenen Gegenwart leben, aber dies setzt voraus, daß die Trennung zwischen privat und dienstlich eingehalten wird. Das System der Kanalisierung von Eigentlichem und Wirklichem, sein altes Rezept, funktionierte aber nicht bei der ständigen Vermischung aller Lebenssphären unter diesem System. Im allgemeinen billigte Schincke sogar diese Eigenschaft des neuen Systems, weil er es natürlich richtig fand, daß das Lügen schwer und die Wahrheit leicht gemacht wird, währenddessen wuchs aber seine Allergie gegen die Einzelheiten dieser Praxis. An dem jährlichen Rhythmus der Tagungen und Beauftragungen, bei denen er als ein großes philologisches Tier bestaunt wurde, fand er immer weniger Gefallen. Er bewältigte auch nicht das Massenproblem. Früher hatte er mit dem kleinen Kreis seiner Schule zu tun, jetzt beschäftigte er sich mit Hunderten von Nationalsozialisten und Nichtnationalsozialisten, die er nicht lieben konnte, weil er sie praktisch kaum kannte. Seine Frau verstand nicht, weshalb er die Trennung zwischen seinen tatsächlichen Funktionen und seinen Empfindungen aufrechterhielt. Sie wäre dafür gewesen – wie sie grundsätzlich für die Einheit der Person war –, die Empfindungen allmählich an die Tätigkeiten anzugleichen, was sie ja anfangs schon einmal gewesen waren. Sie meinte, er müßte sich mehr Mühe geben mit seinen Gefühlen. Da sich die Wirklichkeit, wie sie sah, nicht ändern ließ, plädierte sie dafür, die Ideen anzupassen. Schinckes Ideen aber waren fest verankert, mit vielen Textstellen abgesichert und von einem präzisen und sicheren Geschmack bestimmt, auf den er keinen Einfluß zu haben behauptete. Der Zwiespalt zwischen innen und außen, der sich nicht aufrechterhalten und nicht beseitigen ließ, quälte ihn physisch. Er hätte Lust gehabt, krank zu werden. Er war überfordert. Aber er wurde nicht krank, sondern statt dessen nachlässig. Wie die alten Herren, über deren wortreiche Gegnerschaft zum System er sich mokierte, wurde er schwatzhaft.

Im Winter 1941 wurde Schincke wegen politischer Äußerungen über den Kriegsausgang seines Postens enthoben. Vor dem Gefängnis bewahrten ihn seine nationalsozialistischen Freunde außerhalb von S., deren Einfluß dafür gerade noch reichte. Die Kollegen Neumann, Reh und Wirth schnitten ihn öffentlich, sobald die Amtsentsetzung bekanntgeworden war. Neumann wurde sein Nachfolger. In der klassischen Sektion des Geschichtsvereins wurde er abgewählt. In dieser Zeit wurde sein und seiner Frau engster Freund G., der als Bühnenbildner am städtischen Theater tätig war, zwangsweise eingezogen, d. h., die Polizei holte ihn aus der Wohnung, nachdem er vergeblich aus der Stadt zu fliehen versucht hatte. Es war unmöglich, daß G., der abartig veranlagt war, die dauernde physische Nähe roher, normaler, teils stinkender Männer ertragen könnte. Wenige Wochen nach seiner Einverleibung in die Armee erlitt er einen Nervenzusammenbruch. Er lag im Lazarett der Stadt Dresden. Die Ärzte hielten den Zusammenbruch für Simulation, und als G. aus dem Lazarett zu fliehen versuchte, wurde er wegen Fahnenflucht zum Tode verurteilt und erschossen. Seine Frau, Busenfreundin von Frau Schincke, nahm Gift, als sie von diesem Ergebnis erfuhr, nachdem sie hastige Reisen unternommen hatte, um den Mann doch noch zu retten. Diese Wochen, in denen es nicht gelang, den Freund zu retten, führten zu einer vorübergehenden Trennung Schinckes von seiner Frau, die nicht an die vollkommene Machtlosigkeit ihres Mannes glauben wollte oder vielmehr – sie ließ sich selten von nur einem Motiv bestimmen – einen Mann, der mit einem gigantischen Aufwand an täglicher Hirntätigkeit seit Jahren in einem solchen Ernstfall nichts erreichen konnte, auch nicht lieben wollte. Sie reiste zur Kur nach Karlsbad, kam aber nach einem halben Jahr schwanger von einem Nachrichtenoffizier wieder. Die Eheleute einigten sich auf eine Abtreibung und lebten nach dem Eingriff wieder zusammen in der Villa vor der Stadt. Schincke lebte ausschließlich von seiner Pension und den zugeteilten Marken. Er war auf eine gewisse Großzügigkeit in seinem Lebensstil angewiesen, da er früher nie wirklich arm gewesen war. Er konnte nicht wie ein Oberlehrer dahinvegetieren. Er wäre jetzt gern zur Front gegangen, aber sein Antrag wurde vom zuständigen Oberstleutnant, der ihn nicht mochte und ihn, wie die gesamte Oberschicht der Stadt, schnitt, im Hinblick auf seinen schlechten körperlichen Zustand zurückgewiesen. Zur Industrie hatte Schincke keine Beziehungen. Die Ortsgruppenleitung deckte ihn mit untergeordneten Einsatzaufträgen, wie Lebensmittelkartenausgeben und Warenkontrollen, ein. Alle vier Wochen saß er an der Lebensmittelkartenausgabestelle am Pranger. Er wollte sich vom Hausarzt krank schreiben lassen, aber der Arzt weigerte sich, ihm irgendeine Bescheinigung auszustellen. Zeitweilig hatte er Hungergefühle, sein großer Körper verbrauchte große Nahrungsmengen. Er war überfordert. Die Luftschutzdiensteinsätze, zu denen er als ein beschäftigungsloser Mann bevorzugt eingesetzt wurde, ließen ihn nicht zum Schlafen kommen. Er war in einem Zustand, daß er angefangen hätte zu weinen, wenn ihn jemand unerwartet angesprochen hätte. Er glaubte schon gar nicht mehr daran, daß dieses Elend einmal aufhören könnte. Er hatte den Kopf voller Sabotagegedanken und nahm sich vor, bei der nächsten Provokation die Arbeit zu verweigern und sich aburteilen zu lassen. Die Verachtung, die er von allen Seiten zu spüren bekam, schwächte ihn und machte ihn unfähig, privat an seinen Forschungen zu arbeiten. Er glaubte an keinen Erfolg. Der 20. Juli und die auf die Ereignisse folgenden Erschießungen erschreckten ihn. Er hätte es nie für möglich gehalten, daß man es wagen konnte, so hochgestellte Hochverräter zu töten. Er bezog die Verfolgungsmaßnahmen auch auf sich, obwohl er seit 1941 immer vorsichtig gewesen war, und hatte Angst, mit dem Widerstand verwechselt zu werden; er konnte sich zu keiner Aktivität aufraffen. Seine Frau hielt es nicht bei ihm aus und war wieder in Karlsbad.

Er war durch die Untätigkeit und durch das Gefühl, allmählich als alter Mann zu gelten, so zermürbt, daß er den Luftangriff, der im März 1945 endlich auch die Stadt S. erfaßte, als einen wohltuenden Bruch des auf ihm liegenden Banns empfand. Auch in der Nähe von Schinckes Villa fielen Bomben. Noch vor Beendigung des Angriffs tauchte Schincke aus seinem Keller auf; er sah noch eine Gruppe Flugzeuge im Abflug. Er lief, nachdem er sich kurz für sein Haus, das unbehelligt war, interessiert hatte, die zerzauste Kastanienallee entlang auf die

Stadt zu. Am Stadteingang lotsten Angehörige der Partei die Fliehenden aus der Stadt. Die Garnison hatte die Kasernen verlassen und hielt die verrauchten Straßenkreuzungen, die mit Steinblöcken und Splittern übersät waren und von denen man in die brennenden Häuserzeilen der Querstraßen ein Stück hineinsehen konnte, besetzt. Wie bei einem Verkehrsunfall standen hier Zuschauer. Aus dem Rauch, gefährdet durch die brennenden Fassaden, die jeden Augenblick einstürzen konnten, eilten Einwohner, die Eingemachtes trugen, zu den Kreuzungen. Von Kreuzung zu Kreuzung bewegte sich Schincke auf seine alte Schule zu. Von dem kühlen großen Steingewölbe der Schule, von dem er sich nicht denken konnte, daß es zerstört sein könnte, erhoffte er sich Schutz vor der hier fast unerträglichen Hitze. Die Schule war von Bomben getroffen, aber nur teilweise zerstört worden. Die Schüler, die der Angriff während des Unterrichts überrascht hatte, warteten auf dem Schulhof auf die Dispositionen der Schulleitung. Die Schulleitung war noch unentschlossen. Neumann überdeckte diese Unentschlossenheit durch Aktivität. Es gab keine intakte Telefonverbindung, so daß Weisungen der Schulaufsicht nicht eingeholt werden konnten. Später brachten Boten einen Evakuierungsauftrag des Oberbürgermeisters für die gesamte Schule, da die Kinder in der Stadt nicht bleiben konnten. Aus der Unterstadt, die aus mittelalterlichen Fachwerkbauten bestand, kam eine breite Feuerwand auf den Domplatz zu. Feuerwehrleute befanden sich auf dem Rückzug über den Domplatz in Richtung auf die Schule, in der sie ein Hauptquartier einzurichten versuchten. Von Soldaten gesteuerte Lastwagen erschienen auf dem Schulhof, die Befehl hatten, die Schüler abzutransportieren. Es hieß, daß im Paulskirchenbunker zweihundert Menschen verschüttet seien. Der Schulleiter Neumann erteilte den Soldaten, die sich bei ihm meldeten, Weisungen und teilte die Schüler für den Transport ein.

Schincke war glücklich, als er, der hier zunächst nur als Zuschauer und aus Anhänglichkeit an seine alte Schule erschienen war, für einen Transport miteingeteilt wurde. Dies schien ihm gewissermaßen nach den trostlosen Jahren der Verbannung ein Moment nationaler Einheit in der Stunde der Not, eine Beschwörung von 1806; daß er nichts mehr für diese Leute tun wollte, vergaß er in diesem Augenblick. Neumann erteilte ihm Aufträge, teilte ihm einen Gefreiten sowie einen Fahrer zu, mit deren Hilfe er zwei Klassen Schüler auf Lastwagen zu einem bestimmten Treffpunkt transportieren sollte. Es gelang Schincke dank der genauen Kenntnis der Stadt, die Wagenkolonne aus der zerstörten Stadt auf einem Sandweg am Fluß herauszuleiten.

In der hereinbrechenden Nacht fuhr Schincke jedoch in die Irre. Sein Transport traf am verabredeten Ort nicht ein, an dem sich die Schule sammeln und weitere Befehle entgegennehmen sollte. An einem ihm selbst unbekannten Ort ließ er halten, in unmittelbarer Nähe einer Scheune, keine Ortschaft in Sichtweite; die nicht näher beschilderte Landstraße führte einige hundert Meter entfernt an dieser Scheune vorbei, ein Feldweg verband Straße und Scheune. Nachdem Schincke mit seinen Schülern die Nacht in der Scheune verbracht hatte, fehlte ihm am Morgen jede Lust, die Irrfahrt nachträglich zu berichtigen. Er wollte das Leben der Jahre 1941 bis 1944 auf keinen Fall wieder aufnehmen. Er war nicht bereit, noch einen Finger für dieses scheußliche Leben der letzten Jahre zu rühren.

II

Soeben kommt mein Freund Carlton zurück. Ich habe den Lastwagen den Feldweg zur Scheune heraufkommen hören. Er redet draußen mit den Jungen. Ich werde nicht hinausgehen. Was sollte ich sagen? Ich könnte nur sagen, daß ich mich über die beiderseitige Annäherung freue, und käme mir dabei vor wie meine Frau, wenn sie die Leute, in die sie verliebt ist, verkuppelt.

Ich habe mich Carlton gestern anvertraut. Es macht mich trunken, wenn er den Kopf zu mir senkt, sein Ohr zu mir hinhält.

Von einem Reserveoffizier nimmt man an, daß er Karten lesen kann, aber ich war immer in erster Linie Pädagoge, und wenn man das hätte sein können, ohne zugleich Reserveoffizier zu sein, hätte ich ganz gewiß auf die jährlichen Übungen verzichtet. Jedenfalls habe ich nie viel vom Kartenlesen verstanden; ein Faktum, das uns jetzt zu einem ganz anderen Ziel geführt hat, als geplant war. Wenn es nicht so absurd wäre, würde ich sagen, daß wir mit dieser Fehldisposition aus dem Geschehen ausgeschieden sind.

Carlton war auch sofort einverstanden. Er stellte ein paar Fragen, auf die ich mich hungrig stürzte, aber die Fragen waren schnell erledigt: Ich hatte Fragen erwartet, die mir die Realität meines Planes bestätigt hätten. Ich faßte die Fragen aber zu unvorsichtig an (Breiteller im Eifer umgeworfen). Carlton ließ sich durch meinen Plan, der doch nur durch sein aufmerksames Zuhören so überzeugend ausfiel, täuschen. Er meinte, daß man nur von etwas Notwendigem so überzeugt sein könne und daß einer, der so viel für eine Sache anzuführen hat, auch selbst überzeugt sein müßte.

Ich habe so etwas noch nie erlebt. Aber ich möchte von den schrecklichen Ereignissen der letzten Tage nichts aufgeben. Der Luftangriff (in Hockstellung an die Kellerstufen gepreßt) aber als ich durch die zerrissene Stadt auf meine alte Schule zulief, hatte ich vor allem die Idee, daß ich das alles meiner Frau erzählen könnte. Mein Gedanke, daß ein Unglück erst dann fürchterlich wird, wenn dieses Gefühl, durch die Ereignisse bereichert zu sein, nicht mehr möglich ist. Daher auch, sobald ich aus der unmittelbaren Gefahr heraus bin, die alte Langeweile, das alte Lied Erschöpfung, wenn ich aufs Land fahre. Die Langeweile schlägt über mir zusammen, sobald wir uns auf dem Landsitz eingerichtet haben. Schuld daran ist nicht das Land, sondern der Ortswechsel, bei dem ich die vertrauten Gewohnheiten zurücklassen muß. Halbe Pläne, schmerzende, verstümmelte Gedanken, Untätigkeit, bis sich wieder Gewohnheiten angesammelt haben, in die sich der Tageslauf einbetten läßt; ich hätte das nicht gedacht, daß auf die Todesnot der letzten Tage wieder nichts als die Not des Städters in der Landschaft folgt.

Mein schwerer Leib paßt in diese Tage nicht hinein. Zu viel Fläche, die nachts friert, nach meiner Frau trauert usf. Man muß sich schütteln, wie man eine Uhr schüttelt oder ein Radiogerät beklopft (in die Hand beißen), damit man einen Gedanken hat. Ein Mokka würde das tun oder ein erfrischendes Bad. Aber ich kann mich nicht unter die Pumpe stellen. Das Winterwasser wäre gleichbedeutend mit einer Erkältung. Ich hätte damit früher anfangen müssen, wie mein Kollege N., der sich im Winter das Eis aufhacken läßt und in das kalte Loch steigt. Aber Sinn hat das auch nicht, denn da die Abhärtung alle Kräfte meines Kollegen in Anspruch nimmt, bleibt es sich gleich, ob er sich abhärtet oder nicht.

Ich bin jetzt doch hinausgegangen und habe nachgesehen, was Carlton so lange zu reden hat. Ich verbarg meinen Ärger nicht, denn Carlton redete auf diese Jungen ein, die er meines Erachtens nur aufwiegelt und in die er Unruhe hineinträgt. Ich war enttäuscht, die Enttäuschung, daß er sich lieber mit den Jungen abgibt, die ihm nichts Neues erzählen können, als mit mir redet, der ihn über vieles unterrichten könnte! Ich fühlte mich verraten und einsam. Es ist die gleiche Vernichtungswut, mit der ich auf Gesellschaften mein Glas hinschmeiße und den Saal verlasse, weil ich meine Frau nicht sehe, aber irgendwo lachen höre. Ich höre deshalb die Stimme meiner Frau: »Aber was hast du denn? Sag doch, was du hast! Du bist so komisch usf. . .«

Nach einiger Zeit, ich hatte seine Schritte draußen verfolgt, kam Carlton zu mir herein, setzte sich wohltuend neben mich. Ich blieb über mein schwaches Tischchen – aus fünf schmalen Brettern zusammengenagelt – gebeugt und arbeitete. Würde ich mich aufstützen, bräche es zusammen. In seiner Schwäche erinnert es an Desdemona, was wohl noch niemand von einem Tisch gesagt hat.

Die Flucht

Neumann zeigte mir die Richtung, in der die Lastwagen standen, und redete auf mich ein, über die Fahrtroute, die ich einhalten sollte und den Treffpunkt mit der übrigen Schule, aber ich war unfähig nach der unerwarteten Begrüßung und in der Furcht, daß das Gespräch gleich wieder abgebrochen würde, irgend etwas aufzunehmen. Einige Löschpersonen warteten hinter Neumann auf Befehle. Er hatte sie gesehen und tendierte zu ihnen hinüber. Mir gab er noch ein lieber Schincke mit auf den Weg, sein Charme klapperte. Er war nicht wirklich freundlich. Der starke Ausdruck, den er in sein Gesicht legte, war in der Eile ohne rechtes Maß und rutschte ihm über den Zweck hinaus, als er mich mit einer warmherzigen Grimasse wie einen warmen Bruder verabschiedete. Da das aber keinen Sinn hatte, stand das Lächeln ganz ohne Zusammenhang da, wie jener aus dem Sitz geratene Hut meiner Schwester auf der Beerdigung unserer Mutter. Die Schüler saßen bereits auf den Lastwagen und die älteren, die mich noch kannten, riefen: »Churchill! Churchill!«, denn seit meiner Kaltstellung, die natürlich auch den Schülern nicht verborgen geblieben ist und von den Eltern diskutiert wurde, haben sie die Scheu verloren, mich bei dem Namen zu nennen, den ich von den Schülern irgendwann einmal bekommen habe. Ich fand mich durch die verschiedenen Fahrzeuge durch. Es waren Militärlastwagen, zwei Soldaten als mein Begleitpersonal: ein Fahrer, blasse Haarfarbe, sowie Carlton, der im Rang eines Gefreiten steht und den ich, als ich ihn zuerst sah, schon einmal gesehen zu haben glaubte, was sich aber als Irrtum herausstellte. Ich fragte ihn: Alles in Ordnung? Die Kleinen schienen mir übermüdet und überreizt, aber wohl zu aufgeregt, um zu schlafen. Jeder hatte zwei Decken bekommen. Ich sprach etwas mit ihnen, die sich gierig nach Worten nach diesen fürchterlichen Stunden über die Verschalung des Wagens beugten. Ich selbst setzte mich zwischen den Fahrer und den Gefreiten in das Führerhaus. Meine Kopflosigkeit, als die ersten Bomben fielen, stand mir wie ein warnendes rotes Licht vor Augen. Es macht mich fassungslos, wenn mir jemand gehorcht. Da ich mit meiner Mutter, die nicht befehlen kann, aufgewachsen bin, bin ich gewohnt, freiwillig zuzuhören und zu tun, was man von mir verlangt. Es bringt mich durcheinander, wenn ich mich in der Rolle dessen finde, der die Befehle erteilen soll. Ich hatte den Fahrer im Verdacht, daß er aus Bequemlichkeit einen falschen Weg einschlagen würde. Nach meinem Eindruck wollte er, in der Hoffnung, einen näheren Weg zu unserem Ziel zu finden, unabhängig von der Karte vorgehen. Mit einem Wortwechsel zwischen ihm und Carlton war ich nicht mitgekommen, hatte aber so viel verstanden, daß sie sich – möglicherweise über die Fahrtrichtung – uneinig waren. Ich griff deshalb ein, als der Fahrer von der Straße abbiegen wollte, und befahl ihm, geradeaus weiterzufahren. Die Straße, auf der wir uns befanden, kam mir bekannt vor, und da die beiden Militärs schwiegen, war mir das eine Bestätigung meines Verdachtes. Später sah ich ein, daß wir uns verfahren hatten. Das war meine Schuld. Ich dachte daran, mich Carlton anzuvertrauen. Aber der verstand unter dem Rattern des Motors in diesem Führerhaus kein Wort von dem, was ich sagte, und ließ halten, so daß ich den Kopf verlor und bat, man sollte um Gottes willen weiterfahren.

Hungrig, ohne Mittagsschlaf: ich fror und war wie betäubt von so viel Geschehen ohne ein Wort. Meine Nerven machten einen Heidenkrach, der nicht zu trennen war von dem unerträglichen Lärm des Motors. Mein an diesem Tag frischgewonnener Vorrat von Elan und Sympathie (mit der man die Dinge anwärmt, bevor sie in den Kopf kommen) war verbraucht. Ich suchte mich an irgend etwas Wärmendes zu erinnern, aber die Erinnerungen waren weggesickert. Ich sah stumpfsinnig auf

die dichtbehaarten Arme meiner Mitfahrer – das Fell der Tiere: der Vorrat an Energie, mit der wir die Dinge anwärmen, bevor sie in den Kopf kommen. Wir konnten nicht endlos so weiterfahren. Ich sagte deshalb:
– Es könnte sein, daß sich das Fahrtziel ändert. Ich sage Ihnen dann Bescheid.
– Wohin wissen Sie noch nicht?
– Doch, aber ich muß noch sehen, antwortete ich.
Später erwies sich die Scheune als unser Fahrtziel. Ich war nicht sicher, daß sich der Fahrer nach meinen Fahranweisungen richtete. Fahrer und Beifahrer hielten nach einem vorläufigen Quartier in der Nähe der Straße Ausschau. In der Lage, in der ich mich befand, lag mir indessen auch nicht an Präzision, und ich drückte mich bewußt unbestimmt aus, wie man einen falschen Gedanken, von dem man vermutet, daß er falsch ist, zunächst dadurch korrigiert, daß man ihn undeutlich ausspricht. Der Fahrer mit dem farblosen Haar und den langweilig blassen Augen erinnerte mich an einen Geiger, den ich aus der Studentenzeit kannte. Ich hatte in einem Konzert in der ersten Reihe Platz genommen, in der sonst niemand saß, um der Musik näher zu sein. Er, aus der letzten Reihe der Geiger: Ich würde mich noch näher heransetzen! Er sagte das so lange, bis ich mich in eine der rückwärtigen Reihen setzte. Ich hatte Sorge, daß mein Kopf, wenn ich einschlief, nach der Seite des Fahrers herabsinken und, wenn er auf seiner Schulter lag, ein ganz unzutreffendes Bild von Vertrautheit geben könnte. Darüber bin ich fest eingeschlafen.

III

Gegen Morgen wird es in der Scheune kalt, und als ich meine Decken im Halbschlaf noch einmal zusammenraffe, stoße ich auf der Seite an den schlafwarmen Körper meiner Frau. Ich rolle mich hinüber, wunderte mich, daß ich ihre Brust nicht fand, und sehe dann in die Augen des Kleinen, der mich entsetzt anstarrt.

Irgend etwas habe ich gesagt, was den Bann brach. Man braucht nur mit einem Wort anzutupfen, und die Gedanken in diesen Köpfen fallen zu neuen Figuren auseinander.
Ich war heftig erschrocken, denn diese Kinder haben schon ganz die unmenschlichen Eigenschaften der Erwachsenen; dieses Eisigwerden, wenn man an eine verbotene Zone streift, man ist unter diesem entsetzten Blick schuldig und nicht nur dieser Berührung, sondern irgendwelcher viel schlimmerer Dinge.
Ich war an diesem Morgen, da ich infolge der Aufregung keine Verdauung hatte (ich hatte nur eine symbolische Zeit abgesessen, damit ich mich nicht von den anderen unterschied), wieder sehr unglücklich. Ich glaubte einem Gespräch entnehmen zu können, daß die Kleinen an meinem Waschkabinett, das ich mir in der Ecke der Scheune abgeteilt hatte, Anstoß nahmen. Ich brauche diese letzte private Zuflucht. Wir können unsere Privatgewohnheiten nicht rückhaltlos aufdecken, weil wir sonst gar nicht bestehen könnten und die Nachsicht, die mir z. B. Carlton entgegenbringt, dann nicht hilft, wenn z. B. offenbar wird, daß wir uns in dieser Kälte nicht regelmäßig waschen oder daß wir die Neigungen der anderen nicht teilen und dafür anderen Leidenschaften nachgehen. Bei diesem Hadern, das die körperliche Morgenindisposition begleitet, ist der Wille stark engagiert. Er hat die Rolle einer Polizei, die den Delinquenten an die Menge, die ihn lynchen will, ausliefert. So schlug ich mich mit der Vorstellung herum, daß ein Schüler aus der Abiturklasse mich unter dem Gejohle der Klasse in das Gesicht geschlagen habe. Ich grübelte über diesen fiktiven Fall, der aber nur etwa die Schaumkrone auf der unruhig gehenden See war, als Neumann eintraf.
Ich sah Neumann auf meinem Morgenweg, als er von der Straße einbog, und versuchte ihn aufzuhalten, um ihn nicht in unser Lager zu lassen, weil die Gefahr bestand, daß die Schüler uns hörten. Aber er hatte sich die Scheune (wahrscheinlich schon aus der Ferne, wenn nicht überhaupt bei Antritt der

Reise) so als Ziel vorgestellt, daß er nicht aufzuhalten war und auch nichts sprechen wollte, außer der kurzen Grußformel, die mir, der ich neben ihm herlief mit meiner viel geringeren Schrittlänge, nicht so unfreundlich schien, wie ich es erwartet hatte. Aber auf diesen Eindruck war aus mehreren Gründen kein Verlaß, u. a. deshalb nicht, weil Neumann mir durch sein schweigendes Ausschreiten zu verstehen gab, daß er erst bei der Scheune »da« sei, daß er dieses außerhalb des Programms liegende Zusammentreffen als zufällig ansehe. Es hatte äußerster Organisation bedurft, um unseren Verbleib zu erfahren. Er hatte sich das Ziel, uns zu erreichen, vor Antritt des Termitenmarsches vorgesteckt; ein Marsch, der nur auszuführen war bei einer Ausführung ohne Gedanken. Zum Glück war N. von der Strapaze erschöpft.
Ein Zug, mit dem er bis in die Nähe gereist ist, wurde von Jagdbombern in Brand geschossen (wie man von einem Feldherrn sagt: Drei Pferde sind ihm unter dem Leib totgeschossen worden).

Ich hatte meinen Willen weitgehend ausgelagert. Ich war eigentlich nicht bereit, Neumann nachzugeben. Er machte mir Vorwürfe, daß ich an dem verabredeten Treffpunkt nicht erschienen war. Nachdem er aber am Tage des Angriffs mit mir wieder wie mit einem Menschen gesprochen hatte, konnte er die Verachtung nicht zeigen, die er nach meiner Amtsenthebung an den Tag gelegt hatte. Neumann ist ein hagerer, braungebrannter Mann, die Haut im Gesicht und am Hals ist mit Rillen durchsetzt und bildet harte steife Falten, also befindet sich offenbar doch Fett unter der Haut, denn Muskeln können das nicht sein; aber es ist sehr diszipliniertes Fett, gewissermaßen kein träumerisches Fett. Ich behaupte immer, daß ich sehen kann, wie meine Frau denkt: sie denkt mit ihren Schultern, ihren Armen, ihrem ganzen Körper. Das ist es, was N. fehlt. Er zerlöchert mit der seinem Kopf entspringenden Logik seine Umgebung, aber er erfaßt sie nicht. Meine Ungeschicklichkeit hätte er noch verziehen; daß ich grundsätzlich nicht bereit bin, diesen Ort wieder zu verlassen, verstand er nicht. Ich versuchte ihn durch ein Gespräch über die Frontaussichten an der Oder und am Rhein abzulenken. Er mußte zugeben, daß die Oder-Front wahrscheinlich bereits zusammengebrochen sei. N. versuchte, dieses Gespräch, das ich wie ein Netz über ihn geworfen hatte, abzustreifen, aber das Thema war gut gewählt. Es sind immer wieder die zauberischen Worte, die meine besten Waffen sind; Waffen, die auch bei einem N. nicht versagen, der den Reiz der Worte nur halb empfinden kann. Lieber spräche er in Symbolen, aber in Symbolen könnte ich ihn nicht verstricken. Später nahm ich gekräftigt nochmals das Gespräch über unsere Evakuierung auf. Ich stützte mich darauf, daß wir hier zunächst einmal sicher waren. N. mußte mir zugeben, daß die am Treffpunkt gesammelten Schüler bereits durch Listen erfaßt, ihr Lagerort allen Behörden bekannt und mit großer Wahrscheinlichkeit ein Schanzeinsatz zu erwarten war. Ich führte noch viele weitere Gründe für meinen Standpunkt an, die vielleicht nicht ganz so schlüssig waren. Ich konnte schon deshalb nicht nachgeben, weil ich eine strenge Bestrafung und eine Anzeige durch N. auch dann verwirkt hatte, wenn ich jetzt nachgab. Wie Wallenstein war ich schon zu weit gegangen, in einer Art Trunkenheit, in die mich der Sieg über diesen Mann versetzte, der mich vier Jahre lang gequält hatte und sich jetzt als unfähig in einem einfachen Dialog erwies. Ich führte meinen Großvater an, der sich, als seine Kraft zu anderem nicht mehr reichte, Schafe aufzog. Er lebte für sie, stampfte die Kartoffeln für sie, schälte die häßlichen Stellen aus den Kartoffeln aus, bevor er sie verfütterte, später schlachtete er die Schafe. Weiter: daß man die Schüler pflegen müßte wie eine kostbare Baumschule – eine seltene Pflanze – und sie nicht der Vernichtung aussetzen dürfe, denn selten sei jeder Schüler, auch wenn sie im wesentlichen gleich aussähen. Es sei lediglich die Unfähigkeit der Lehrer, daß sie gleich aussähen. Das wollte er mir nicht glauben. Ich griff ihn an einer anderen Stelle an: Nach Luthers Tod sollte in Dresden die traditionelle Teufelsaustreibung bei der Taufe abgeschafft werden. Ein Fleischermeister stellte sich in den Rücken des Pfarrers und drohte, ihn mit dem Beil zu erschlagen, wenn er seinem Söhnchen nicht den Teufel austreibe. Neumann hielt dieses Beispiel für nichtssagend, denn die Vernunft sei im Endeffekt gegen die Teufelsaustreibung. Wenn der Fleischer dahintersteht, nicht, antwortete ich. Carlton kam immer noch nicht. Ich schickte nach ihm. Bis zuletzt glaubte ich, daß die Entscheidung auf dem Feld der Argumente fallen würde. Aber N. hatte sich ein Bild gemacht: er glaubt, daß ich nicht zum Volkssturm will. Ich habe ihn durch Carlton zu der Bahnstation fahren lassen, die immerhin viele Kilometer von uns entfernt ist, und N. eine Flasche Kognak zugesteckt, mit der ich freilich mehr hätte anfangen können als er, der sie doch nur verschenken wird.

Ich streifte noch eine Zeitlang, unruhig gemacht durch das Gespräch, umher. Jetzt, da ich es ohne Gefahr für die Sache tun kann, finde ich die Haltung Neumanns bewunderungswürdig. Meine Gedanken passen selten auf das, was ich sagen will. Es ist wie bei den polnischen Bergarbeiterfamilien, die sich auf der langen Reise von ihrem Vaterland bis zum Rheinland so vermehren, daß die vorbereiteten Häuser für die Familien nicht mehr passen, so passen meine Vergleiche schon nicht mehr, die eben noch paßten, auf die sprungartig sich vermehrenden Gedanken. Achtung vor der Humanität und der Wissenschaft hindert Leute wie Carlton oder N., diese spärlich gestützten Gedankengebäude, die wir ihnen anbieten können, mit einem leichten Stoß umzustürzen. Es sind auch keine Gedankengebäude, sondern Geheimzeichen, die sich wie Unsinn anhören, bald wieder deute ich sie anders: als Echolotzeichen, mit denen ich das, was ich meine, erst erforsche.

Meine Liebe,
ich hoffe, Du stellst in Karlsbad nicht zuviel Unfug an. Ich sage das nicht, weil Du meine Frau bist, denn ein solcher Gesichtspunkt hat in der jetzigen Unruhe kein besonderes Gewicht. Ich will auch nicht das, was moralisch veraltet ist, jetzt biologisch einkleiden: daß es gesünder wäre und der Haut besser bekäme, wenn Du Zurückhaltung übtest. Ach, es hat keinen Sinn, daß ich Dir das sage. Ich ertrage die Entfernung nicht, die zwischen uns liegt. Die angeblichen Gefahren, die Dir drohen und die meine Eifersucht erfindet, sind Mammute. Warum mußtest Du noch einmal in das unselige Karlsbad fahren? Habe ich Dich nicht gewarnt, daß Dein Lebenstrieb Dich ganz sicher noch einmal ins Unglück treibt? Man kann unter den komplizierten Verhältnissen, unter denen wir leben, nicht einfach anfangen zu leben und darauf vertrauen, daß das zu einem guten Ende führt. Ich will nicht sagen, daß die Natur unsere Feindin ist, aber ich glaube, daß Du auf Deine Art genausowenig mit Dir umzugehen weißt wie ich auf die meine. Du kannst nicht mit großen Augen auf Dein Glück zulaufen. Sie vorsichtig in der Wahl Deiner Abenteuer. Aber was sage ich, vielleicht trinkst Du wirklich nur Dein Wasser, wenn ich mir das auch nur schwer vorstellen kann!
Als wir zum Bahnhof gingen, Du und ich, und sich die Worte vor dem Abschied stauten, keiner sagte mehr etwas, war da unser Streit nicht schon erledigt? Wie oft haben wir uns schon so gestritten, und die Tränen waren der Beginn der Umarmung? War nicht alles gut, als wir vor den Abschiedsschnäpsen im Bahnhofsrestaurant saßen? Ich kann nicht glauben, daß das die letzten Worte in unserer Ehe waren, weil Du vielleicht so dumm bist und Dich ins Unglück stürzt. Du brauchst Dich nur an eine der großen Bestien zu halten, die jetzt in Karlsbad wahrscheinlich zur Rekonvaleszenz liegen, und ihr Ende, so oder so, vor sich sehen. Du verläßt am Morgen Dein Hotel, gehst durch den Park. Die Augen der Leichtverletzten aus den unzähligen Hotelfenstern verfolgen Dich. Unfähig bist Du am

Abend, den Worten und Andeutungen, den Bitten zu widerstehen. Deine Phantasie ist leicht entzündbar, und Du bist zu lebendig, um Widerstand zu leisten. Hoffnungslos verwickelst Du Dich, den Kopf voller Hoffnungen auf etwas Unbestimmtes, für das in diesem Krieg sicher keine Zeit mehr ist. Die Tschechen sehen Dich so und werden Dich in ihre Rache einbeziehen. Was erhoffst Du? Was suchtest Du in all diesen Kriegsjahren? Du weißt doch wie ich, daß Du in diesen Abenteuerchen nichts findest. Ich glaube, uns alle hat der große Ernst gepackt, den dieser Krieg über uns gebracht hat; ein verführerischer Ernst, der die Ideale in greifbare Nähe rückt. Muß denn, wenn die große Seifenblase Krieg platzt, etwas noch Größeres herauskommen? Warum bist Du nicht bei mir geblieben? Ich wollte Dir von der Reise nicht abraten, weil ich hoffte, daß Du in einem Moment Hochherzigkeit sagst: Fahr' ich nun oder fahr' ich nicht? Lassen wir den Zug abfahren, hättest Du zu mir sagen können. Aber der Lärm in Dir, Dein Mißtrauen gegen mich, Deine Zweifel, ob ich noch Dein Ideal bin oder ob ich nicht zu Deinen Enttäuschungen zähle, die Du ablegst wie ein Kleid, in dem Du kein Glück gehabt hast! Andererseits willst Du vielleicht Dein Ideal schonen, mir eine Frist geben, bis ich mich wieder fange?
Wie oft haben Dich Deine Abenteuernaturen in Karlsbad, die ich beneide und hasse, enttäuscht, wenn sie ihre neugewonnene Lebenskraft an Dir erprobt haben? Aber legst Du sie ab? Mit Pflichteifer trägst Du Deine schönen Sinne jetzt Jahr für Jahr auf den Markt. Wenn Du hier wärst und ich Dich umfangen könnte, wäre ich auch nicht so mißtrauisch. Du bist zu gutwillig, zu hoffnungsvoll, viel zu wenig mißtrauisch auch wenn Du mir mißtraust. Du fällst herein, Du glaubst, daß es Menschen gibt, die Dich so kennen, wie ich Dich kenne. Wenn Du nach etwas Schwerem suchst, das Du lernen kannst, wenn Du nach Neuem suchst, das vielleicht das Wunder bringt, wenn Du Dich an mich drängst und mich streichelst, weil Du mehr über Wunder erfahren möchtest. Ehrgeizig und bestech-

lich durch die Haut, aber unbestechlich ebenfalls durch die Haut, die keine Enttäuschung vergißt. Ich ertrage die Entfernung nicht, sonst würde ich nicht alles dies schreiben; wenn ich Dich nur berühren könnte, wüßte ich, daß Du in Sicherheit bist. Die Männer, mit denen Du Dich jetzt abgibst, werden Dich ausnutzen und weitergeben. Und wenn die Russen kommen, wirst Du große Augen machen, weil dieselben Männer Dich dann vertauschen gegen Lebensmittel oder ein Fahrrad. Ich weiß, daß ich Unsinn rede, aber ich ertrage die Entfernung nicht, die zwischen uns liegt und mir unnatürlich erscheint. Warum bist Du nicht bei mir geblieben? Eine großzügige Strähne, wie Du sie an Dir liebst, einen Augenblick nur und Du sagst: Na, bleib' ich doch lieber hier?

Diesen Brief, wie verschiedene andere, konnte Schincke an dem Ort, an dem er sich befand, natürlich nicht absenden. Er zögerte, den Brief Neumann mitzugeben, der ihn vielleicht irgendwo hätte zur Post tragen können; auch war der Brief, als Neumann erschien, erst ein Torso. Er dachte auch nicht daran, Carlton mit der Beförderung zu beauftragen, der vielleicht eine Möglichkeit gewußt hätte. Außerdem war es fraglich, ob die Post nach Karlsbad noch intakt war. Schincke war auch nicht sicher, wie seine Frau auf diesen Brief reagieren würde, er wußte, was sie dachte, wenn er sie vor sich sah, aber er war hilflos, wenn er sie in weiter Ferne wußte. So ließ Schincke den Brief bei seinen Papieren, die sich hier allmählich anhäuften, liegen.

IV

Von Carlton hörte ich, daß ein Gutsbesitz in der Nähe liegt. Das Gut liegt in den Bergen, die wir von der Scheune aus sehen. Neben dem Gutshaus liegen die Häuser für die Landarbeiter, zwei große Trakte aus Backstein, daneben die Hütten für die polnischen Landarbeiterinnen und die gefangenen Rus-

sen. Carlton hat mit den Verwaltern des Guts Kontakte angeknüpft. Er behauptet, daß er die Gutsherrin persönlich kenne, aber ich halte das für einen Versuch, auf mich Eindruck zu machen. Um seine Eroberung glaubwürdiger zu machen, sagt er, daß er an dieser Frau schon keinen Gefallen mehr fände. (Er habe aber herausgefunden, daß man diese Gutsherrin für uns ausnutzen könnte, und das entschädige ihn. Er brauche sie nicht zu lieben, nur müsse er irgend etwas davon haben.)
Mir hat er zwei Bände Montaigne in rotem Saffianleder mitgebracht. Ich hatte ihm angedeutet, er solle doch einmal auf den Toiletten nachsehen, dort läge noch etwas zum Lesen. Nun hat er mir diese tiefroten Schönheiten gebracht, sie trafen mich, als ich gestärkt aus einem Mittagsschlaf hervorging: in dem empfänglichsten Augenblick des Tages. Ich habe ihn auf den Mund küssen wollen, aber es ist mißglückt, weil er mich abschütteln wollte. Er erlaubt mir viel Ungewohntes. Außerdem hat er mir ein Verzeichnis aller Angehörigen des ersten Garderegiments zu Fuß in den Jahren 1904 und 1905 mitgebracht. Ich kann jetzt diese herrlichen Namen durchgehen.
Die Kleinen werden auf das Gut zum Baden geführt. Natürlich muß das nachts geschehen. Ich habe mich auf das nächtliche Abenteuer durch einen stärkenden Schlaf, zu dem ich mich nach Sonnenuntergang aufgemacht hatte, vorbereitet. Dieser Schlaf vor einem Fest oder einer großen Fahrt auf Tanzböden und in Bars: man wacht auf mit blutgefüllten Lippen, so daß man hineinschneiden könnte, und das tiefrote Blut spränge in hohem Bogen heraus. Der Leib scheint nur eine Hülle für dieses pulsende Blut, wie die Haut eines Ballons. Trug meine vollen Lippen wie einen prallen Hahnenkamm zu Carlton, der schon dabei war, den Lastwagen anzulassen, was aber auf irgendwelche Schwierigkeiten stieß. Ich geriet sofort in jene Angst, daß das Abenteuer nicht stattfindet; ein Reflex, der mich von je hindert, vor Festen oder Abenteuern irgendein Risiko einzugehen, sei es, andere als die bewährten Kleider anzulegen, in denen ich bereits Glück gehabt habe, sei es,

Carlton nach dem Grund zu fragen, der ihn hinderte, den Wagen mit einem Fußtritt, wie ich es sonst gesehen habe, in Gang zu setzen. Ich kann gar nicht verstehen, daß ich dieses zuverlässige Tier, mit den großen Lichtmaschinen vorn, die aber nur durch einen schmalen Schlitz sichtbar sind, nicht von Anfang an geliebt habe. Es ist viel leichter zu beherrschen, als es Pferde sind, die mir mit ihren Hausfrauenaugen immer unheimlich waren. Man kann sie nicht so liebgewinnen wie diese Maschinen, wenn sie auf ein paar Griffe und Fußtritte hin zu rasseln beginnt. Die Lichter werden eingeschaltet, Carlton streift an das Signal, und der Wagen gibt ein Signal wie ein Hund, der auch die unwillkürlichen Bewegungen seines Herrn in Befehle umdeutet.

Ich hatte aus irgendeinem Grund erwartet, daß wir auf dem Gut mit Windlichtern empfangen würden, aber dann hätten wir nicht nachts zu fahren brauchen. Ich neige dazu, die Vorsicht als eine Verfeinerung des Vergnügens zu nehmen, und wunderte mich, als ich hier tatsächlich auf eine Gefahr stieß, denn Carlton zischte mich an, als ich hinausging und zu den Schülern reden wollte. In den Gesindetrakten brannte noch Licht, so mußten wir in einiger Entfernung vom Herrenhaus den lärmenden Wagen anhalten und unsere Fracht leise abladen und zu einem Hintereingang des Hauses bringen, wo uns eine Dienerin in Empfang nahm.

Ich, wie auf dem Feldzug in Frankreich. Ich fand zu der holzgetäfelten Bibliothek des Gutshauses. Carlton versuchte mich aus dieser Bibliothek wieder hinauszugeleiten, weil es gefährlich sei, wenn man Licht sähe. Freilich hatte ich große Festbeleuchtung gemacht (das Licht mußte Carlton der Herrin wert sein). Ich konnte aber darauf hinweisen, daß die Jalousien herabgelassen waren und daß ebensogut wie ich die Herrin auf den Gedanken kommen könne, etwas zu lesen. Ich glaubte zu diesem Zeitpunkt, daß Carlton die Gutsbesitzerin tatsächlich kannte und daß insofern vieles erlaubt sei, was bei fremden Leuten nicht erlaubt gewesen wäre. Carlton, der es besser

wußte, aber doch eine leichtfertige Seele ist, gab nach und ließ mich in der Bibliothek.
Ich hatte schon einige Bücher heraussortiert und um mich her ausgelegt. Da saß ich also unter meinen Schätzen, als die Gutsherrin eintrat, und ich erhebe mich kavaliersmäßig und zugleich, wie man vom Stuhle aufsteht, um einem Besuch guten Tag zu sagen, etwas steif, wie ich auch meinen Handkuß anbringe und mich nach Namen und Herkunft vorstelle. Ich spiele auf meinen Freund Carlton an, worauf sie aber nicht einging, so daß ich einige Sätze ins Leere redete. Aber es konnte für mich nicht unmöglich sein, diese Frau für mich einzunehmen, wenn doch Carlton, wie ich wußte, bis da und da hingelangt war. Sie bot Kognak an. Ich nahm auch eine Zigarette. Sie selbst hielt eine Zigarette mit einer reizenden Bewegung, während sie den Kognak eingoß, von sich entfernt. Die Herrin schien eher überrascht zu sein über unseren Besuch als vorbereitet. Wir waren wieder in der Nähe des Kognaks, als sich herausstellte, daß sie uns gar nicht eingeladen hatte.
Bei allen demokratischen Idealen, die ich habe – und schließlich kommt es mir darauf an, die Massen an den Bildungsgütern zu beteiligen, und das Versagen vor dem Massenproblem ist das, was ich dem Nationalsozialismus in meinem Herzen vorwerfe –, kommt immer, wenn ich mit unseresgleichen, also Angehörigen der kleinen gehobenen Schicht zusammentreffe – um wieviel mehr gilt das in dieser Einsamkeit auf dem Lande! –, jenes Glücksgefühl über mich, ein Geist der Zugehörigkeit, den ich nicht verlieren mochte und den hinüberzuretten in eine neue Zeit ich mich bemühen würde, wenn eine solche Rettung möglich wäre (und es eine neue Zeit gäbe). Unter Gleichen ist alles erlaubt: das alte heuchlerische Spiel, das Changieren zwischen hochentwickelter Erziehung und tierischer Haut; ich weiß, daß das alles überholt und schlecht ist, aber es hielt mich wieder eine Stunde verzaubert. Diese Frau, deren Mann irgendwo in Kroatien befehligte, wenn er über-

haupt noch lebte, die mir Kognak anbot, der sich unter die Haut schob und innerlich wärmte, während die Worte äußerlich wärmten, schenkte mir Bücher, wenigstens sagte sie, daß ich von den Büchern, die ich mir ausgewählt hätte, mitnehmen könnte, was ich wollte. Es ist natürlich, daß ich mich wie ein Offizier in Feindesland fühlte, da ja die Atmosphäre dieses Gesprächs in die Zeit früherer Kriege paßte.

V

Der hohe Singe-Ton, des sich von der Straße nähernden Kleinmotors, wie ein blutdürstiges Insekt. Ich war, die Gefahr spürend, als der Ton plötzlich aussetzte, zu unseren Wachtposten hinausgegangen. Auf dem Wege sah ich, wie aus dem Boden gewachsen: den Bauern, in der Reihenfolge, in der er sich mir eingeprägt hat: Jägerhütchen, grobklumpige Stiefel, braune Äuglein, eine Armbinde.
– Hei'tler.
Heil Hitler! antwortete ich und bot ihm an, mit mir zu kommen und einen Kognak zu trinken: Wollen wir nicht erst einmal einen trinken? Ich sagte: aanen trinken, wie man bei uns mit Bauern spricht, das R von trinken wird stark gerollt, so wie man Pferde nicht mit dem Wort Jür oder Abfahren in Bewegung setzt, sondern mit dem auf bestimmte Art gerollten R, das in diesen Worten steckt. Der Bauer verlangte meine Ausweise zu sehen. Ich verstand nicht gleich, was er wollte, und diese Zeit ging für meine Überlegungen verloren, da er mein Nichtverstehen bereits als Ausflucht nahm. Ich gab ihm, was ich bei mir hatte: Pensionsbescheid, Straßenbahnmonatskarte mit Lichtbild. In der entstehenden Pause, während der Bauer die Dokumente studierte, sagte ich, daß wir ausgebombt und hierher befohlen seien. Ich schickte ein paar von den Kleinen, die hergelaufen kamen, aus. Sie sollten Carlton holen. Der Bauer sah verdutzt auf von seinen Papieren.
Sie haben wohl keine Ausweise, sagte er und gab mir die

Papiere zurück. Stellte dann weitere Fragen, über die ich glücklich war, denn ich meinte, wenn wir nur lange genug sprächen, müßte es mir gelingen, ihn aufzuweichen. Ich wollte ihm alles zeigen. Ich wich nicht von der Seite meines Bauern, immer in maßvollem Ton ihm zuredend, wie meine Frau es an mir kennt, wenn ich mit Polizei oder etwas wirklich Gefährlichem zu tun habe. Ich legte sozusagen Minen, erzählte ihm so viel Daten dafür, daß wir hier ordnungsgemäß und notwendig bleiben müßten, daß seine Gedanken, wenn sie ihre alte Bahn betreten wollten, auf diese Minen treten und aus der Bahn geworfen werden mußten. Ich hatte den Eindruck, daß wir den Bauern für uns gewinnen könnten. Der Bauer sagte: Rufen Sie bitte alle Angehörigen Ihres Transportes hier zusammen.
– Und was soll mit den Kleinen geschehen?
Darauf antwortete er mir nicht, sondern setzte sich neben meinen Arbeitstisch; außer daß er seinen starrsinnigen Kopf einmal um wenige Zentimeter schwenkte, gab er kein Lebenszeichen. Ich habe von einem Bauern gehört, der sich in betrunkenem Zustand auf seinen Acker verirrte und, da er immer noch Trinkbewegungen machte, Erde verschluckte und daran starb. Ich sah Carlton, die Jungen. Das Dankbarkeitsgefühl und die wiedereinströmende Sicherheit, als ich sie herankommen sah. Es war die gleiche trügerische Sicherheit wie damals, als ich die Haustüre aufschloß und die vier SA-Leute sich näherten und ich den Taxifahrer den Wagen wenden und wieder zurückkommen sehe, so daß die SA-Männer sich nicht mehr näherten: Aber wie der Taxifahrer nach einigen Hin- und Herrufen mit den SA-Leuten mich doch nicht schützte, so daß die SA noch ihren Fuß zwischen die Türspalte bekam und mich im Hausflur erreichen konnte, so versagte hier Carltons Schutz.
– Ich bin verhaftet, Carlton, rief ich ihm entgegen. Die Kleinen werden abtransportiert!
Da war aber schon Leben in den Bauernführer gekommen, und er ging auf Carlton zu und machte es wie bei mir.

– Ausweis bitte usw.
Die Schüler waren jetzt versammelt, und der Bauer befahl ihnen, sich in Dreierreihe zusammenzustellen, und bestimmte, da er mir und Carlton nicht traute, die Schüler Pichota und Hartmann für den Oberbefehl. Sie machten sich sofort daran, die Kleinen in Dreierreihen zu ordnen. Ich hatte das entsetzliche Gefühl, daß mir alles aus den Händen gleitet.
– Was wird mit den Kleinen geschehen, fragte ich wieder, so heftig, daß der Bauer sich umsah. Carlton tat nichts. Das Ordnen der Kleinen nahm einige Zeit in Anspruch. Ich versuchte, Hartmanns und Pichotas Augen zu fassen, aber sie wichen mir aus, sie gehorchten dem, der sie mit diesem ehrenvollen Oberbefehl betraut hatte. Nur ein paar von den kleineren Schülern schienen mir noch ein natürliches Gefühl für Legitimität bewahrt zu haben. Ich versuchte mich mit ihnen durch Zeichen zu verständigen. Sie sahen unsicher zu mir hin, wußten mit meinen Zeichen nichts anzufangen. Ein paar von den Jungen, die noch nicht zu Dreierreihen geordnet waren, liefen dann aber tatsächlich der Straße zu. Der Bauer, der nicht verstand, aber die Gefahr witterte, zog seine Pistole und schrie: Halt! Er konnte aber nicht schießen, denn wir waren auf ihm. Die Kleinen aus der Dreierordnung gejagt.
Als wir von ihm abließen (wie Hunde, die sich in einen feindlichen Köter verbissen haben), erhob er sich mit ziemlich zerbeultem Jägerhütchen, eine klaffende Wunde im Gesicht. Ohne ein Wort zu sagen, ging er zu seinem Kleinmotorrad, das Blut tropfte und bekleckerte seine Joppe, während wir in unserer Stellung verblieben, um den Sieg nicht zu erschüttern. Er nahm das Rad, ein Fahrrad, an das er einen Hilfsmotor angebaut hatte, auf und führte es mit den Schritten desjenigen, der sich zurückzieht, aber nicht zeigen will, daß er Grund hat, sich zurückzuziehen, zur Straße. Noch eine ganze Weile hörten wir den übelwollenden Lärm des Kleinmotors, mit dem er sein Rad den Berg hinauftrieb.

VI

Gegen Abend erschienen auf der Straße, die an unserem Versteck vorbeiführt, Panzerwagen und Truppenfahrzeuge in Dreierfront mit angehängten Kanonen, die das Gebirge zu erreichen versuchten. Sie hatten die Lichter abgeschaltet, man hörte nur das tiefe Brummen und Kettenrasseln von der Straße her. Später geriet die Kolonne ins Stocken, man hörte, daß Befehle gerufen wurden, einige Fahrzeuge versuchten, seitlich über das Feld fortzukommen. Vielleicht befürchtete man, daß Jagdflugzeuge in der Abenddämmerung mit Nachtgläsern die Fahrzeuge erkennen könnten? Später sammelte sich ein militärischer Stab um einen Offizier abseits von der Straße, und von diesem Befehlsstand gingen Melder aus.
Ich ging auf meinem Abendspaziergang, begleitet von einigen Schülern, bis zu den Fahrzeugen. Aus einem der Offizierswagen war Musik zu hören. Ich konnte nicht sofort bestimmen, was es war. Ich forderte die Jungen, die mich begleiteten, auf, gut zuzuhören, und fuhr sie an, als sie nicht sofort zu erkennen gaben, daß sie zuhörten, wie man jemand anfährt, der in einer Zeit äußerster Verknappung ein Stück Brot ausschlägt. Es gibt nichts Ärgerlicheres als einen unscharfen Instinkt.
Die Musik-Erscheinung, die mich in dieser Verbannung auf dem Land (ans Schwarze Meer verbannt gewissermaßen) glücklich machte, währte nur einen Augenblick. Der Fahrer des Wagens, der mit den Fahrern der Nachbarfahrzeuge gesprochen hatte, näherte sich uns. Ich versuchte, ihn vor dem Wagen abzufangen und ihm, ehe er sie abstellen könnte, die Schönheit der Musik verständlich zu machen. Er sah verwundert aus seinem wortlosen Trott auf. Er ging um mich herum, der ich mich ihm entgegengestellt hatte. Ich war dadurch einige Schritte vom Fahrzeug entfernt und konnte nicht verhindern, daß er in das Wageninnere griff. Ich: Aber lassen Sie doch bitte die Musik noch einen Augenblick usf., er hatte aber schon einen anderen Sender gefunden. Der Sol-

dat blieb in unserer Nähe stehen, sah aber nicht unfreundlich zu uns hin.

VII

Gestern war tagsüber von Westen Kanonendonner zu hören. Einige Fahrzeuge auf der Straße versuchten das Gebirge zu erreichen, wurden aber von Jagdmaschinen entdeckt. Carlton ist seit zwei Tagen verschwunden. Ein Projektemacher, unruhig wie ein Spieler, eine Gefahr für uns. Trotzdem suche ich, zur Straße – bis ich meinte, er käme erst recht nicht, wenn ich immer hinsehe, kehrte deshalb zurück, in der Meinung, daß er längst in der Scheune sei, wo ich ihn jedoch nicht fand.

Ich habe Trupps ausgesandt, die Carlton suchen.

Carlton ist gehängt worden. Am geschwungenen Ast einer Kiefer. Kreidestriche unter den Schuhen, so wie sie die Förster an die Bäume schreiben.

Ich bin zur Gutsherrin gegangen, weil ich mit jemand sprechen muß. Indessen empfing sie mich so ausgesucht liebenswürdig, daß ich in eine verkehrte Strähne geriet. Plauderte, plauderte, ohne aus diesem Teufelskreis herauszufinden. Über meinem vollen Herzen, wie über einem vollen Magen, bot ich ihr das DU an. Die übliche Formalität dabei rührte alles auf, so daß ich von der schwarzen Zunge Carltons hätte sprechen können, aber sie sagte in diesem Moment etwas Witziges, ich könnte nicht mehr sagen, was es war – zeitweilige Anästhesie des Geistes durch den Witz, so daß wir wieder in einen warmen unwirklichen Ton verfielen, wie bei einem Abschied, zu dem Kognak, den wir schluckten, bis sie mich in die Nacht hinaus entließ, wobei sie es nicht lassen konnte, meinen Vornamen, den sie auf der Zunge sitzen hatte, auszusprechen: Eberhard.

Bündel von Silberfischen mit blutigen Köpfen: den ganzen Tag patrouillieren sie über der Straße. Kein Fahrzeug entgeht ihnen. Ich bekomme keinen Kontakt zur Situation. Ich finde das alles furchtbar spannend, müßte doch aber die Gefahr sehen, finde aber die Gefahr gar nicht so schlecht, müßte eigentlich für mich und die Schüler fürchten, möchte aber statt dessen wieder mit dem Unterricht anfangen.

Traum I
Ich tanze die ganze Nacht mit einem sehr kleinen buckligen Mann, zu dem ich mich tief hinunter beugen muß, hat Reithosen an. Empfinde großen Widerwillen, fürchte aber, daß eine Ablehnung mir schadet.

Toter, zusammengeschnürter Mund, wie die Börse eines Geizigen (André Gide). Ich schwanke den ganzen Tag über zwischen zwei Zitaten, die mir sinnlos erscheinen, die aber doch nicht aus meinem Kopf verschwinden wollen:
1. Appropinquante morte animus multo est divinior (Cicero, De Divinatione I 63)
2. Zum Tode Verurteilter sagt: Licht! Eine unermeßliche Fülle von Licht, Gott sei gedankt! Anderer stülpt sich Eßnapf auf den Kopf und sagt: Abfahren! Man muß Quatsch machen bis zuletzt.

Traum II
Probealarm! Wir werden auf einen Platz geführt, auf dem eine Fallmaschine aufgestellt ist. Es heißt, es solle nur erst ein Versuch gemacht werden, um die Halshöhen festzustellen, damit wir bei einer eventuellen Hinrichtung richtig aufs Brett gespannt werden können und die ganze Prozedur schneller vonstatten ginge. Anstelle des Fallbeils ist ein Farbband in den Rahmen gespannt. Das Ganze hat aber das Aussehen einer

Laubsäge, nur, daß an der Stelle der Säge das Farbband da ist, das dann beim Herabfallen die genaue Aufschlagstelle markieren soll. Wir werden der Reihe nach aufgestellt. Ich traue der ganzen Sache nicht, vermute, daß man unversehens das Farbband mit einem Beil auswechselt. Ich bin gerade festgeschnallt, als mein Blick sich nach oben richtet. Dort sehe ich tatsächlich ein Beil aufblitzen. Ich schreie: »Da!«

IX

Der Bauer hatte den Vorteil, daß seine Bösartigkeit mir unmittelbar einleuchtete. Ich bin nicht geschaffen, für solche Geschichten. Ich bin eigentlich nicht unruhiger als sonst, wahrscheinlich in falscher Einschätzung der Lage, was soll ich nur tun? Vielleicht hatte ich die nötige Angst früher, verteilt auf mein bisheriges Leben? Ich könnte nicht behaupten, daß ich irgend etwas denke, seit es gefährlich ist. Man müßte sein Hirn jetzt verwenden können, ich habe aber kein richtiges Verhältnis zur Gefahr. Was nützt mir jetzt der Kopf, wenn sie ihn mir jederzeit einschlagen können? Er muß besser gesichert werden, praktisch können wir den ganzen Geist aufteilen zwischen gut funktionierendem Hirn wie bei Carlton, was ihm aber auch nicht geholfen hat, und Schutzvorkehrungen für dieses Hirn. Aber wie soll ich das jemand erklären, der an die Macht des Geistes glaubt? Hing an diesem Baum, und die Zunge! Gar nichts kann man da machen; wie zwei Stücke Holz diese Beine. Ich hätte sie anfassen können. Hätte so etwas nie gewagt, als er lebte. Wenn man ihn aber so hängen sieht, bleibt eigentlich kein Grund, weshalb ich es nicht gemacht habe. Vielleicht sollten wir weggehen?
Ich überraschte den Offizier, als er auf die Schüler einsprach. Als ich dazutrete, Schweigen auf seiten der Schüler und des Offiziers, als hätte ich ein Liebespaar überrascht. Ich bat den Offizier, was auch immer er bei den Schülern zu schaffen hatte, um eine Unterredung unter vier Augen. Er versuchte Aus-

flüchte zu machen und wollte mir nicht in die Scheune folgen, ich aber war nach dem kurzen Mittagsschlaf wie eine aufgeladene Batterie. Meine Vermutung, daß er die Schüler für einen Schanzeinsatz gewinnen wollte, erwies sich als richtig. Ich zeigte ihm die Waffe, die ich dem Bauern abgenommen hatte. Auf der Straße waren zu dieser Zeit keine Fahrzeuge zu sehen.

Er durfte sein Rad aufheben, mit dem er gekommen war, und das Rad zur Straße schieben. Er war kein feiger Mann. Als er auf der Straße davonradelte, schoß ich eine Kugel hinter ihm her, die in die Chausseebäume klatschte.

Wachen sind aufgestellt, während wir zu arbeiten anfangen. Die Wachen halten uns über den Verkehr auf der Straße auf dem laufenden. Der Sinn der letzten Tage kann nicht sein: Lebe gefährlich; schon deshalb nicht, weil wir die Gefahr möglicherweise nicht überleben werden. Ich breche ab, die Wache gibt Zeichen. Motorenlärm kommt die Straße herauf.

X

Et volat saepius carta caritatis
alis pennata implens officium linguae.

78:119,25

Der Brief erfüllt das *officium linguae*. Das Sprechen aber ist nicht gleichgültig; nicht jedes Sprechen, nicht jede Mitteilung entspricht diesem *officium*. Häufig wird zwischen dem eigentlichen *loqui* und seinem defizienten Modus, der *vaniloquentia* unterschieden, die das *loqui* verkehrt. In einem Brief an Theodulf von Orléans definiert Alcuin: *memor esto sacerdotalis dignitatis linguam caelestis esse clavem imperii et clarissimam Christi tubam. Quapropter ne sileas, netaceas, ne formides loqui.*

225:368,29

Loqui also ist eine geistliche Pflicht und entspricht der

priesterlichen Würde. Die Hochschätzung des Wortes ist zugleich Verpflichtung zum Wort als Aufgabe des Geistlichen. Daher die immer wiederkehrende Abwandlung und in den verschiedensten Zusammenhängen erteilte Ermahnung zu sprechen: *nolite tacere*.

225:413,4

Silentium in sacerdote pernicies est populi. Loqui trägt seine Berechtigung nicht als beliebige Mitteilung in sich, sondern in dem Ziel, das ihm innewohnt: es ist Schlüssel zum *imperium regni caelestis*.

Indem der Text *lingua* als *clavem caelestis imperii,* das *officium linguae,* nämlich *loqui,* demnach als »Aufschließen« jenes Reiches qualifiziert, ist zugleich eine weitere inhaltliche Bestimmung des *loqui* gegeben: *erudire*. Es wird später die Rede davon sein, in welcher Weise *eruditio ad regnum dei* die eigentliche Aufgabe des geistlichen Amtes ist; desgleichen, wie diese Tätigkeit in ihrem Ziel, der *sapientia,* zur Ruhe kommt, die als Erfüllung der *eruditio* zugleich der Zugang zum *imperium regni caelestis* ist. *Eruditio* bedeutet demnach inhaltlich einmal: *fidei rationes (praecepta dei) scire* und diese *sobria conversatione ostendere (ea implere)*. Der *ductor* et *doctor gregis* führt *docendo et ammonendo* zur *salus animarum*. Das geht alle an: *docendus est itaque (omnis) homo rationalem habens intelligentiam*.

113:164,32

Rationalis intelligentia ist das Organ, in dem *discere* seinen Sitz hat und auf das hin *docere* angelegt ist. Sie ist Besitz des Menschen von Natur aus. Es wurde schon auf das Qualifikativ *rationalis* bei Alcuin hingewiesen. Hier muß es eingeordnet werden. *Rationalis intelligentia* disponiert den Menschen als Menschen, von seiner Verfassung her, unter der Mitwirkung der *gratia dei – quia otiosa est lingua docentis, si gratis divina cor auditoris non inbuit* – die *doctrina salutis* anzunehmen.

113:164,34

Lingua – Sitz von *loqui*, mithin von *docere* – verweist auf *rationalis intellegentia; cor* hingegen ist das Organ der Rezeption der *gratia*, der Sitz der *religio*. In *cor* und *intelligentia* haben wir ein Beispiel wieder jener dualen Einheiten, die in den Quellen der Zeit so häufig Stil und Denken auszeichnen.

Sapientia bildet gleichsam die Synthese von *intelligentia* und *cor*. Es ist *sapientia*, die den Zustand des *rudis* überwindet, wie er, begrifflich übernommen aus dem Werk des Augustinus (als *catechizandus* nämlich), unter den Verhältnissen und Bedingungen des 8. Jahrhunderts verstanden wird.

Hier ist der Ort der sogenannten »Bildungs-Kapitularien« Karls des Großen, soweit sie sich auf *omnes*, auf die Grundforderungen beziehen. Sie gelten der Mindestunterweisung aller im *orbis christiani imperii* zum Heil der Seele – Symbol, Herrengebet, Taufformel – und der Bekämpfung von Aberglauben. Da sie Erlasse des Herrschers sind, zeigen sie das Selbstverständnis des *rex* bzw. *imperator* als *ductor gregis et populi dei*, sein theologales und ekklesiales Verständnis der Königsfunktion. Zugleich findet sich hier eine Nahtstelle. Aus der allgemeinen Aufgabe einer generellen *eruditio* entstehen unmittelbar die Bedingungen einer spezielleren. Zunächst ist es »Ausbildung von Nachwuchs« – *ut digni vestri honoris fiant successores*, der die Aufgabe eben jener allgemeinen *eruditio* wahrzunehmen fähig sei. Man sucht eine *eruditio*, die *doctores ad eruditionem omnium* und *ductores gregis qui populum dei regere valeant* auszubilden. Eine Reihe karolinischer Kapitularien betrifft wiederum diese speziellere *eruditio*. Diese konstitutionieren ein regelrechtes Programm: ihre formalen Bestimmungen erhalten in Alcuins Briefen eine eigene Lebendigkeit und diese Briefe durch jene Bestimmungen eine eigene Autorität.

270:428,40

Sollicitudo, die sorgende Hinwendung zu *filius*, umfaßt, unter dem Horizont der *fides* und unter dem Gebot der *caritas*, prinzipiell alle Aspekte des Lebens. Ihr Ausdruck im Brief kommt der *amicitia* sehr nahe. Nachdem die in *eruditio* angelegte Fürsorglichkeit aus den Beispielen zur Genüge dargelegt scheint, möchten einige weitere Beispiele zeigen, wie vielseitig *sollicitudo* in Wirkung tritt, je nach der Situation dessen, dem sie gilt. Danach kann sie, wie zu zeigen sein wird, auch scheinbar *gegen* einen Menschen in Auseinandersetzung treten, der ihr Gegenstand ist.

Freude über den seelischen Fortschritt ist ein wiederkehrendes Motiv. Einem ungenannten Schüler – es könnte dem Tonfall nach Candidus oder Dodo-Cuculus sein – schreibt Alcuin:

... laeto / litteras vestras / legebam animo intellegens in eis vestras vitae properitatem et litteralis exercitii studium ex quo dicatantis eloquentia claruit. hoc mihi maximum esse gaudium constat, ut filios florere videam in conversationis puritate et profectus diligentia.

34:75,24

Alcuin trägt Sorge für seine Schüler und setzt sich für sie ein. In einem Brief an Adalhard von Corbie bittet er ihn, sich bei Karl dafür zu verwenden, daß sein Schüler Bernarius aus der »Welt« in sein Kloster *Lérins* zurückkehren dürfe; *valde necessarium ei videretur, ut revertatur ad fratres suos; et ea vita vivat, in qua salvatus fuit de periculo mortis, in quo bene periit. quid iterum regreditur, ubi propemodum perditus fuit ...*

Es gibt noch ein weiteres Beispiel einer Auseinandersetzung zugunsten von Schülern, diesmal jedoch mit »offiziellerem« Hintergrund und ernsteren Konsequenzen. Das Beispiel zeigt, wie weit Alcuin zu gehen bereit ist, um seine Schüler zu schützen. Die Auseinandersetzung füllt die epp. 245-249 (S. 393-404). Sie führt zu einem zeitweiligen Bruch mit Théodulf von Orléans und sogar zu einer strengen Rüge durch den Kaiser. Sie ist aufschlußreich für die rechtlichen, kirchlichen, sozialen und persönlichen Verhältnisse in der Zeit.

Dem Erzbischof Théodulf von Orléans ist aus Orléans ein Gefangener *(reus)* entkommen; er flieht in die Martinskirche von Tours; ein Trupp Théodulfs soll ihn fangen und zurückbringen, die Bevölkerung von Tours und die Schüler des Klosters leisten Widerstand, es kommt zu einem Handgemenge *(tumultus)*.

In ep. 245 instruiert Alcuin seine am Hofe weilenden früheren Schüler Candidus und Nathanael, wie sie die Angelegenheit sachlich und rechtlich dem Kaiser gegenüber vertreten sollen, ep. 246 ist an einen Bischof gerichtet; beide Briefe sind »im Ton« stark gegen Théodulf gerichtet, wenn auch Zurückhaltung im Ausdruck eines im Grunde stärkeren persönlichen Unmuts zu spüren ist. Ep. 247 bringt einen klaren und, soweit zu beurteilen, wohlbegründeten Entscheid des Kaisers zugunsten Théodulfs und der Ordnung – und eine Rüge an Alcuin und die Mönche von Tours. Daraufhin schreibt Alcuin die beiden epp. 248 und 249. Die erstere ist eine kurze Notiz an Arn, die den Überbringer bei ihm einführt. Sie lautet folgendermaßen:

direxi hoc animal, vitulum enchiridion meum, ut adiuves illi et eripias eum de manibus inimicorum suorum. et adiuva quantus valeas, quia venerabilis episcopus multum ardet super nos. id est Teodulfus. Nisi quoque in ora pueri huius, quamvis vitulus contra naturam rationale sit animal, quod ipse in auribus sanctitatis vestras habet mugire. habeo enim illum ad erudiendum deo mecum in domo mea. et poterit proficere deo donante in lectionis studio seu grammaticae artis disciplina in domo sancti Martini. O Aquila! 'hi in curribus et hi in equis, nos autem in nomine nostri magnificabimur' (Ps. 19, 8). *valeas vigeas semper in aeternum.*

Alcuin schickt also seinen Schüler zu Arn, um ihn einer drohenden Strafe zu entziehen – der Hinweis auf Théodulfs Zorn muß dies besagen. Und da Alcuin sich nach ep. 147 vor Karl und Théodulf im Unrecht befindet, scheint ein so ordnungstreuer, Hof und Hierarchie so fraglos ergebener Mann es auf sich zu nehmen, diesen Ordnungen die Stirn zu bieten und einen *vitulus* zu schützen, der offensichtlich wider sie gehandelt hat. Die persönliche Verbundenheit, *sollicitudo patris erga filium*, ist in diesem Konflikt stärker als der Ordnungsgehorsam. Das Ganze trägt die Züge einer kleinen Konspiration: *misi in ora pueri ... quod ipse ... habet mugire*. Wohl ungefähr gleichzeitig mit dieser Botschaft an Arn schreibt Alcuin einen recht aufschlußreichen Brief an Karl, auf den schon in anderem Zusammenhang hingewiesen wurde.

ep. 249:401-404

Er sucht zu entschuldigen, zu rechtfertigen, den Vorwürfen Karls mit großem Aufwand an Argumenten und Beispielen weitgehend zu begegnen. Er schreibt den Wächtern des Gefangenen hauptsächlich die Schuld zu an dem Vorfall, sodann der Provokation der einfachen Leute durch den bewaffneten Trupp, der ihn in St. Martin wieder gefangennehmen soll und ihre Gemüter durch die vermeintliche Mißachtung ihres Heiligen erregt ...

Tagsüber arbeitete Schincke jetzt wieder an seinem seit 1932 geplanten, 1934 begonnenen Essay über die Bildungsreform des Karolingerreiches. Er sah ein, daß dies ebenso wie die Wiederaufnahme des Unterrichts möglicherweise eine unangemessene Reaktion auf das Vorgefallene und die gegenwärtige Situation war; aber welche Reaktion hätte man von ihm erwarten sollen? Gerade in der Notlage klammerte er sich naturgemäß an das, was er kannte. Was hätte er auch sonst tun können? Vielleicht eine Revolution anzetteln? Er spürte, daß die Wende, auf die er seit 1933 gewartet hatte, jetzt vorüber war und daß es auch diesmal keine Änderung gegeben hatte. Er war froh, den Rest an gutem Willen, der ihm blieb, hier in literarischen Arbeiten sicher zu investieren. Instinktiv bewegte er sich auf diese Chance zu: mit den anvertrauten Schülern wieder von vorn anzufangen. Am Tag darauf wurde Studiendirektor Schincke auf Anzeige des von ihm verletzten

Ortsbauernführers, der aus irgendeiner benachbarten Ortschaft stammte, von einer fliegenden Standgerichtsgruppe verhaftet. Die Schüler wurden gesammelt und in die nächstgelegenen Bauerndörfer gebracht. Schincke selbst wurde in die nächste Kreisstadt mitgenommen. Dort, abgesondert von den Schülern, erlebte er die Befreiung.

ANITA G.

Haben Sie nicht eine erfreulichere Geschichte?

I

Das Mädchen Anita G. sah, unter dem Treppenaufbau hockend, die Stiefel, als ihre Großeltern abgeholt wurden. Nach der Kapitulation kamen die Eltern aus Theresienstadt zurück, was keiner geglaubt hätte, und gründeten Fabriken in der Nähe von Leipzig. Das Mädchen besuchte die Schule, glaubte an eine ruhige Weiterentwicklung. Plötzlich bekam sie Angst und floh in die Westzonen. Natürlich beging sie Diebstähle auf ihrer langen Reise. Der Richter, der sich ernstlich Sorgen um sie machte, gab ihr vier Monate, von denen sie aber nur die Hälfte abzusitzen brauchte. Für die andere Hälfte bekam sie Bewährungsauflagen und eine Bewährungshelferin, die aber die Betreuung übertrieb, also floh das Mädchen weiter nach WIESBADEN. Von WIESBADEN, wo sie Ruhe fand, nach KARLSRUHE, wo sie verfolgt wurde, nach FULDA, wo sie verfolgt wurde, nach KASSEL, wo sie nicht verfolgt wurde, von dort nach FRANKFURT. Sie wurde aufgegriffen und (da ein Fahndungsersuchen wegen Bruchs der Bewährungsauflagen vorlag) nach HANNOVER auf Transport gebracht, sie aber floh nach MAINZ.
Warum begeht sie auf ihren Reisen immer wieder Eigentumsdelikte? Sie wird unter verschiedenen Namen im Fahndungsblatt gesucht. Weshalb ordnet dieser intelligente Mensch nicht seine Angelegenheiten befriedigend? Häufig wechselt sie ihr Zimmer, sie hat meist gar keines, weil sie sich mit den Wirtinnen überwirft. Man kann nicht wie ein Zigeuner in der Gegend herumziehen. Warum verhält sie sich nicht dementsprechend? Warum schließt sie sich dem Mann nicht an, der sich um sie bemüht? Warum stellt sie sich nicht auf den Boden der Tatsachen? Will sie nicht?

II

Den Mann, den sie gestern kennengelernt hatte, nahm sie mit in das Zimmer, das ihr schon nicht mehr gehörte. Komm, hier, sagte sie leise, als sie hörte, wie er sich in dieser Dunkelheit vorsichtig hinter ihr hertastete. Er konnte sich nicht ganz lautlos bewegen. Er war überhaupt nicht geschickt. Sie bewegte sich in dieser Dunkelheit auf ihn zu und führte ihn, an der Hand gefaßt, vorbei an den Räumen ihrer früheren Wirtin bis zu ihrem Zimmer. Sie schloß ab und machte Licht.

Der Mann mißbilligte dieses Theater, aber er wußte auch nicht, weshalb es veranstaltet wurde. Vermutlich nahm er an, daß sie auf Verwandte Rücksicht nahm, bei denen sie wohnte. Er hätte es vorgezogen, seinen Besuch bei diesen Verwandten zu machen und so die neue Verbindung mit dem schönen Mädchen zu legalisieren. Geheimnistuerei war ihm fremd. Er sagte das auch. Sie wollte ihm aber jetzt nicht erklären, inwiefern ihr dieses Zimmer nicht mehr gehörte. Der Grund, weshalb die Schepp sie hinausgeworfen hatte oder weshalb das Mädchen seinerseits das Mietsverhältnis beendet hatte, woraufhin sie von der Schepp hinausgeworfen worden war, war nicht mit ein paar Worten faßbar Die Schepp: großer, ungewöhnlicher Hut, große, funkelnde Augen, voller Eitelkeiten. Ihr Mann, sagen wenigstens einige Leute, soll sich vom Balkon des 3. Stocks auf die Straße gestürzt haben, während sie im Nebenzimmer hantierte. Vielleicht rechnete die Schepp damit, daß das Mädchen heimlich zurückkäme? Das Mädchen bewegte sich ohne jeden Laut im Zimmer, was ihr leichter fiel, als Lärm zu machen, sie gehörte zu den Leuten, deren Phantasie zum Lärmmachen nicht reicht. Der Mann stieß an das Eisenbett. Sie zitterte, da sie mit der Schepp rechnete.

An die Wärme und Sicherheit, die von dem neben ihr liegenden Körper ausging, glaubte A. nicht. Die bleiche, großporige Haut, die engen Brustwarzen, von einzelstehenden langen Härchen umgeben, schienen selbst schutzbedürftig. Sie hatte keinen Schutz zu vergeben. Wenn es nicht in wichtigen Punkten sie selbst beträfe, fände sie diesen Mann vielleicht sogar lächerlich mit seinen Besorgnissen, der Furcht, sich auf etwas Unerlaubtes einzulassen. Sie hatte nicht die Fähigkeit, sich Menschen lange auszusuchen. Ungeduldig nahm sie den auf, der bereit war, sich mit ihr abzugeben. Es war eine Chance, ihr Leben wieder in den Zustand von Sicherheit und Ordnung zu bringen. Insofern wollte sie ihren Vorteil wahren.

Sie fror in dem ungeheizten Raum und spürte die kommende Erkältung wie etwas, auf das sie sich freute und das sie doch gleichzeitig mißbilligte, weil es hinderlich sein würde, alles so ähnlich wie ein Kind bekommen – sie suchte die Wärme in dem neben ihr liegenden Körper, an den sie sich erst wieder gewöhnen mußte. Sie genierte sich nicht mehr vor ihm. Sie lieferte ihm jeden Teil ihres Körpers aus, den er haben wollte. Sie gab sich mit einer Einfachheit, die es auch bei einfachen Leuten nicht gibt, und sorgte dafür, daß die Erzählungen, die ihre Vergangenheit betrafen, natürlich blieben. Sie richtete ihre Vergangenheit so zu, daß sie ihn nicht stören konnte. Pläne machte sie nicht, sondern wartete auf seine Vorschläge für den nächsten Tag. Sie vergewisserte sich des neben ihr schlafenden Körpers durch die dünne Decke. Sie schlief, wenn er da war, außerhalb der Decke, am Bettrand, auf der Seite liegend und etwas angelehnt an den Berg unter der Decke; sie hätte sonst befürchtet, ihn zu stören, wenn sie sich bewegte, was sie nachts nicht in der Kontrolle hatte.

Gegen Morgen erwachte der Mann und wandte sich ihr noch einmal zu. Sie hätte ihn gern geschont, weil sie auf keinen Fall wollte, daß er mehr tat, als er selbst wollte. Sie wollte nicht, daß er diese Nacht, die vielleicht die letzte war, in fader Erinnerung hätte. Aber sie konnte sich andererseits nicht gut gegen ihn wehren, wenn sie einfach und natürlich sein wollte. Sie gab sich Mühe, beteiligt zu erscheinen, was ihr nicht gut gelang. Sie war gespannt auf das, was er sagen würde, und verpaßte so, was er zu ihr sagte. Sie deckte den Erschöpften zu und machte sich Vorwürfe, ihm nicht nützlich gewesen zu sein. Sie schmiegte sich an die Decke, die ihn umgab, und wartete, bis er eingeschlafen war. Sie wollte ihn auf keinen Fall ausnützen. Insbesondere wollte sie ihn nicht auf diese Art ausnützen, die ihr nichts half.

Sie konnte sich bewegen, ohne irgendein Geräusch zu machen, und öffnete auch jedes Schloß ohne Geräusch. Der Mann stolperte, als sie ihn hinausbrachte, aber das ging im Morgenlärm des Hauses unter. Es zerschnitt ihr das Herz, als er sich in der Kälte des Zimmers ankleidete, aber sie konnte an dem Zustand nichts ändern, da sie eigentlich ja nicht einmal dieses Zimmer benutzen durfte. Sie entließ ihn schnell, damit sich diese Momente nicht in seiner Erinnerung einprägten. Sie selbst verließ, sobald er sich entfernt hatte, diese Wohnung.

III

Sie wollte ihn noch einmal sehen, bevor sie abreiste. Seit mehreren Wochen verlängerte sie sich von Tag zu Tag diese Beziehung, obwohl ihre Lage in der Stadt immer gefährlicher wurde. Sie suchte nach ihm und sah ihn später im Café am Dom. Er sah noch immer müde aus, schlaffer Mund und etwas hohle, eingefallene, »kandierte« Lippen. Eine ziemlich läppische Unterhaltung. Zu einem Nebenmann: Er hätte Nachtschicht gehabt . . ., wenn man mit einer temperamentvollen Frau zusammen sei . . . Er spürte nicht, daß sie in seiner Nähe war.

Sie erschrak. Dies war alles, was die Liebe bewirkt. Sie hätte gewünscht, daß sie schon gestern abgereist wäre. Was sie von ihrer Kraft in diesen Mann investierte, er blieb platt. Sie gab die Hoffnung auf, ihn für sich einzuspannen. Sie begleitete den Mann aus einiger Entfernung zum Amtsgebäude, in dem er wie jeden Tag verschwand. Später beruhigte sie sich. Sie beschloß, mit ihm noch einen weiteren Versuch zu machen.

IV

Die Vorgeschichte ist mit wenigen Worten wiedergegeben: Sie hätte mit diesem Mann nie ein Wort gesprochen, wenn der Unfall nicht als Vermittler dagewesen wäre. A. wollte an dem betreffenden Tag Mai 1956 die Stadt MAINZ verlassen, weil sie in mehreren Pensionen in der Bahnhofsgegend Schulden gemacht hatte und sich auch aus anderen Gründen in der Stadt nicht mehr sicher fühlte. Bevor sie die Stadt verließ, besuchte sie die auf einer Anhöhe gelegene Universität. Sie überbrückte den Tag in den Aufenthaltsräumen der Universität und in Vorlesungen. Sie wollte nach WIESBADEN hinüberfahren und dort vielleicht arbeiten, aber an der Torausfahrt der Universität wurde sie, als sie die Straße überquerte, von einem Auto erfaßt (es kann auch sein, daß sie in das Fahrzeug hineinlief). Sie erhob sich vom Sturz und prüfte die Schrammen an ihrem Körper. Der Autobesitzer kam auf sie zu und ohrfeigte sie. Sie wußte keine Reaktion darauf. Später lernte sie diesen Mann näher kennen. Wenn der Unfall nicht gewesen wäre, hätte sie nie ein Wort mit ihm gesprochen. Der Mann hielt sie an, in MAINZ zu bleiben, sich ein Quartier und Arbeit zu suchen. Er wünschte, daß sie richtig mit Geld versorgt wäre und eine Arbeit hätte. Er hätte sonst befürchtet, daß aus ihrer Untätigkeit Belastungen resultierten. Obwohl er Belastungen jeder Art ausdrücklich ablehnte, gebrauchte er selbst im weiteren Verlauf dieser Beziehung nicht die nötige Vorsicht. Sie erkannte die Folgen seiner Unvorsichtigkeit, behielt aber diese Tatsache für sich, wahrscheinlich, weil sie sich vor seiner Reaktion darauf fürchtete und er auch nicht danach fragte.

V

Auf der Suche nach einem Anwalt

Das Mädchen war auf einen Zeitungsartikel aufmerksam geworden, der von der Tätigkeit des Frankfurter Anwalts Dr.

Sch. berichtete. Sie reiste nach FRANKFURT und versuchte mit diesem Verteidiger in Verbindung zu kommen. Den Vormittag über war er jedoch in seinem Büro nicht zu erreichen. Nachmittags sah sie ihn von weitem im Justizgebäude, der Bürovorsteher des Anwalts hatte ihr geraten, ihn dort zu suchen. Sie wagte nicht, ihn anzusprechen, als er, umgeben von einem Pulk Fragender, den Sitzungssaal verließ und die mächtige Freitreppe hinabstieg. Am späteren Nachmittag war er wieder unerreichbar, sooft sie auch in seinem Büro anrief. Sich für einen der nächsten Tage anmelden wollte sie nicht, sie hatte bereits die Hoffnung aufgegeben, an den berühmten Mann heranzukommen und ihn für ihren Fall zu interessieren. Mit einem der Assessoren, die ihm Anwaltsbüro zur Verfügung standen, wollte sie nicht sprechen, weil sie nur zum Anwalt selbst Vertrauen hatte und außerdem glaubte, daß nur bei dem Verteidiger selbst eine Beratung ohne Geld möglich sei. Ihr Fehler war, daß sie zu Anfang ihrer Versuche, genaugenommen bei ihrem ersten Anruf, zu zaghaft gefragt hatte. Sie erhielt daher eine ablehnende Antwort des Büropersonals.

Tageslauf des Verteidigers: Der berühmte Mann trieb sich den Vormittag über im Bademantel in seiner Wohnung herum. Er war nicht neugierig auf den neuen Tag. Er telefonierte mit Wiesbaden und mit Zürich und saß dann an seinem Tisch.
Seine Hand lag auf dem Tisch, gestützt auf den zweiten und fünften Finger, der Daumen ruhig daneben, der dritte und vierte Finger knieten. Wenn er den vierten Finger langsam hochzog und nach vorn zog, schnappten an einem bestimmten Punkt die beiden knienden Finger gemeinsam nach vorn und die Hand fiel flach auf den Tisch. Er antwortete nicht, wartete, bis die Sekretärin das Klopfen aufgab und von der Tür verschwand. Dicke Adern auf dem schmalen und etwas behaarten Handrücken, die beiden knienden Finger nach vorn geschleudert und die Hand lag flach, gewissermaßen atemlos, auf dem Tisch. Er sah sie da, war nicht neugierig auf den Tag.

Später brauchten Mitarbeiter seine Zustimmung zu einer eiligen Entscheidung. An der Beratung eines Gnadenaktes in der Staatskanzlei nahm er fernmündlich teil. Die Telefonate belebten ihn etwas. Wenn er lange genug Interesse an diesen Gesprächen heuchelte, bekam er Interesse. Einer nach dem anderen riefen seine Mitarbeiter über das Haustelefon an und baten um Weisungen. Er hatte keine Lust. Ein vitaler Mensch kann nicht aufgeklärt sein. Wie viel Schwäche ist nötig, damit einer aufgeklärt ist?

Der Mittelteil des Tages rollte nach einem Zeitplan ab, auf den er nur insofern Einfluß hatte, als er jeweils den Aufbruch von einer Veranstaltung oder Verabredung zur anderen hinauszögern konnte, was aber sein ausgezeichneter Chauffeur, der ihn durch den Nachmittagsverkehr brachte, zum Teil wieder ausglich. Seine beiden Assessoren erwarteten ihn vor dem Portal des Justizpalastes. Er ließ sich in diese entsetzlichen Säle führen. Er war jetzt müde von der anstrengenden Vorführung des Mittagessens, die er hinter sich gebracht hatte. Sie war anstrengend, weil er außer Witz, Klugheit, Scharfsinn, was noch dazu Eigenschaften waren, die er eigentlich nicht besaß, auch Standhaftigkeit im Trinken und Essen zeigen mußte; Gegenpol zu seiner Geschicklichkeit im Lavieren. Auf diesen vorgeblichen Eigenschaften beruhte ein Teil seiner Beliebtheit. Er näherte sich mit ambivalenten Empfindungen dem Stall des Angeklagten, redete mit allen möglichen Leuten, ehe er bei seiner Bank ankam und sich zu der üblichen Begrüßung zum Angeklagten zurückwandte. Die Assessoren blätterten in den Akten. Er zog sich in die äußerste Ecke der Bank zurück, prüfte, ob hier Zugluft herrschte. Der Angeklagte wurde befragt. Er war ein dicker, gut zahlender Kaufmann, dem Sittlichkeitsdelikte vorgeworfen wurden. Der Verteidiger wartete vor seinem Tisch, prüfte, ob ein Eingreifen erforderlich sei. Er bewegte sich so vorsichtig, als käme es darauf an, etwas zu fangen oder zu messen. Er war müde und versprach sich, als er, halb zum Angeklagten und zur Richterbank sich wendend, etwas sagte,

während er mit abgedämpften Katzenschritten, wie um keinen Gedanken zu verscheuchen oder niemand zu beleidigen oder zu treten oder zu erschrecken, auf dem gebohnerten Boden vor seinem Verteidigertisch hin- und herging. Es fiel ihm schwer, sich zu konzentrieren. Es entstand Unruhe bei den Richtern und Schöffen. Die Richter mochten ihn nicht. Es war sein Name, der sie in Subordination hielt. Er versprach sich mehrmals, und die ganze Vorführung war wohl nicht sehr gut, die Richter blätterten während seines Plädoyers in ihren Unterlagen. Was konnten sie ihm schaden?
Als das Urteil gesprochen war, umringten ihn die Assessoren und weitere Personen wie eine Schar Verehrer und schirmten ihn ab gegen aufdringliche Fragen, die geeignet gewesen wären, ihn in Verlegenheit zu setzen. Der Angeklagte bedankte sich. In der Vorhalle traten eine Reihe von Leuten heran, die den Anwalt zu sprechen versuchten. Er krümmte die Schultern, weil er die Zugluft in dieser Vorhalle fürchtete, ließ sich aber doch mit dem einen oder anderen ein, der ihn ansprach. Er hätte um diese Nachmittagsstunde mit dem Generalstaatsanwalt in die Landesheilanstalt hinausfahren müssen, da er dort einen Fall entdeckt zu haben glaubte, in dem sein Eingreifen oder aber das des Generalstaatsanwalts nötig war. Statt dessen saß er eine Zeitlang mit dem Generalstaatsanwalt beim Tee.
Der gutgeschützte große Mann, der nicht mehr allzu viele Jahre zu leben hatte, machte von seinem Einfluß wenig Gebrauch. Er besaß mehr Einfluß, als er sich selbst eingestand. Er wurde um diese Abendzeit lebendig, hatte schon am Vorabend Tropfen genommen, die das Herz auf Gespräche vorbereiten und die Blutgefäße weiten. Man konnte nicht sagen, daß er in irgendeiner Hinsicht ein Spezialist war, auch nicht in seiner Eigenschaft als Anwalt, da er nirgends bereit gewesen wäre, sich sicher zu fühlen; er war aber insofern spezialisiert, als seine ganze Macht gesammelt war als Gegenmittel gegen den eventuell jederzeit wieder ausbrechenden Pogrom. Daher ließ sich

diese Macht zu nichts anderem als zur Gefahrenabwehr verwenden. Er hatte vielleicht noch fünf Jahre zu leben und brauchte sich für diese Zeitspanne nicht mehr allzusehr anzustrengen. Er kannte genügend Auswege, um auszukommen. Er konnte sich gewissermaßen im Gleitflug bis zur endgültigen Landung in der Luft halten, wenn der Vergleich paßt. Er ging an diesem Abend früh schlafen. Er hätte noch eine Menge Einfluß ausüben können, aber er wollte gar nichts. Er wollte in den Mutterleib zurück. Er glaubte nicht an Veränderungen, war auch, solange er nicht bedroht war, gegen Veränderungen, von denen man nicht wissen konnte, ob sie nicht Bedrohungen bringen.

Schutzbedürfnis
Sehr dünne Glieder unter dem erstklassigen Anzug, sehr haarig, weil er schon in den ersten Minuten seines Lebens diesen Schutz nötig hatte; keiner glaubte damals, daß er am Leben bleibt; die Hose ist am Rückgrat aufgehängt und hängt, ohne irgendwo mit dem Körper in Berührung zu kommen, hinunter bis zu den auseinandergerichteten Füßen.

Absicherung, Heuchelei
Sitzt in Strümpfen, was aber niemand weiß, in der guten Deckung seines Schreibtischs und läßt seine Augen aufblinken, »signalisiert«, als sein Besucher irgend etwas sagt, er hat nicht zugehört und heuchelt; er muß diesem Besucher gefallen, obwohl er nicht unbedingt muß. Der Besucher gehört zu den Leuten, die zwar keine Macht über ihn haben, mit denen er aber auf keinen Fall in Unfrieden sein will.

Feindin Natur
Er zieht die Schultern zusammen, nicht weil es kalt ist, sondern weil niemand etwas zu sagen weiß, das ihn erwärmt; er sucht nach Zugluft, Rechtfertigung für sein Wärmebedürfnis. Er fürchtet sich vor Erkältungen. Er kann sich eine Schwächung

des Körpers nicht leisten. Er ist geschützt vor Menschen, aber verletzbar durch Eingriffe der Zugluft.

Furchtsamkeit

Die Diskussion ging über eine Stunde in die Irre, weil er, den man zum Leiter des Gesprächs gemacht hatte, sich weigerte, die Diskussionsredner zu unterbrechen, wenn sie vom Thema abkamen. Sie diskutierten zuletzt ohne Thema in der Reihenfolge der Wortmeldungen. Viele waren wütend über diese Diskussionsleitung. Die Besten waren verärgert über dieses Verfahren und warfen dem Präsidenten vor, daß er überhaupt nicht zuhöre. Er hörte auch nicht zu, was aber niemand beweisen konnte. Er nahm die Feindschaft der Guten in Kauf und weigerte sich, die Redner zu unterbrechen, was konnten die Unzufriedenen ihm schaden? Andererseits befürchtete er Racheakte der Unterbrochenen, wenn er die Redner unterbrach, und überhaupt lag ihm so etwas nicht. (Er sagte auch in Fällen, in denen Mitarbeiter Vorschläge machten, meist ja, obwohl er ebensogut gleich nein hätte sagen können, weil er ebensogut noch morgen nein sagen konnte, niemand hätte ihm deswegen etwas tun können, und es war für seine Sicherheit ohnehin egal, ob er ja sagte oder nein; dann aber kam noch hinzu, daß er ungern nein sagte, und lieber erst ja sagte, weil die Chance bestand, daß durch den Zeitablauf die Sache sich von selbst erledigte und er vielleicht überhaupt nie nein zu sagen brauchte. Er bezahlte seine Mitarbeiter für die Vorschläge und honorierte daher auch das Recht, die Vorschläge abzulehnen. Aber er hätte ungern einen der Vorschläge, die sie ihm machten, abgelehnt, wahrscheinlich, weil er Racheakte befürchtete.)

Stimulation

Dreistündige Mittagstafel in einem Lokal in Bahnhofsnähe, wo er Gäste empfängt, denen er gefallen muß: er zeichnet die Neuangekommenen aus, indem er ihnen entgegengeht und sich auf dem Weg von der Tür, an der er sie begrüßt, zu den Tischen abfällig über die schon dasitzenden Gäste äußert. Nach Tisch redete er von seinem Tode, nicht zu allen. Die Gäste, die es hörten, waren unsicher, wie sie sich verhalten sollten. Die Ausmalung seines baldigen Todes war sein stärkstes Anregungsmittel, von dem er – wie übrigens auch von Penicillin, Chinin usf. – hemmungslos Gebrauch machte.

Verfolgung, Schützling, zwei Alternativen
Er hat einen großartigen Apparat entwickelt, der ihn im Fall von Pogromen und natürlich erst recht in Ruhezeiten schützt. Wie aber hält er den empfindlichen Apparat am Laufen, wenn keine Verfolgung da ist? Er braucht deshalb starke Anregungsmittel, um sich am Laufen zu halten. Das stärkste Anregungsmittel wäre natürlich ein Schützling, der wirklich gefährdet ist. Aber wie soll der Schützling durch den Schutzring von Berühmtheit, Assessoren, Mitarbeitern, Büroangestellten, diese komplizierte Organisation, bis zum großen Verteidiger selbst vordringen?

VI

Das Mädchen übernachtet mit ihrem Freund in einem fremden Personenfahrzeug

Da er nicht wissen konnte, wo er sie finden sollte, wenn sie ohne Zimmer und ohne feste Punkte war, an denen sie sich zu bestimmten Zeiten aufhielt, wartete sie in der Straße vor seiner Wohnung, bis er abends heimkam. Sie ließ ihn ins Haus gehen, da sie sich nicht aufdrängen wollte, für den Fall, daß er etwas Wichtiges vorhätte, und folgte ihm, als er wieder auf die Straße kam, aus einer gewissen Entfernung, bis sie sicher war, daß er lediglich zum Theater ging. Sie sprach ihn an. Er war überrascht und fragte, was denn passiert sei. Sie erzählte ihm irgend etwas. Sie gaben die Theaterkarte irgendeinem, der vor dem Theater wartete. Sie war so froh, ihn wiederzuhaben, daß sie

zugab, daß sie ohne Unterkunft war. Sie redete davon, daß sie Geld erwarte, um seine Bedenken zu zerstreuen. Sie fand ein unverschlossenes Auto und zerstreute seine Bedenken, ein Stück damit zu fahren und es später wieder an die alte Stelle zu bringen. Er hatte Angst vor Entdeckung und Disziplinarstrafen, aber sie rechnete damit, daß dies der letzte Abend sein würde, den sie zusammen hätten, und zerstreute deshalb alles, was er sagen wollte. Es war ein sehr schwerer Fehler, den sie beging, denn er fand seine Unbefangenheit an diesem Abend nicht wieder.
Er hatte sich vorbereitet und wollte sich an diesem Tage grundsätzlich mit ihr über eine festere Verbindung aussprechen. Er fand den Ton nicht, den diese Worte ursprünglich in seinem Kopf gehabt hatten, aber auch die zusammenhanglosen Möglichkeiten, in denen er herumstocherte, setzten sie in eine helle Panik. Sie wollte abwehren. Es war das, was sie in den letzten Wochen mühsam angestrebt hatte; jetzt kam zu dieser Wunschvorstellung eine Flut von Gegengründen, eine Antipathie gegen jeden Gedanken einer festeren Verbindung. Ihre zerrütteten Empfindungen durchjagten eine Skala von Reaktionen, sie fand nichts zu antworten. Sie wünschte sich eine Katastrophe, aus der sie ihn befreien könnte. Oder irgendeine Macht, die jetzt eingriff und die Flucht beendete, so daß sie ihm alles aufdecken könnte – nicht einmal aufdecken: daß sie Zeit gewänne. Sie verglich sich mit einer Zauberin, die einen Kreis um den Menschen, den sie liebt, zieht und alles, was es in der Welt gibt, in diesen Kreis transportiert. Ihr Gesicht war verkrampft. Sie erschrak, da doch Liebe alles glätten sollte. Sie zweifelte einen Augenblick an ihrer Liebe und entdeckte Anzeichen dafür, daß er ihr etwas vorspiegele und sie in Wirklichkeit mit seinen Worten nur auf geschickte Art loswerden wolle.
Er hatte die Angewohnheit, alles, was er mit ihr tat, in einen offiziellen und einen inoffiziellen Teil zu zerlegen, und versuchte, sie zu entkleiden, als er mit seinen Ausführungen zu

Ende war. Es kam ihr unerwartet, und sie tat, als ob sie seine Absicht nicht verstünde, da sie den letzten Abend nicht auf diese Weise fortgeben wollte. Sie klammerte sich an das Gespräch, das sie miteinander gehabt hatten, und erklärte ihm, weshalb sie gern seine Frau wäre. Sie sagte »komm«, um ihn in Abstand zu halten, und redete sorgfältig kontrolliertes dummes Zeug. Es gefiel ihm gut: ob sie vom künftigen gemeinsamen Leben redete oder ihm zu gefallen suchte oder seine Hände wegbog – es bestätigte ihn nur in der Richtung, die er eingeschlagen hatte. Sie versuchte, sich zu wehren, mußte aber einfach und natürlich bleiben.

Einen Augenblick rechnete sie sich aus, was geschähe, wenn sie aufdeckte: das Kind und die Fahndung, aber sie schreckte zurück. Sie fand das unfair und sagte ihm weder von dem einen noch von dem anderen etwas. Sie befreite sich aus seiner Umarmung in den engen Autositzen und kroch aus dem Wagen. Es regnete heftig. Sie ließ das Wasser auf die Haut platschen. Sie ging auf und ab. Sie duschte sich, bis er aus dem Wagen nach ihr rief. Sie war naß und schädigte die Polster, als sie wieder zu ihm hineinkroch. Es verwirrte ihn. Er schwankte zwischen den Empfindungen eines Autoeigentümers und der Empfindung ihrer Nässe.

VII

Sie machte einen letzten Versuch, ihre Situation zu klären, indem sie die Eltern von Leipzig nach Bad Nauheim bestellte. Es gelang ihr aber nicht, in den zwei Tagen, die sie mit den Eltern verbrachte, die beiden auseinanderzuzerren. Sie waren eine geschlossene Phalanx der Furcht vor Strapazen. Sie brauchte Einzelkonferenzen mit ihrer Mutter und mit ihrem Vater, aber es blieb bei Plenarsitzungen. Wie nasse Bettfedern klebten die beiden aneinander, obwohl sie sich noch nie hatten leiden können und sich bei aller Gelegenheit sonst aus dem Wege gingen. Sie fürchteten sich, einen Au-

genblick mit der Tochter allein zu sein, und hatten sich verabredet.
Schon der Anfang war ein Fehler gewesen. Sie hatte sich in einem kleinen Café frisch machen wollen und war dort unvorbereitet von ihren Eltern entdeckt worden, die mit ihrem Wiedersehenslärm jede Bewegung abtöteten. Sie wollte sie nicht so lärmen hören, was sie ebenso abstoßend fand wie die Art, in der sie aßen oder bestimmte Dinge bemerkten und bestimmte Dinge nicht bemerkten. Sie versuchte, die geschlossene Front der beiden zu durchbrechen. Es mißlang, da das Gespräch in die schon traditionelle Fahrbahn geriet: Sie kritisierte die Eltern, was ihr nichts half. Sie sagte ihnen, daß sie einander haßten, was die beiden nur enger zusammenschloß, da sie Haß fürchteten. Die Eltern wiesen darauf hin, wie harmonisch das Zusammensein nach den vielen Jahren sein könnte, wenn die Tochter ihre Kritik unterließe. A. wünschte sich eine Katastrophe, die die Sperre, die sich mit jedem Wort verdichtete, beiseite gefegt hätte. Während sie das wünschte, verlor sie doch schon ihren Glauben daran, daß ihre Eltern ihr überhaupt noch helfen könnten. Sie hatte sich nicht vorgestellt, wie schwach sie waren, wenn sie gemeinsam operierten, wie sehr sie sich gegenseitig in ihrer Ehe geschwächt hatten.
Am Abend des zweiten Tages in Bad Nauheim kamen Kriminalbeamte, die den Meldezettel gelesen hatten, in das Hotel und verhafteten sie. Die Eltern erfuhren von der Verhaftung durch die Hoteldirektion. Im Laufe des folgenden Vormittags gelang es A., aus dem Polizeipräsidium zu entkommen. Sie eilte in das Hotel zurück, aber ihre Eltern waren bereits abgereist. Sie hatten Angst, in die Sache, um welche auch immer es sich handelte, hineingezogen zu werden. Sie hatten keinen Brief hinterlassen, wohl weil sie sich auf keine Fassung einigen konnten. A. vermied den Bahnhof und die Autobahn, da sie annahm, daß dort Polizei aufgestellt war, und hielt einen Wagen an auf der Reichsstraße nach Frankfurt.

In Mainz rannte sie in der Bahnhofsstraße direkt in die Arme der Schepp. Sie lief, ohne irgend etwas zu sehen, bis sie kurz vor ihr war, und wich entsetzt aus, über die Straße, in der Hoffnung, daß sie sie noch nicht bemerkt hätte. Sie lief in ein Auto hinein, das scharf bremsen mußte und noch weitere Fahrzeuge aus dem Kurs brachte; ein Lärm, der die Wirkung hatte, als würden Scheinwerfer auf sie konzentriert. Sie jagte eine Straße hinauf und immer weiter, bis sie vor der Wohnung ihres Freundes stand. Sie wartete.

Sie fuhren nach Wiesbaden. Sie war gegen die Unternehmung, weil sie mit der Zeit, die noch blieb, geizte. Nach der Spur, die sie in Bad Nauheim zurückgelassen hatte, konnte es sich nur noch um Tage handeln, daß die Polizei sie aufspürte. Sie versuchte, diesen Abend zu gestalten, aber als sie kurze Zeit im »Walhalla« saßen und die Neuigkeiten ausgetauscht hatten (was sie mit Ungeduld erfüllte – die Hurengesichter, die große Leuchttraube, die sich dreht –), kam Ausweiskontrolle. Sie versuchte, die Toilettenfrau zu bereden, ihr einen Ausgang zu sagen. Während sie feststellen konnte, daß einige Prostituierte auf irgendeine Art verschwanden, hielt man sie mit halben Versprechungen hin. Wahrscheinlich hielt die Toilettenfrau sie für einen schweren Fall, der nur Unannehmlichkeiten bringt, wenn man sich auf ihn einläßt. Das Mädchen schloß sich in eine Toilette ein. Sie gab der Toilettenfrau alles Geld, das sie bei sich hatte. Die Kontrolle forderte diejenigen, die in den Kabinen saßen, auf, die Ausweise unter der Tür hervorzuschieben. Sie fingen von der linken Seite an. Es dauerte eine bestimmte Zeit, dann kam das Zeichen »danke« und Füßescharren. A. kam auf die Aufforderung hin heraus und ließ sich bis zum Ausgang der Toilette führen, wo sie sich von den Beamten losriß. Sie verbrachte die Nacht im Freien, auf halber Strecke zwischen Wiesbaden und Mainz. Sie fürchtete, daß die Rheinbrücken nachts bewacht würden. Sie wartete am Spätnachmittag in der Straße vor der Wohnung ihres Freundes, um ihm zu erklären, weshalb sie davongelaufen sei. Er gab ihr nicht ganz hundert Mark und riet ihr, nach Nordrhein-Westfalen zu gehen. Er wußte nicht, wie er sich verhalten sollte. Er wollte sie nicht im Stich lassen. Sie ertrug das nicht und machte ein Ende.

VIII

In einer leerstehenden Villa, die Leute waren vielleicht geflohen, nistete sie sich ein. Selbst die Wasserhähne waren herausmontiert, vielleicht sollte alles abgerissen werden. Sie richtete sich in den Dachzimmern ein und hätte entkommen können, wenn sie überrascht worden wäre. Die Unruhe und Müdigkeit des Abends, an dem sie diese Unterkunft entdeckt hatte bei ihren langen Gängen durch die Straßen dieser Stadt, verwandelte sich während der Nacht in einen Druck auf der Brust, Schmerzen, wenn sie nur atmete, und schwere fiebrige Glieder, später Kopfgrippe, die etwas vom Tod hat, die Augen waren nicht mehr warm zu kriegen, schmerzhaft sehr tief in den Höhlen liegende Augen, Glieder unbeweglich, flatterig, grantig. Sie lag mit ihrer Krankheit praktisch hier wie ein Hund in dem leerstehenden Haus. Sie ging nur einmal fort und holte etwas zum Essen, nicht weil sie Hunger hatte, sondern weil sie etwas für ihr Leben tun wollte.

IX

Ab zwei Uhr wurde in dieser Ecke des großen Lokals das Licht ausgeschaltet, weil der Hauptmittagsstrom der Gäste vorüber war. Als sie aufsah und die Hände, mit denen sie die Augen angewärmt hatte, wegnahm, saß sie im Dunkeln wie in einem Kellergang, aber große Balken über ihr und an den Seiten, die den Saal trugen. Sie vermutete, daß es draußen regnete, Autolärm: daß etwas geschieht. Das Blut hatte, während sie die Augen geschlossen hielt und fast schlief, an ihren Magenwän-

den gesessen und gesaugt, jetzt strömte es in seine Ausgangsstellungen zurück. Es funktionierte alles, Kopf, Glieder. Später verließ sie das Lokal durch einen Nebeneingang, der von der Toilette zu erreichen war und im Gegensatz zum Haupteingang nicht von der Bedienung bewacht war. Sie erschrak heftig, als ein Auto bis dicht an den Zebrastreifen heranfuhr. Sie ging sofort in Angriffshaltung, die Hände gegen das Auto gestreckt, das aber dann noch rechtzeitig an der äußersten Begrenzung des Zebrastreifens, bis zu der es fahren durfte, zum Halten kam.
Im Spätherbst kam A. herunter nach Garmisch, wo sie sich das Krankenhaus aussuchen wollte, in dem sie ihr Kind zur Welt bringen wollte. Sie erreichte Garmisch in einem Tag, versagte aber dann. Der Mann, der sie dorthin gefahren hatte und für alles aufgekommen wäre, wollte sie abends ausführen. Sie bekam Nasenbluten und ihr wurde übel. Es gelang ihr, die Toilette zu erreichen, wo sie erst einmal in Sicherheit war, aber es war ihr später unmöglich, dem Mann noch zu gefallen. Sie wollte ihn nicht haben.

X
Fluchtbewegungen

In Bonn arbeitete sie als Sekretärin und Kassiererin einer Studio-Bühne. Eine Polizeistimme am Telefon verlangte, mit dem Direktor des Theaterunternehmens verbunden zu werden. Das Mädchen glaubte, der Anruf gelte ihr. Sie gab das Telefonat zum Chef durch. Sie nahm DM 200,– aus den Kassen, die sie zu verwalten hatte, und reiste nach Norddeutschland. Sie fühlte sich noch zittrig, als sie im Zug saß. Im Warteraum erster Klasse von Lüneburg konnte sie einen aufdringlichen Mann, der eine Verabredung mit ihr treffen wollte, weil er auf Grund eines Mißverständnisses glaubte, daß sie zu haben sei, nur dadurch loswerden, daß sie ihm ihren Personalausweis zur Sicherheit überließ. Sie wagte sich danach nicht mehr in den Wartesaal erster Klasse, sondern saß die Nacht über in der zweiten Klasse. Die Bahnpolizei duldete sie, da sie einen gültigen Fahrausweis vorlegen konnte; obwohl es schwer ist, von Duldung zu sprechen, wenn sie einen nur wenig abgerisseneren Mann, der auf Aufforderung sein Bier nicht gleich austrank, zusammenschlugen und hinausbrachten. Das war das gute Recht der Bahn, A. nahm den ersten Zug, der weiterführte. Sie wandte sich auf ihrer Flucht nach Ulm, Augsburg, Düsseldorf, Siegen, wo sie sich jeweils nur kurz aufhielt, unter Hinterlassung kleiner Schulden, die die Verfolgungswelle hinter ihr ankurbelten, so daß es – wenn man die Sache ohne ihre Zusammenhänge sieht – so aussah, als provoziere sie diese Verfolgungswelle absichtlich, um ihre Fluchtbewegung zu motivieren.

XI
Fluchtbewegungen

In Braunschweig arbeitete sie im November, bis sie, mit der Fünf-Uhr-Welle zum Haus ihrer Wirtin kommend, Polizei vor dem Haus sah. Sie floh nach Stuttgart.

Von Stuttgart floh sie unter Hinterlassung von Hotelrechnungen nach Mannheim, Koblenz, Wuppertal, unter Umgehung von Düsseldorf, von Wuppertal nach Köln, die Nähe von Koblenz schreckte sie ab und sie wich aus nach Darmstadt.

In der Absicht, sich einen rechtswidrigen Vermögensvorteil zu verschaffen, mietete sie sich ein in Darmstadt, wie schon vorher in verschiedenen anderen Städten, unter Vorspiegelung eines Zahlungswillens, den sie eigentlich gar nicht hatte.

XII

Die Ausgeplünderte

Im Februar brauchte sie dringend einen festen Platz für die Geburt. Sie versuchte es noch einmal im Rheinland, aber da ihr Zustand jedem deutlich war, nahm sie keiner. Sie stellte sich der Polizei, nachdem feststand, daß sie keine Papiere hatte und sich definitiv nicht selbst helfen konnte. Sie wurde eingeliefert in die Untersuchungsstrafanstalt Dietz. Sie mußte dort sehr kleine Figuren anpinseln, richtete sich aber sonst in ihrer geschützten Zelle ein. Als die Zeit für die Geburt kam, wurde sie in das Anstaltshospital, zwei abgeteilte Zimmer, verlegt. Zu dem Arzt hatte sie kein Vertrauen wegen seiner holzigen Haut und seines unreinen Atems; es war genau der Typ von Friseur, zu dem sie nicht ging. Sie hatte Angst und reichte Gesuche ein, daß man sie wieder in ihre Zelle zurückbringen sollte; sie hatte eine Mitgefangene gefunden, die ihr notfalls helfen konnte. Aber noch ehe die Antwort von der Gefängnisdirektion da war, begann die Geburt. Sie mußte diesen Mann zwischen ihren Beinen hantieren lassen, aber es blieb keine Zeit. Es ging alles ganz rasch. Nach zwei Tagen wurde das Kind fortgenommen und in eine Pflegeanstalt in der Nähe von KASSEL gebracht. Die Milch in ihren Brüsten wurde abgepumpt. Sie half noch einige Tage von ihrem Bett aus, das über viele Städte verstreute Belastungsmaterial zusammenzufinden. Der Nervenzusammenbruch kam für alle überraschend. Sie wurde aus dem Anstaltshospital an die Universitätsfrauenklinik weitergeleitet, wo man vor allem mit Penicillin vorging und den Zusammenbruch nach einiger Zeit einkreiste.

MANFRED SCHMIDT

I

Das Fest

Stichzeit sechs Uhr. Die Glocken werden durch die Lautsprecher in die leeren Säle übertragen. Die Lautsprecher sind in der großen Treppenhalle aufgestellt und tönen über die Freitreppen hin.

1

Lastwagen, die Pappwände brachten, fuhren vor, zerwalzten den Schneematsch.

2

Die Garderobieren richteten sich in ihren kleinen Abteilungen ein. Sie erleben das Fest aus dem sicheren Hafen der Arbeit.

3

Die Beamten der Wach- und Schließgesellschaft in ihren grauen Schutzmänteln hatten das Gebäude hermetisch abgesperrt. Noch suchen sie in den Kellern nach Lücken im Abschirmungssystem.

4

Grüne Kisten mit Getränken werden gebracht und auf die einzelnen Stockwerke verteilt. Eine auswärtige Firma versucht, Lieferungen einzuschmuggeln. Es gibt jedoch Leute, die dafür sorgen, daß nur grüne Kisten durchgelassen werden. Plötzlich wurde das riesige Gebäude beleuchtet, draußen von Scheinwerfern, innen von den überall aufgestellten, etwas kleineren Scheinwerfern.

5

In Breeches durcheilte Kriminalkommissar Peiler die drei

Stockwerke des Festhauses: es geht um mögliche Fluchtorte (in den Dekorationen, auf den Toiletten) für den Fall der Razzia.

6

Nachdem das Fest hinreichend eingekreist war, zog sich der Generalbevollmächtigte des Hauptveranstalters mit seinem eigentlichen Mitarbeiterstab in die für die Organisationsleitung vorbehaltenen Räume zurück. Probe: 120 Scheinwerfer. Draußen ergeben sich Schwierigkeiten mit den jetzt zahlreicher eintreffenden Fahrzeugen.

Interview mit einem leitenden Beamten der
Wach- und Schließgesellschaft

Wenn wir wollten, könnten wir fünfzig Prozent aller Leute, die den Kontrollbeamten gegenüber frech auftreten, hereinlegen. Trotz aller Vorsichtsmaßnahmen rutschen jedes Jahr wieder einige Unbefugte mit auf das Fest. Diese Unbefugten sind es zumeist, die frech auftreten.

Vielfach kommen sie durch die Heizungsrohre herein, oder sie springen von den Nachbarhäusern auf das Dach, oder sie machen Aufruhr an den Eingängen und rutschen in der allgemeinen Aufregung mit durch. Immer wenn Krawall bei der Abfertigung an den Eingängen entsteht, vermuten wir mit Recht, daß da Unbefugte sind, die hereinwollen und Unordnung stiften, um in ihrem Schutz mit hereinzustürmen. Unsere Leute haben immer eine Schußwaffe bei sich. Sie sollen aber nur in Ausnahmefällen von der Schußwaffe Gebrauch machen. Wir können nicht dulden, daß die an sich notwendige Abschirmungsaufgabe Menschenleben fordert. Schließlich gefährden wir damit nicht nur das Leben der Leute, wobei wir in die Fußgegend schießen würden, sondern wir gefährden auch die Sicherheit unserer Beamten, die in der Gefahr sind, die Notwehrgrenze zu überschreiten. Für von uns angezeigte Fälle von Hausfriedensbruch verhängen die Gerichte, wenn es hochkommt, drei Monate mit oder ohne Bewährung, für alle Fälle von Körperverletzung und Bedrohung: je nach angerichtetem oder drohendem Schaden. Einschleichen durch uns nicht bekannte Zugänge bewertet das Gericht nur mit Haft. Wir sehen deshalb in diesen Fällen von der Anzeige meist ab und legen nur diejenigen herein, die unseren Beamten gegenüber frech auftreten. Die Gerichte und die Veranstaltungsleitung nehmen unsere Arbeit, da sie die Schwierigkeiten der Praxis nicht kennen, nicht mit hinreichendem Ernst auf. Für uns aber kommt es darauf an, in Anpassung und Widerstand unser System der Bewachung und Abschließung zu vervollkommnen und trotz Personalmangels für einen ausreichenden Schutz zu sorgen. Es bedarf dabei der Anpassung der Schließpraxis an die veränderte Welt, aber es bedarf andererseits auch der Rücksichtnahme des Publikums. Viele sind immer noch der Meinung, daß, wer durch das Wach- und Schließsystem durchschlüpft, vielleicht zur Stimmung des Festes nicht unwesentlich beiträgt und vielleicht als Typ sogar geeigneter ist für das Fest als viele, die ordnungsgemäß ihre Eintrittskarten vorgezeigt haben. Trotzdem müssen wir auf der Vorlage der Eintrittskarten bestehen. Schon allein deshalb, um eine Überfüllung des Festes zu vermeiden.

Interview mit dem leitenden Lebensmittelchemiker
des Gewerbeaufsichtsamtes

Einige scheinen sich einzubilden, man könnte auf solchen Festen alle die Ware einsetzen, die man im praktischen Leben sonst nicht los wird. Da haben sich die Herren aber gründlich geirrt. In der Regel lassen wir bis zu 40% Anzeigen herausgehen bei Festen dieser Größenordnung, wobei ich von einer Zahl von 20 bis 30 Gastwirten ausgehen möchte. Die Gastwirte können gar nicht einmal immer etwas dafür, denn sie sind angewiesen auf die Waren, die geliefert werden.
Die Leute kaufen natürlich alles. Sie glauben, auf einem Fest brauchte man nicht aufzupassen, das wäre sozusagen Freizeit.

Ich bin deshalb im wesentlichen auf meine Männer von der Lebensmittelaufsicht angewiesen, die oft genug angefeindet werden bei ihrer Arbeit. Niemand läßt sich gern den Appetit verderben, und die Leute hängen an ihren Festen. Die Wirte andererseits sagen: Wohin wollen Sie mit der Wurst und so ähnlich: viele Wirte weigern sich, meinen Leuten noch irgend etwas zu verkaufen, sobald sie sie als Beamte erkannt haben. In solchen Fällen bleibt nichts anderes übrig, als eine Kostprobe zu beschlagnahmen, und wehe, wenn die Probe dann zu keiner Beanstandung Anlaß gibt, denn dann war die Beschlagnahme unzulässig. Aber wenn auch die Arbeit unserer kleinen Behörde nach Möglichkeit behindert wird, ganz zum Erliegen ist sie bisher nicht gekommen.
Die Hauptschwierigkeit liegt darin, daß die Händler glauben, man könne Feste auch mit billiger Ware füttern. Ich möchte Ihnen nicht sagen, was in diesen Würstchen da alles enthalten ist oder aus was der beschlagnahmte Wein, den Sie da gestapelt sehen, besteht. Es ist ein grauenhafter Leichtsinn, der in dem Augenblick ausbricht, in dem die Leute mit Recht glauben, daß sie es nicht mehr mit einem kritischen Publikum zu tun haben, sondern mit Leuten, die sich amüsieren wollen. Ich will nicht sagen, daß unsere Behörde größer werden sollte. Man kann das Problem nicht von der Kontrolle her lösen, sondern nur in Freiheit. Ich möchte aber auch unserem Herrn Minister widersprechen, wenn er ausschließlich darauf abstellt, daß man sich des Problems bewußt wird. Vom Drandenken ist meines Erachtens noch keine Wurst gesund geworden, wenn dieses Gleichnis erlaubt ist. Es kommt aber auf eine gesunde Ernährung in Freiheit an. In der Lebensmittelaufsicht zeigt sich noch etwas von der alten Aufklärungsarbeit des Detektivs, und es käme vielleicht darauf an, einmal einen Kriminalroman nicht in Verbrecherkreisen und in der Polizeiarbeit anzusiedeln, sondern in der Thematik der Lebensmittelaufsicht auf Festen.

Interview mit einem Vertreter der Finanzverwaltung

Wir gehen durch das Fest mit aufmerksamen Augen. Viele glauben sich da unbeobachtet und sind es doch nicht. Niemand will ihnen nachschnüffeln, es ist das Privatleben: und doch sehen wir, was vorgeht. Wenn ich mich nicht täusche, ist es Ernest Hemingway, der betont, wieviel an Fakten ein Dichter wissen muß, wenn er nur einen Satz (der vielleicht mit dem, was er weiß, gar nichts zu tun hat) schreiben will.

Ähnlich geht es uns von der Finanzverwaltung. Das Leben besteht für uns aus Lernen, Lernen und Lernen. Wieviel muß ein Finanzbeamter wissen, um eine sachgerechte Entscheidung treffen zu können!

Ich will diese Schwierigkeit bei der Erforschung der Wahrheit in diesem Zusammenhang nicht vertiefen, möchte aber doch bei der Gelegenheit darauf aufmerksam machen, daß die Zahl der Festteilnehmer und die Höhe des Warenverbrauchs uns bekannt sind. Die kleinen Tricks der Festveranstalter, die überzählige Eintrittskarten drucken, kennen wir. Auch den mit dem Warenverbrauch, daß nämlich fast ebensoviel Waren an die Händler zurückgehen, wie geliefert wurden, obwohl verkauft worden ist, durchschauen wir. Wir vergleichen gar nicht die angelieferten mit den übrigbleibenden Waren, um den Umsatz zu prüfen, der Trick beruht insofern auf mangelnder Kenntnis unseres Verfahrens. Über kleine Schönheitsfehler sehen wir hinweg, werden aber plötzlich scharf, wenn es sich um Zollfragen handelt. Es ist vorgekommen, daß auf Festen wie diesem plötzlich unverzollte Zigaretten und Parfums angeboten und abgesetzt worden sind!

Interview mit einem Vertreter der Polizeiaufsicht

Was heißt Fest? Wir verstehen darunter jede vergnügungssteuerpflichtige Veranstaltung, bei der die Zahlenden mitwirken dürfen. Jeder von Ihnen weiß, daß sich auch für die Polizei immer neue Aufgaben auf Festen ergeben, die mit gleichbleibendem Personalapparat zu bewältigen sind. Wir haben eine Polizei aus dem 18. Jh., Formen des Vergnügens aus dem 19. Jh. und Festteilnehmer aus dem 20. Jh. Daraus ergeben sich zweifellos Konflikte. Dabei hat auch die Polizei mehrfach bewiesen, daß sie Feste zu feiern versteht. Ich denke an die Feste in Wilkowischen, Wilna, Mariampol, Tauroggen, Kiew, Melitopol und auf der Krim 1941 und 1942, an das Bezirkssportfest in Kattowitz, an das in Lemberg und Litzmannstadt 1943, die Feste in Smolensk und nicht zuletzt 1944 Warschau. Der verkrampfte Polizistentyp von einst ist einem fortschrittlichen, in die Zukunft weisenden, ich möchte sagen, lustigen Typ des Polizeibeamten gewichen, der auch im Publikum immer mehr als Helfer begrüßt wird. Wenn ich so sagen darf: Er wird heutzutage eigentlich selbst als Festteilnehmer aufgefaßt, nicht als Vollstrecker von Sicherheit und Ordnung, sondern eher als Ordner im allgemeinen. Dieses neue Leitbild des Polizeibeamten bedarf sorgfältiger Pflege, und so sollte auch der Dienst der Beamten im Rahmen der Festaufsicht aufgefaßt werden.

Name des Festes

Das Fest hieß »Nächte des Agamemnon«, weil man ursprünglich ein Fest in antiken Kostümen geplant hatte (Kostüme, die leicht anzufertigen sind und einen gewissen Grad an Nacktheit zugelassen hätten). Später lockerte man die Kostümvorschriften, ging aber von dem werbewirksamen Titel nicht ab. Die Programme des Festes hießen »Liebeswalzer« und »Donauwellen«. Die Planer des Festes hatten Lampenfieber. Würde der Durchbruch zum Fest gelingen? Die Offensive durchschlagen?

Widerstand vor dem Fest

Es gelang nicht, das Fest in Gang zu bringen. Diszipliniert bewegten sich die Leute zwischen den riesenhaften Dekorationen, drängten sich auf den großen Freitreppen. Die Massen, die sich auf den großen Freitreppen in zwei großen entgegengesetzten Strömen hinauf- und hinunterschoben, warteten schon eine Stunde. Häbel, Schleicher, Horn I, Horn II, Putermann, Beier-Müncheberg hasteten an der Kolonne entlang. Sie hielten sich an den Nahtstellen der beiden Ströme, d. h. praktisch an den Stellen, an denen sie vorwärts kommen konnten. Einmal eine kurze Belebung, als irgendwo oben aufgestapelte Bierkästen zusammenstürzen, lebhafte Bewegung. Wortwechsel, der aber nicht ausreicht, um ein anderes Klima zu schaffen.

Soll die Festleitung weitere Stapel Bierflaschen einstürzen lassen, damit eine Auflockerung eintritt?

I. Stock (Bierschwemme unten)

Dürften sich doch alle ausziehen, ach, die antiken Bettlaken abtun, die Straßenanzüge aufknöpfen oder wenigstens Nazilieder brüllen (was verboten ist). Statt dessen: die großen Biergläser pflichtgemäß austrinken.

II. Stock (Säle mit Weinzwang, Bar)

Tischrunde mit Gitta: Sie zog sich ihr Jäckchen aus und legte die großen Hände auf eine Zuckerdose, sah an sich herunter bis zu den Händen und prüfte, ob alles richtig lag, ob die Hände richtig lagen: am meisten – ja ein Pferd. Ich seh' sie so wie ein Pferd. Ich seh' ein Radgestell oder Bügel und da unten dran zwei Räder. Zwei Spitzfüßchen, die Beine gehen so (sie zeigt, wie sie gehen), und da kommt ein Absatz dran. Die Rede Gittas verlor sich. Keiner versprach sich Wunder von diesem Fest. Die Massen bewegten sich wie im Adventsverkehr durch die Säle mit Weinzwang.

III. Stock (Bierschwemme oben)
Hier waren Trupps tätig, die es übelnahmen, wenn einige sich auszuschließen versuchten. Ein Mädchen nahm einen Schluck aus dem Bierglas, der weißen Schaum auf ihrer Oberlippe hinterließ, und bewegte deshalb die Zunge über die Lippen, so daß sie wieder rein waren; daraufhin wurde sie von Nachbarn angepöbelt. F. ließ sich an der Bar der Bierschwemme von einer Volkswirtin umarmen, da das bei der herrschenden Zugluft die einzige Chance war, den Abend ohne Erkältung zu überstehen. Aus einer Toilettenzelle, an die P. gepocht hatte, trat sein Mädchen mit einem Begleiter hervor. Was soll man mit einem jungen Mädchen anfangen, das sagt: Ich will Eis essen bis zur Vergasung?

Betreuung des Festes I
Endlich der für 8.30 angesetzte Fanfarenstoß, der das Programm »Liebeswalzer« auslöste. Die Anordnung, vorzeitig anzufangen, kam von der Festleitung. Brintzinger und Karlota überbrachten die Anordnung. Das Programm begann auch sofort in allen Sälen, setzte sich aber gegenüber der schiebenden Bewegung der Festteilnehmer nicht durch. Das Programm gab lediglich ein neues Ziel für die alte Bewegung ab: die Teilnehmer sehen sich alles an und schieben weiter mit tauben Augen; es ist aufreibend, einerseits darauf zu achten, wo es weitergeht, und andererseits das, was geboten wird, ebenfalls in die Augen zu bekommen. Viele sind in Kostümen erschienen. Andere in Straßenkleidung, andere in Abendkleidung. Es liegt eine Art Lähmung über den Leuten. Was sollen sie machen? Die Beine laufen, die Arme hängen oder sind in andere Arme eingehängt, die Augen sind überlastet, die Ohren hören die Musikkapellen, zu denen man aber nicht hingelangen kann, die Haare liegen schlecht. Die Leute haben zunächst einmal nichts hierher mitgebracht, was also sollen sie anfangen?
Brintzinger, Beier-Müncheberg, Horn I, Horn II, immer an

der Naht der Ströme, dringen zu Eingang IV vor, dort soll es einen Krawall gegeben haben. Die Männer von der Wach- und Schließgesellschaft haben die Störung bereits beseitigt. Aber auch diese Schlägerei bringt keine Belebung. Die Festleitung kommt auf den Gedanken, die Hauptsicherungen in den Lichtleitungen eine Minute herauszunehmen und gleichzeitig durch die Lautsprecher ansagen zu lassen: Sonnenfinsternis für Verliebte. Das lockert die gespannte Atmosphäre.
Während das Licht aus ist, zuerst Schrecksekunde, dann ein besserer Kontakt, der anhält, als das Licht wieder da ist.

Die Barfrau
Sie ist nur auf einen Sprung in die Bierschwemme gekommen. Ihre Geldtasche: weiches Leder, das sie in der Schoßgegend trägt. Sie zahlt aus ihrer Geldtasche, in der sie, ehe sie zahlt, etwas wühlt. Sie ißt eine Roulade, und als sie fertig ist, wirft sie ihre Serviette auf den Rest Sauce, der noch bleibt. Gleich darauf geht sie. Das Glas mit der Nippe Cola steht noch längere Zeit wie ein kleines Grab da.

Betreuung des Festes II
Horn I, Horn II, Häbel, Schleicher, Pichota, Putermann gehen zu je zwei unter dem Befehl von Brintzinger, Karlota, Beier-Müncheberg unter die Leute und bringen Stimmung hinein. Karlota holt mit seinen zwei Mann eine Kapelle vom Podium herunter und zieht mit ihr, nach Art einer Polonaise, vor den Leuten im II. Stock her. Es kommt für die Festleitung darauf an, die erstbeste Gelegenheit, die Stimmung etwas zu erhöhen, brutal wahrzunehmen: die Einsatzgruppe Beier-Müncheberg schmeißt einen jungen Mann aus dem Saal raus. Das schmiedet die Leute zusammen. Die Leute werden allmählich zu den Zentren des Festes (der Bierschwemme unten und den gedeckten Tischen mit Weinzwang oben) dirigiert. Für alle unerwartet treffen die Busse ein, die die Teilnehmer Rhein-Main und Isar-Main bringen; Leute, die schon Hütchen auf-

haben und mit irgendeinem billigen Wein bereits während der Fahrt so weit gebracht sind, daß sie neuen Mut in dieses Fest pumpen. Es gibt Schwierigkeiten am Einlaß, als diese Menschen in großer Menge an den Eingängen erscheinen. Die Männer der Schließgesellschaft wollen anfangs noch eine ordnungsgemäße Kontrolle gewährleisten; nicht lange, und die Kette dieser Männer wird durchbrochen, herein gießt sich eine Unzahl Personen, die bereits singen und schunkeln wollen. Sie stürmen die großen Freitreppen und schieben die Leute, die herunterwollen, vor sich her auf die Bierschwemme im III. Stock zu. Natürlich haben auf diese Weise auch viele Unberechtigte Eintritt erhalten. Aber wie soll man die herausfinden? Einige Ecken werden vom Saaldienst abgesperrt, und in diesen Ecken wird streng kontrolliert. Man findet ein, zwei Personen, die keine Karten vorweisen können.

Manfred Schmidt als Karnevalsprinz
Die Abgesandten der Festleitung brachten ihm am Frühabend die Schlüssel zum Festgebäude. Die Stadtschlüssel besaß er schon seit Tagen. Schmidt, vorläufig noch im halben Dreß, empfing die kleine Gesandtschaft, die ihm die Schlüssel zu den Festsälen auslieferte. Man hätte ihm für diesen Abend eine bessere Prinzessin geben können. Er sagte ihnen das, sie sollten es der Festleitung weitersagen.

Die Prinzessin
Sieben Taxis beherbergten kaum den Hofstaat. Viele von den Fahrzeugen waren überladen – die Festleitung sparte an unpassender Stelle –, und so mußte die Kolonne langsam fahren. M. S. hatte einen Wagen für sich. Er nahm noch etwas Sekt zu sich. Die Prinzessin stieg zu ihm hinein. Sie war nicht häßlich, aber holzig: Schmidt hielt es für schwierig, dem Publikum diese Prinzessin glaubhaft zu machen. Er versuchte, eine Unterhaltung mit ihr in Gang zu bringen, und gab ihr von dem

Sekt ab. Es war aber mit ihr nichts anzufangen im Wagen, und sie zitterte, als er sie – was im Wagen nicht immer zu vermeiden war – umfaßte.

Diskussion mit der Festleitung
Schmidt verlor kostbare Zeit durch die Diskussion mit der Festleitung, die gleich nach seiner Ankunft im Fest-Gebäude um eine Rücksprache bat. Die Festleitung war darüber verstimmt, daß Schmidt sie in der Öffentlichkeit als geizig bezeichnet hatte. Die Diskussion war Schmidt lästig. Er entschuldigte sich, was aber ebenfalls Zeit kostete, da die Festleitung mit der ersten Formulierung der Entschuldigung nicht zufrieden war. So verzögerte sich der Einzug des Prinzen.

Achtung! 120 Scheinwerfer!

Zwölf Uhr
Schreie von den Eingängen VII und XI, Fanfarenstöße, neue Scheinwerfer draußen, plötzlich Licht aus – alles jubelt über den Augenblick Dunkelheit, die Musikkapellen kommen mit vorbereitetem Kerzenlicht von ihren Podien und marschieren in die große Halle, auf die die Freitreppen münden. Fünf Kapellen dort, von denen jede ein anderes Stück spielt, daß es die Brust auseinanderreißt; Kommandos, man sieht den Generalbevollmächtigten.

Manfred Schmidt als Karnevalsprinz
Es war bereits einige Zeit nach 24 Uhr, als der Zug des Karnevalsprinzen Manfred Schmidt, angekündigt durch die Kapellen, die Freitreppen heraufkam. Die Garden machten, so gut das ging, einen Weg frei für den eigentlichen Triumphzug des Prinzen. Zunächst zogen Prinz, Prinzessin und Mannschaften durch das ganze Haus. Für den ersten stationären Auftrittt war das Podium im Großen Saal (Säle mit Wein-

zwang) vorgesehen, das von der Kapelle geräumt wurde. Einen Augenblick hatte es für den Betrachter den Anschein – aber es gab natürlich in dem Gedränge keine Betrachter –, als würde ein Teil der Raupe, die sich am Rande des heraufstürzenden Menschenstromes über die Freitreppe nach unten zu bewegen versuchte, so an das Geländer gedrückt, daß das Geländer nachgeben mußte. Vermutlich hätten sich die Leute im Ernstfall aneinandergekrallt, und ein großer Teil der Raupe wäre hinuntergefallen in den sicheren Tod auf den Marmorplatten der unteren Freitreppe. In diesem Falle hätte man ein Versagen der Festleitung festgestellt. Die Garden marschierten in Elferreihe über das Podium und bildeten vor Manfred Schmidt und seinem Hofstaat ein Karree. Die Garde-Präfektin zog ihren Säbel und marschierte, den Säbel vor ihrem rechten Oberschenkel, quer über die Bühne. Daraufhin folgten ihr die anderen Garden. Noch ehe die 10 Mädchen am Bühnenende angekommen waren, spaltete sich die Reihe, und sie marschierten jetzt parallel zueinander in zwei Gruppen zu ihrer Ausgangsstellung zurück. Die Präfektin stand salutierend in der Mitte der Bühne. Diese Vorführung erfolgte in den Sälen mit Weinzwang, in den Bierschwemmen im III. Stock und dann im I. Stock.

Der Tod der Barfrau

Infolge der Verspätung kollidierte der Einzug des Prinzen zeitlich mit zwei Razzien, die Kriminalkommissar Peiler wenig nach 12 im II. und III. Stock abhielt. Er erwartete nicht, dort irgend etwas zu finden. Es gehörte aber zu seinen Methoden, wenigstens einmal mit uniformierten Beamten durch die wichtigsten Räume zu gehen. Manchmal erschrickt einer und verrät sich. Peiler ging mit den Beamten durch den Barraum, auf die Bar zu. Sobald die Barfrau Polizei auf sich zukommen sah, wurde sie unruhig. Später stellte man fest, daß sie in diesem Augenblick Gift nahm; für die Beamten sah es so aus, als ob sie nervös ein Schnapsglas leert.

Peiler wußte sofort, daß mit der Barfrau etwas nicht stimmte. Es gelang noch, sie unauffällig ins Krankenhaus abzutransportieren, dort kam sie aber schon in leblosem Zustand an, so daß man gar nichts weiter mit ihr versuchte. In der Bar fand sich eine weichlederne Tasche. Eine Wohnung besaß sie nicht; die Veranlassung für die plötzliche Tat konnte man nicht ermitteln. Die zugesehen hatten, waren natürlich aus der Feststimmung heraus, obwohl man die Leblose sofort in Tücher gewickelt und fortgebracht hatte.

Wie reagierte Manfred Schmidt?
Die Nachricht vom Tod der Barfrau wurde Manfred Schmidt mitgeteilt, als er sich an der Spitze seines Zuges darauf vorbereitete, wieder in den Großen Saal des II. Stockes einzuziehen. Nach Empfang der Todesnachricht fand er weitere Umzüge nicht mehr passend. Prinz und Hofstaat zogen sich später in die Kellersäle zurück, erhielten Speisen und Getränke. M. S. stand vor der Wahl, es mit einer der hübschen Hofdamen zu riskieren oder seine Frau Helena anzurufen. Er war zu müde, noch etwas zu unternehmen. Er investierte den Rest Charme, der noch blieb, in die Faschingsprinzessin, eine Frau M., die als einflußreich galt und ihm vielleicht einmal nützlich sein konnte. Was sollte er mit den kleinen jungen Hexen anfangen, wenn er müde war?

Ergebnis des Festes
Nach reiflicher Überlegung – und trotz seines Streites mit der Festleitung – hielt Manfred Schmidt das Fest nach Lage der Dinge für einen Erfolg. Kein ganzer Erfolg, aber nicht schlechter als kein Fest. Auch die Festleitung war mit dem Ergebnis des Festes zufrieden.

II
Die Person

> Im Unterschied zum 19. Jh. sind wir heute in der Lage, die Entwicklung der industriellen Gesellschaft zu einem gewissen Grade vorauszusehen. Wir stehen dabei vor dem Phänomen, daß die sich wandelnde industrielle Gesellschaft wahrscheinlich von allen sozialen Schichten die gleichen Eigenschaften verlangen wird, die ich folgendermaßen bezeichnen möchte: erstens *Zuverlässigkeit*, zweitens *Mobilität*, drittens *Weltverständnis*. Diese drei Forderungen bedürfen der Erklärung.
> Hellmut Becker

> Nicht dem Schicksal in den Rachen greifen, sondern sich, sobald es den Rachen öffnet, ein anderes aussuchen.
> Beethoven-Schmidt

Lebenslauf
Manfred Schmidt wurde am 21. Februar 1926 vorzeitig in Thorn (Westpreußen) als Sohn des prakt. Arztes Manfred Schmidt und seiner Frau Erika, geb. Scholz, geboren. Er besuchte die deutsche Volksschule seiner Heimatstadt und später das Realgymnasium. Von dort meldete er sich Ostern 1943 zur Luftwaffe. Als die Einheit geschlossen in die Waffen-SS überführt werden sollte, desertierte er zusammen mit seinem Freund K. und rettete sich in die Schweiz. Sie nahmen die Tour über den Bodensee, wo sein Freund K. jemand kannte und ein verstecktes Boot besaß.
Nach seiner Verhaftung in der Schweiz wandte sich Manfred Schmidt an einen früheren Bekannten seiner Mutter. Mit Unterstützung dieses guten Freundes gelang ihm und K. die Flucht aus dem Internierungslager nach Zürich. Sofort nach Beendigung des elenden Krieges wurde Manfred Schmidt von einer Ölfirma engagiert und nach Sydney (Australien) gebracht. Hier verlebte er glückliche Zeiten bis zu seiner

Rückversetzung in das wiedererstandene Europa im Jahre 1951.
Zum Quartalsende 1951 trat er in eine Spitzenstellung bei der Firma B. & Quamp AG ein; wenig später brach die Ölfirma in Australien, die er gerade verlassen hatte, hinter ihm zusammen. Auf den Bankrott hatte Manfred Schmidt genausowenig Einfluß wie auf die Machtergreifung von 1933 oder den Kriegsausbruch 1939, aber er sah ihn rechtzeitig voraus und schied dort aus. Als Mitarbeiter der B. & Quamp AG war er bei seinen Untergebenen und den Vorstandsmitgliedern beliebt. Seine Fähigkeit, sich neuen Situationen rasch einzufügen, zeichnete ihn vor anderen Mitbewerbern aus. Seit Februar ist Schmidt verheiratet mit Helena K., der Schwester seines langjährigen Freundes K.

Erinnerung an eine Romanze
In Sydney lernte ich F. kennen. Ich war damals noch ein ganz junger und begeisterungsfähiger Mensch. Sie verschaffte mir durch ihre Beziehungen bei der Firma ein paar freie Tage, und wir verbrachten zusammen ein paar unvergeßliche Tage. Dann flog sie wieder nach Europa. Aus Alexandria erhielt ich ein Telegramm, in dem sie anfragte, wie sie sich verhalten sollte: eine Fliege oder etwas Ähnliches hatte sie beim Baden gestochen, und sie fragte an, ob sie das Bein amputieren lassen sollte, wie die Ärzte ihr rieten. Sie wollte, daß ich über diese Frage entscheide. Sie war zu der Zeit, wie ich später erfuhr, bereits stundenlang in Lebensgefahr, wartete aber meine Antwort ab. Natürlich telegraphierte ich: amputieren, in Übereinstimmung mit den Ärzten. Außerdem habe ich meinen damaligen Hausarzt gefragt. Ich traf sie Jahre danach noch einmal wieder. Eine ganz junge Frau, vielleicht ein halbes Jahr jünger als ich. Sie konnte trotz des Beinstumpfs noch schwimmen.

M. Sch. läßt sich braunbrennen.
Er ließ sich braunbrennen, und als das Gesicht jene Hitze hatte, die sich erfahrungsgemäß später in Bräune umsetzt – eine langwierige Prozedur auf Kosten der Augen: rotumrändert, da sie die Helle nicht aushalten –, bildeten sich an verschiedenen Stellen seines Gesichts Pickel, die alles wieder zunichte machten. Dazu sagte er selbst: Jemand ist nur so lange verletzlich, als er ein Ziel hat. Schon Verdun und Stalingrad sind solche Fälle, in denen den Anführern Schwierigkeiten entstanden, weil sie sich auf eine bestimmte Absicht festgelegt hatten. Man bekommt z. B. eine Frau nie, wenn man es sich vornimmt.

Manfred Schmidt lernt seine spätere Freundin Gitta kennen
Von einem Freund darum angegangen, schaltete sich Manfred Schmidt im Juli 1954 in eine unangenehme Erpressergeschichte ein. Gitta P., die damals mit einem Freund von M. S. liiert war, erhielt Drohbriefe von einer früheren Vermieterin. Sie konnte sich aber nicht entschließen, die geforderten beträchtlichen Geldbeträge abzuzweigen. Es stand auch nicht fest, ob die Erpresserin nach erfolgter Zahlung nicht neue Forderungen stellen würde. M. S. löste die schwierige Situation, ohne daß Zahlungen erforderlich wurden. (Er ließ die Erpreßte zur Polizei gehen und Anzeige wegen Erpressung erstatten.) Er war natürlich, als damit alles erledigt war, der Held des Tages, und die Frau überschwemmte ihn mit ihrer Freundschaft. Das brachte für Schmidt aber Schwierigkeiten mit seinem Freund. Gitta P. gehörte überhaupt zu dem Typ, der Schwierigkeiten bringt. Manfred Schmidt war hilfsbereit, aber nicht melkbar. Schon nach kürzester Zeit wurden ihm Schwierigkeiten lästig. Gittas Freundin P. hatte ohne Führerschein den Wagen eines Bekannten benutzt und war verunglückt; es gelang ihr, Gitta herbeizuholen, die einen Führerschein besaß und sich in das leicht beschädigte Unglücksfahr-

zeug setzte. Bei der polizeilichen Vernehmung mußte sie sich nachweisen lassen, daß sie im Augenblick des Unfalls nicht am Steuer gesessen hatte. Auch in dieser aussichtslosen Lage suchte sie bei M. S. Hilfe. M. S. konnte aber solche hilfsbedürftigen Naturen, die aus der Hilfsbedürftigkeit einen Dauerzustand machen, nicht leiden. Schon die Nähe von solchen unglücklichen Menschen schadet. Der Satz, mitgefangen mitgehangen, gilt hier in dem Sinn, daß man sich möglichst nur mit Leuten einläßt, die konstant Glück haben. Das läßt sich Frauen gegenüber nicht immer verwirklichen, aber in gewissem Umfang sagt bereits der Instinkt, daß man, was Schaden bringt, nicht lieben kann. Selbstverständlich erteilte Manfred Schmidt dem Mädchen seinen Rat. Damit war sein Interesse aber erschöpft.

Er zieht sich eine Bedienung heran

Sind Sie aushilfsweise hier oder ständig? Die Bedienung sagte: vorläufig. Er sah ihren intelligenten Bewegungen zu, mit denen sie den verwüsteten Tisch aufräumte. Vorläufig aushilfsweise? Nein, ständig. Aber ich weiß nicht, wie lange ich das hier machen werde. Er hatte eine Abneigung gegen die Bedienung, die bisher in diesem Lokal bedient hatte. Nicht, weil die bisherige Bedienung ihm nicht gab, was er bestellte, sondern wegen der unintelligenten Bewegungen, mit denen sie es anbrachte. Es geht nichts über eine intelligente Bedienung, sagte er. Sie brachte ihm den Kaffee genau in dem Augenblick, in dem er den letzten Menubissen in den Mund steckte. Sie mußte selbst lachen über die Präzision; eine weiche Linie an den Seiten des Halses, wenn sie lachte, aber auch, wenn sie nicht lachte.

Er gab ihr festliches Trinkgeld und setzte das in den nächsten Wochen so fort, sprach etwas mit ihr und zahlte etwas. So zog M. S. sich die Bedienung langsam heran.

Wie er sich stärkt

Er legte aus Rotwein, Leberkäse und Brot eine zementene Schicht, die den Magen ganz ausfüllte. So konnte er etwas aushalten.

Wie er einen Kellner beobachtet

Der Kellner trägt eine zweitaschige Geldtasche auf dem Gesäß. Die Sensibilität, mit der er jede Bewegung dieser Tasche spürt. Wenn er herumsteht, wühlt er etwas in dem Kleingeld in der Tasche. In diesem Lokal kann man nur Kaffee in Kannen bekommen.

Manfred Schmidt besucht seine ehemalige
Freundin L. in der Todesstunde

An einem erstklassigen blauen Sonnentag – nach dem Morgenimbiß, den er sich schon um 7 Uhr besorgte, obwohl die Lokale im allgemeinen erst später öffnen – hatte Manfred Schmidt die Idee, L. zu besuchen. Die Luft war noch kühl. Er ging zu L., mit der er vor einiger Zeit einige schöne Ferientage in Trident verlebt hatte; sie war aber zur Zeit ziemlich krank. Trotzdem hoffte er, daß sie ihm keine Schwierigkeiten in den Weg legen würde.

L. öffnete in einem stoffgürtelumbundenen Seidenmäntelchen, weiß mit Kirschblütenmuster, das sie im Bett übergezogen hatte, weil sie fror. Ein hübsches, viel zu kleines Gesicht, um das herum der Kopf zur normalen Erwachsenengröße gewachsen war. Kleine Hände, Körper, Glieder verschiedene Altersklassen. Gleich, nachdem er herein war, wurde sie durch das Telefon in Anspruch genommen, so daß er Zeit hatte, sie sich wieder anzusehen und einzuprägen.

Nach dem Telefonat (sie wieder in ihrem Bett, ein Klappwecker aufgestellt neben dem Kissen im Bett, auch sonst alles schön hergerichtet) versuchte er, etwas mit ihr anzufangen, was sie aber bloß abwehrte. Wahrscheinlich hatte er zu lange nichts von sich hören lassen. Er verließ die Bettkante und schaltete im Nebenzimmer das kleine Phillipsgerät ein und löffelte dort an dem Kaffee, den sie ihm hingestellt hatte. Wenig später kam er zum zweiten Mal an diesem Tag auf den Gedanken, ob sich nicht doch etwas mit ihr anfangen ließe. Aber diese Idee verflüchtigte sich infolge ihrer vorangegangenen Ablehnung. Noch ehe er mit dem Kaffee fertig war – und als er wieder zu dem Phillipsgerät hinübersah –, war die Scheibe mit den Sendern hell erleuchtet.

Er richtete sich in der Wohnung gemütlich ein. Als der Arzt kam, bat sie ihn, in ein anderes Zimmer zu gehen. Als der Arzt fort war, wollte er sie kalt duschen, nach einem alten Hausrezept ein gutes Mittel bei Leibschmerzen, aber auch daraus wurde nichts. Er hörte sich das Radioprogramm an und sagte ihr, daß sie rufen sollte, wenn sie ihn haben wollte. Später ging er noch einmal hinüber und fragte sie, ob sie ihn überhaupt sympathisch fände, ob sie überhaupt Wert auf seine Nähe lege. Er erinnerte sie an die Tage von Trident. Sie stöhnte, auf einer Seite liegend, die Decke fast über den Kopf gezogen, wenigstens das dünne lakenförmige Ende der Decke, wie man ein Taschentuch in den Mund steckt und daraufbeißt. Er versuchte, sie am Bauch zu massieren, aber sie wehrte ihn nur ab, als er zudringlich werden wollte. Er kritisierte ihre Einstellung und ihre Kälte.

Im Laufe des Nachmittags wurde ihr Befinden schlechter. Sie hatte Krämpfe, aber er war noch zu sehr beleidigt, um das zu beachten. Er ging einfach nicht hin. Erst als sie nach längerer Zeit immer noch stöhnte, rief er nochmals den Arzt an. Er versuchte, sie abzulenken, indem er versuchte, sie in Stimmung zu bringen. Aber sie war knörig, und alles, was er machte, tat ihr weh.

Es erwies sich als schwierig, den Arzt zu bekommen. Schmidt hatte sich anfangs wegen der vielen Beleidigungen, die sie ihm zugefügt hatte, nicht genügend dahintergesetzt. Er versuchte, seine Freundin, der es immer schlechter ging, zu trösten und sie zu küssen; sie verstand ihn nicht, wußte nicht, was er wollte, stellte sich ungeschickt an, als er seine Lippen auf die

ihren setzte. Erst wesentlich später merkte er, daß er es mit einer zu tun hatte, die jetzt starb.
Er fürchtete sich, kam dabei auf den Gedanken, sie sollte vor ihrem Tode noch ein Erlebnis mit ihm haben. Er traf auch Anstalten, die aber im Widerstreit der Gefühle steckenblieben. Er machte ihr ein frisches Bad und trug sie im Zimmer herum. Sie wimmerte unaufhörlich und blieb in Hockstellung, während er ein neues Laken aufdeckte und lüftete. Legte sie anschließend auf dieses frische Lager; telefonierte bei verschiedenen Ärzten herum, rief auch ein Krankenhaus an, die aber niemand schicken wollten. Sie starb, als er gerade dabei war, die Sache richtig in die Hand zu bekommen. Mit der nötigen Energie am Telefon stellte sich auch der Erfolg ein. Eine Viertelstunde später war der Arzt schon da.

Manfred Schmidt in einer Situation, die ihn geniert
M. S. genierte sich wegen des großen blaubraunen Flecks am Hals, der ihm von Aina Sp. zugefügt worden war. Sein Hemd war ziemlich zerknüllt und wahrscheinlich waren rote Spuren am Kragen, aber er hatte an diesem Morgen keine Zeit mehr, nach Hause zu fahren. Er mußte so auf der Besprechung erscheinen, an der auch Vorstandsmitglieder teilnahmen. Er verstand in diesem Zustand nichts von dem, was geredet wurde. Der Fleck befand sich genau unterhalb des Unterkiefers und war praktisch nicht zu kaschieren. An diesem Tag bat ihn ein Vorstandsmitglied um ein kurzes Resümee. Schmidt mußte darum bitten, während seines Kurzvortrages sitzen bleiben zu dürfen. Schmidt bekam am Abend durch eine Rücksichtslosigkeit die Aufgabe, Gäste der Firma aus Venezuela zu betreuen. Er befürchtete, daß man riechen könnte, wo er gewesen war, vor allem wegen des grünblauen Flecks, den er vor einem Garderobenspiegel in regelmäßigen Abständen beobachtete. Auch ein Abend wie dieser läßt sich überstehen. Alles höchst unangenehm, in diesem Hemd herumsitzen und

gefragt werden. Was sollte er tun? Dieses ganze Leben vielleicht sein lassen, weil es zu solch unangenehmen Abenden führt?

Heilig Abend

Manfred Schmidt hat in seinem Leben alles geopfert, was er nicht haben wollte, aber nun hat er immer noch nichts. Er lebte mit der Erfahrung, daß jedes Opfer Platz schafft und insofern indirekt etwas einbringt und daß man, wenn man nur genügend Überflüssiges, das man nicht haben will, beseitigt, allmählich in die Nähe dessen kommen müßte, das man haben will. Tatsächlich war jedoch nur festzustellen, daß die Opfer ihn ärmer machten – was nichts daran änderte, daß er den Zustand ohne die Opfer ebenfalls nicht haben wollte. Es war seine Gewohnheit in früheren Jahren gewesen, Heilig Abend mit einigen Kollegen zu begehen; er hat das nun auch abgeschafft.

Er verfolgt das langsame Absterben der Stadt, das man nur Heilig Abend beobachten kann, da die Leichenhaftigkeit der Stadt an gewöhnlichen Sonntagen, wenn man aufwacht und auf die Straße hinaussieht, bereits ein fait accompli ist. Heilig Abend aber kann man zusehen, wie die Straßen aussterben. Es wäre gefährlich, jetzt krank zu werden, da man keinen Arzt findet. Er sucht ein Lokal, in dem er noch etwas zu essen bekommt. Er fragt Leute, die ihm einen Weg zeigen zu einem Lokal, das noch offen sein soll. Aber als er hinkommt, ist es schon zu. Abwechselnd Herbergssuche und Menschenfreundlichkeit, die aber beide nicht in der Lage sind, ihm ein Lokal ausfindig zu machen. Als er ein Lokal findet, fragt er den Ober, der ihn höflich um die Schulter faßt (Menschenfreundlichkeit), ob noch Platz wäre. Es ist alles besetzt, und er muß einigemal zwischen den vollbesetzten Tischen umherirren (Herbergssuche). Ein Gast fragt ihn: Beißen Sie auch nicht? Es hat einen Moment den Anschein, als ob Platz da wäre, wenn sie etwas zusammenrücken, aber die Hoffnung zerschlägt sich. Obwohl der Ober ihm bis zuletzt beisteht und ihm Ratschläge gibt, muß er diese Arche in der toten Stadt verlassen. Schon die Morgenzeitungen bringen nichts Politisches mehr. Alle Menschen sind von ihrer Festbeschäftigung in Anspruch genommen und gehen mit dem Tag sehr sorgfältig um, damit kein Zwischenfall die Stimmung beschädigt. Später findet Schmidt noch ein Lokal, wo er Kaffee bekommt. Aber auch hier muß man gleich darauf gehen. Zwei Damen kommen aus dem petit tabaris, ein Stockwerk höher, mit ihren Freiern, die die Mäntel anziehen. Die Damen noch ganz warm: sie gehen an den Musikautomaten und wärmen sich wie an einem kleinen Feuerchen. Bitte noch eine kleine Platte, sagen sie, als der Besitzer verhindern will, daß sie neue Stücke einstellen. Sie bestellen ein Taxi und lassen dann das Taxi draußen warten, bis die Stücke zu Ende gespielt sind.

Schmidt verfolgt den langsamen Tod der Stadt; er begeht Heilig Abend, indem er eine Aufnahme von der Stadtleiche macht. Er ruft Freundinnen an, obwohl er nicht glaubt, daß sie zu Hause sind. Er hat Sehnsucht nach ihnen und weiß den Grund nicht mehr, weshalb er sich von ihnen getrennt hat. Er ruft A. an und ist ganz perplex, als ihre Stimme in der Leitung ist.

Sie ist allein, und er lädt sie ein. Er sendet ihr ein Taxi entgegen. Als sie tatsächlich zweimal klingelt und vor der Tür steht: ein Wunder, das uns heut geboren ward. Schmidt holt Sekt und ruht sich an ihrer Schulter aus. Er zeigt ihr, wie viel ihm an ihrer Nähe liegt; er gibt Erklärungen darüber ab, wie sehr er verwandelt sei; ja er findet sogar, daß er sie jetzt liebt. Er versteht aber doch nicht die Situation und hält sich an ihre Bitte, nicht gleich über sie herzufallen. Er läßt sich nicht verstricken. Sie bleibt zwar in seiner Wohnung, aber es ist noch nicht wieder die alte Beziehung. Sein Nervensystem ist überspannt von den Aufregungen ihrer Ankunft, und obwohl er jetzt keine Angst mehr hat vor den toten Festtagen, die auf Heilig Abend folgen, da er sich ja in Gesellschaft weiß, braucht

er einen Augenblick Pause. Es gelingt ihm nicht, die Überspannung zu beseitigen, die in der Magengegend liegt. Er vermag sich nicht der Frau mit Erfolg zu nähern und redet etwas zuviel über diese Frage. Er verliert das Kind, wenn man seine gewandelten Empfindungen, seit sie zu ihm eintrat, mit einem Kind oder Wunder vergleichen darf, und es nützt nichts mehr, daß er später Erfolg hat. Es ist fast so etwas wie ein zweites Wunder, dieser Erfolg, aber Schmidt ist inzwischen auf sein Schema zurückgekommen. Sein Sieg bestärkt ihn darin. Es ist bereits alles wie früher (die Chance bevor man eine Stadt kennt, die Chance bevor man eine Frau kennt).
In den Tagen zwischen Weihnachten und Neujahr kam sie noch einmal bei ihm vorbei. Dann begann das Lachen wieder. Es war gleich nach Silvester viel los. Er verlor sie aus den Augen.

Bewerbung
Ich, Manfred Schmidt, verheiratet, kinderlos, bin geboren am 21. 2. 1926 in Thorn (Westpreußen), als ehelicher Sohn des prakt. Arztes Dr. med. Manfred Schmidt und seiner Ehefrau Erika, geb. Scholz. In meiner Heimatstadt besuchte ich die Grundschule und später das Realgymnasium, an welchem ich Ostern 1942 die kriegsmäßige Reifeprüfung bestand. Nach vorübergehender Militärzeit und einem Aufenthalt in der Schweiz nahm ich im Sommer 1945 die Stellung eines stellvertretenden Ingenieurs bei der Fa. Pignatelli Cie. in Sidney (Australien) an. Unmittelbar nach meiner Ernennung zum stellvertretenden Werksleiter wechselte ich diese zweifellos interessante Tätigkeit und bewarb mich bei der Fa. B. & Quamp AG in Frankfurt (Main). Für diese Firma war ich mehrere Jahre an verschiedenen Orten tätig. Der Wunsch, mich nicht einseitig auf ein bestimmtes Tätigkeitsfeld festzulegen und an dessen Schicksal teilzunehmen, bestimmte mich im März vergangenen Jahres in die Fa. Helldorf, Holzgroßhand-

lung, einzutreten, eine Firma, in der ich besondere Erfahrungen auf dem Gebiete des Kambala-Einkaufs sammeln konnte und auch die Verkaufsabteilung zu betreuen hatte. Nach wie vor erscheint mir die alles umfassende Tätigkeit in dieser Firma nicht unbefriedigend. Andererseits sehe ich mich zu der vorliegenden Bewerbung veranlaßt, da sie geeignet erscheint, mich zu verbessern.

III

Beispiel für eine Liebesgeschichte
(Die Zeit mit Gitta)

Gitta als junge Geliebte eines alten Bauern
Sie genierte sich wegen der Zähne ihres Partners und hielt deshalb ihren Mund geschlossen. Sie steckt ihre Zunge in eine Flasche Coca-Cola, kommt aber nicht in die enge Öffnung hinein und muß fürchterlich lachen. Die Zunge verschwindet in ihrem Mund. Pockengeimpfte sehr bleiche Arme, muskulös unter der weißen Haut, bläulich, wo die Adern sind: wie ein Hund stößt sie ihren Kopf auf den Faschingsbauern zu, um ihm etwas mitzuteilen: ziemlich hohe Stimme. Mit einer großen Lücke zwischen den Vorderzähnen, die den Mund hübsch macht; sie macht schmale Lippen, damit niemand die Lücke sieht.
Sie gähnt, schmaler Mund, sie will etwas zu diesem Mann sagen, wird aber durch die unangenehmen Vorderzähne, die er zeigt, unterbrochen und findet erst nach einiger Zeit ihr Lachen wieder. Die gelbbraunen, etwas spiegelnden Augen, die ruhig umhersehen, darüber hingehen, bis sie wieder den Kopf hundeartig vorstößt und etwas mit hoher Stimme sagt.
Sie schämte sich, in Begleitung dieses Bauern, der ein Pierrot-Kostüm trug, von Schmidt gesehen zu werden. Der Mann versuchte sie zu betatschen, wozu er schlückchenweise Wein trank. Schmidt holte das Mädchen natürlich sofort aus dieser

unmöglichen Lage. Er nahm sie mit in seine Wohnung. Diese erste Übernachtung mit Gitta mißlang vollständig. Sie wurde frech. Während sie sich noch Mühe gab, nett zu sein und über sein Fiasko wegzutuschen, wurde sie frech.

Die Reise nach Sylt

Den ganzen Tag über regnete es. Sie liefen einmal, noch ganz in der Frühe, in ihren Badekostümen durch den Regen hinunter an den Strand. Trübgraues Meer, mit sehr hellen Brandungsköpfen. Sie spritzten nur etwas am Rande des Wassers herum, trauten sich aber nicht in das Meer wegen des Windes. Eigenartigerweise war hier keine Warnungstafel für die Badegäste aufgestellt.

Den übrigen Tag blieben sie im Bett und lasen, jeder einige Bücher und Zeitschriften um sich herum. Von Zeit zu Zeit las einer etwas vor. Zwischendurch schlief Manfred Schmidt lange Zeiten, während seine Freundin Gitta in ihren Romanen las. Er interessierte sich nicht sehr für Lesen. Trotzdem fand auch er diesen verregneten Tag angenehmer als die vergangenen anstrengenden Sonnentage, bei denen man immer den Eindruck hatte, etwas zu versäumen.

Besuch einer nicht unwichtigen Gesellschaft,
zu der er seine hübsche Freundin Gitta mitnimmt

Alle wußten, daß Schmidt über Kaiser Friedrich II. in Sizilien etwas wußte (von irgendeiner Reise auf Sizilien her). Um die auf der Gesellschaft ebenfalls erschienenen Vorstandsmitglieder zu beeindrucken, brachte er genau diese Sache zur Sprache. Es war Gitta sehr peinlich. Sie wollte ihn aber auch nicht unterbrechen, weil sie nicht wissen konnte, wie er dann reagieren würde.

Mit seinen intensiv blauen Augen und harten schwarzen Sternen in den Augen. Der Kopf sah gut aus und funktionierte sicher nicht schlecht, wurde aber wohl sehr einseitig benutzt. Er hatte irgendeine Hemmung, ihn zu benutzen. Sie brachte

ihm Zigaretten und ein Glas von dem Sekt, mit dem die Kellner herumstanden. Sie versuchte, ihn aus dem Kreis, in dem er sich festgeredet hatte, herauszulösen.
Ein Streitpunkt zwischen Gitta und M. S.
Ich kann nicht leiden, wenn er sagt:
Das ist ja noch nicht spruchreif.
Morgen ist auch noch ein Tag.
Wir wissen ja gar nicht, ob wir morgen noch leben.
Wir wollen das erst einmal abwarten und dann sehen.
Das ist noch Zukunftsmusik.
Wir wissen ja noch gar nicht, was bis dahin sein wird.
Irgendeine Hemmung ist da eingebaut, die ihn hindert, seinen Verstand zu gebrauchen, es sei denn, es handelt sich um Dinge, die er sehen kann. Sein Verstand ist vollkommen unterjocht von diesen Augen.

Erinnerung an eine Romanze
Ich hasse Sonntage, weil an ihnen offenbar wird, wie wenig übrigbleibt, wenn die Arbeit fortfällt. An einem solchen Sonntag im Krieg hatte ich vertretungsweise die Aufsicht in unserem Luftwaffenlazarett zu führen. Der leitende Arzt und die meisten Schwestern waren außerhalb. Gegen 11 Uhr lieferte man einen Franzosen ein, der versehentlich angeschossen worden war. Es handelte sich um einen Fremdarbeiter. Es sollte versucht werden, den unabsichtlich entstandenen Schaden im Lazarett wieder gutzumachen, ohne daß Meldung erforderlich wäre. Wir sollten den Arbeiter zunächst aufbahren, bis der Arzt zurückkäme. Er lag ganz still und klagte ab und zu, es war aber nie festzustellen, was er sagte. Er hatte hohle Wangen und ordinäre Lippen, deren Spitzen kindisch übereinanderstanden. Draußen auf der Straße liefen einzelne Passanten. Das Lazarett war in einer ehemaligen Schule untergebracht. Ich hatte ein physisches Unbehagen an diesen leeren Straßen. Der Franzose starb allmählich im Laufe des Nachmittags, aber nicht ganz, so daß er, umgeben von den Eßwaren und Kaffeetöpfen, die wir

um ihn herumgestellt hatten, falls er Lust verspürte, irgend etwas zu sich zu nehmen, leise klagte. Er hatte häßliche, wasserangeklatschte Haare, die die Erschießung in angeklatschtem Zustand überstanden hatten. An die Wunde ließ er uns nicht heran. Nachmittags rief ich E. an, die in einem Hotel dieser Kleinstadt kriegsdienstverpflichtet war, und bat sie zu kommen. Wir richteten uns in einem geschützten Winkel der als Lazarett dienenden Volksschule ein; das erste Mal, daß wir so etwas improvisiert haben (was doch einem ganz natürlichen Kinderinstinkt und Nestbauinstinkt entgegenkommt), und obwohl ich an diesem Tag nicht an einen Sieg glaubte, weil es mir vorkam, als sei ich für ihren Geschmack zu unruhig gewesen, sagte sie mir bei späterer Gelegenheit etwas sehr Nettes darüber, und in diesem Zusammenhang erwähnen wir heute noch diesen Franzosen, zu dem am Abend der Arzt kam.

Versöhnung

Eine Krise zwischen Manfred Schmidt und Gitta zog sich fast über ein halbes Jahr hin, ohne daß einer von beiden wirklich aggressiv wurde. Keiner platzte aus seiner Haut, und es war schon so gut wie aus, als Gitta den glücklichen Einfall hatte, eine Reise zu unternehmen. Sie hätte noch ganz andere Einfälle produziert, wenn es sich nicht um einen individuellen glücklichen Nachmittag, sondern um eine ganze Serie davon gehandelt hätte. Aber schon die Ausnahme genügte für das Reiseprojekt.

Eine Zwischenstation in den Bergen, weil sie die Berge eindrucksvoll fanden und Entscheidungen treffen wollten. Sie stiegen daher aus und suchten ein Hotel. Sie bekamen kein Zimmer, aber ein Bad war noch frei in einem der großen Hotels. Sie nahmen das Bad, das man ihnen behelfsmäßig einrichtete.

Sie nahmen ein großes Menü, man konnte es sich nicht aussuchen, aber sie wurden für die empfindliche Geldausgabe

insofern entschädigt, als sie beim Umziehen in ihrem Badezimmer eine leere Blechbüchse aus England fanden, die sie gern mitnahmen. Sie fühlten sich gegenüber ihrem Zustand im Zug bereichert und versöhnten sich endgültig, noch während sie auf den zweiten Gang warteten.
Später probierten sie aus, ob sie in die Badewanne paßten, die in dem Bad den meisten Platz einnahm. Es war indessen zu eng darin für zwei, und sie nahmen lieber den Operationstisch, den man für sie hereingebracht und zum Schlafen gedeckt hatte. Es war ein absolut sauberer Raum, weißes, nach Waschmittel duftendes Leinen, frisch, sehr heiß, so daß sie rote Ohren hatten, schwarze Kleidungsstücke, die umherlagen, räumten sie auf. Es war alles so sauber und gekachelt und so überheizt, nur künstliches Licht in diesem kleinen Bad, angenehm satt von der großen Mahlzeit, draußen ab und zu jemand, der den Gang entlanglief, es war so heiß, daß sie nicht auch noch vorsichtig sein wollten. Sie wußten nichts Besseres, ihre Versöhnung zu zeigen, als dies. Sie hätten einander aufessen mögen, aber sie beschränkten sich darauf, unvorsichtig zu sein.

Monolog Gittas

Soll Gitta Mutter werden? Soll sie Schritte unternehmen? Eigenmächtig handeln oder Manfred Schmidt fragen? Spätester Zeitpunkt ist das Ende des dritten Monats. In diesen Tagen des Zweifels sandte Schmidt Gitta drei rote Rosen, die von einem Fleurop-Boten abgegeben wurden.

Ein Abstecher Manfred Schmidts in dieser Zeit

Das Mädchen Carmela Pichota, genannt Lastics, war Jahrgang 1926. Als Kind von 16 Monaten fiel sie in die Waschlauge ihrer Mutter, wurde leicht verbrüht, Hauttransplantationen, das Kind überstand alles gut. Kein weiterer Zwischenfall bis zum Alter von 17. Als Lazarettschwester im Alter von 17 Jahren eine Romanze mit einem wesentlich älteren Verheirateten, der

zur Nachkur hingeschickt war. Sobald er das Lazarett verließ, war für ihn die Sache erledigt. Für sie war das ein Schock. Vier Abtreibungen innerhalb von einem Jahr, sie war inzwischen 18. In den nächsten Jahren studierte sie Volkswirtschaft.
Ich hätte mich nicht mit ihr abgeben sollen. Ich hatte eigentlich eine Aversion gegen sie. Ich hatte ihr nicht angesehen, was für ein Unglücksmensch sie ist.

Seine Freundin Gitta wird noch nicht gleich Mutter
Sie kam diesmal ganz verwandelt zurück in das Lokal und flüsterte mit einer der Dasitzenden. Tuscheln. Ihre Gesichtshaut war verändert, leicht-blaß-durchblutet: weiß, oliv. Sie zündete sich eine Zigarette an.

Kann man auch die Liebe abtreiben?
Er trug seine vollgetankten Empfindungen zu ihr hin in dieser fremden Stadt. Gitta wartete im Hotel, seit von ihm Nachricht eingetroffen war. In den Morgenstunden hatte sie in der Stadt eingekauft. Er kam in diesen Tagen aus zähen, rauchigen Vormittagssitzungen. Kaum war er im Hotel bei ihr, als er unter die unerquicklichen Vormittage einen Trennungsstrich zog und sich ihr überließ. Er wiederholte das so oft, trampelte auf dem einen Punkt herum, an dem sich neuartige Empfindungen zeigten, daß bald nichts mehr da war.
(Als er ankam, sprudelte er vor Sympathie, in die er sie vollkommen einhüllte. Er beschien sie fast den ganzen Nachmittag lang. Noch ganz frisch von der entbehrungsreichen Tätigkeit des Vormittags. Ihr Hirn wie ein frischgeharkter Garten, aber nicht nur ihr Hirn, auch Arme, Beine willig und ihm überlassen. Ganz warme weiche Lippen. Dann hörte er auf, sie zu bescheinen.)

Trennung
Schmidt und Gitta zogen sich auf eine Woche nach Krefeld zurück, wo keine Seele sie kannte, um in Ruhe ihre Trennung

zur Welt zu bringen. Gitta erledigte das für beide. Sie war erschöpft, als das Ergebnis Trennung herauskam bei der Klausur, auf die sie Hoffnungen gesetzt hatte. Schmidt bezahlte ihr eine Reise an die Nordsee und begleitete sie ein paar Tage: ließ Gitta braunbrennen in Rantum. Er war zufrieden über diese Lösung, glaubte auch nur halb und halb an die Trennung, da er Gitta noch täglich in seiner Nähe hatte, genoß die Freiheit in der Idee und die Bindung in der Wirklichkeit. Er freute sich bereits auf einen Winter mit Gitta, denn er nahm an, daß jetzt ihre Beziehung wieder sprießen würde. Ganz überraschend erwies sich aber nach seiner Abreise aus Rantum die Trennung als ein fait accompli. Man verstrickt sich in Schuld. Aber was soll man sonst tun?

Plötzliche Erinnerung an Gitta
Ein Strom Haare unterhalb der Kniescheibe von rechts nach links. Sonst war weiter keine Ähnlichkeit. Die Frau hatte die Beine übereinandergeschlagen und wunderte sich, während sie allerdings die Augen nicht von ihrer Zeitung hob, weshalb der Mann – sie waren die beiden einzigen Reisenden in diesem Abteil – ihre Knie so lange ansah.

Portrait einer glücklich Erkälteten (G.)
Sie fror wie ein Schneider und redete deshalb besonders viel. Novalgin-Chinin nutzte überhaupt nichts. Sie hatte sich einen Männerpullover, der extra aus der Garderobe geholt werden mußte, entliehen und trug eine Pelzjacke darüber, fror aber weiter. Vor ihrem Platz standen mehrere Gläser Glühwein, die die Herren ihr bestellt hatten. Jeder wollte ihr etwas kaufen, und es war da, ehe man sich untereinander so weit verständigen konnte, daß nur einer – oder wenige abwechselnd – bestellten. Sie saß verpackt wie im tiefen Winter.

M. S.

Helena K.
K.
Kriminalkommissar Peiler
Aina Sp.
Lastics
Eine Bedienung
Eine Karnevalsprinzessin

Ungenannte
L. (Todesstunde)
A. (Heilig Abend)

F. aus Sidney
Barfrau
E. in Pilsen
Verwundeter Franzose
Vertreter der Finanzverwaltung
Vertreter der Lebensmittelaufsicht
Vertreter der Wach- und Schließ-Gesellschaft
Vertreter der Polizeiaufsicht

Frau M.
Mitglieder der Festleitung
Festteilnehmer
Kellner

EIN LIEBESVERSUCH

Als das billigste Mittel, in den Lagern Massensterilisationen durchzuführen, erschien 1943 Röntgenbestrahlung. Zweifelhaft war, ob die so erzielte Unfruchtbarkeit nachhaltig war. Wir führten einen männlichen und einen weiblichen Gefangenen zu einem Versuch zusammen. Der dafür vorgesehene Raum war größer als die meisten anderen Zellen, er wurde mit Teppichen der Lagerleitung ausgelegt. Die Hoffnung, daß die Gefangenen in ihrer hochzeitlich ausgestalteten Zelle dem Versuch Genüge leisteten, erfüllte sich nicht.

Wußten sie von der erfolgten Sterilisation?
Das war nicht anzunehmen. Die beiden Gefangenen setzten sich in verschiedene Ecken des dielengedeckten und teppichbelegten Raumes. Es war durch das Bullauge, das der Beobachtung von außen diente, nicht zu erkennen, ob sie seit der Zusammenführung miteinander gesprochen hatten. Sie führten jedenfalls keine Gespräche. Diese Passivität war deshalb besonders unangenehm, weil hochgestellte Gäste sich zur Beobachtung des Versuchs angesagt hatten; um den Fortgang des Experiments zu beschleunigen, befahl der Standortarzt und Leiter des Versuchs, den beiden Gefangenen die Kleider fortzunehmen.

Schämten sich die Versuchspersonen?
Man kann nicht sagen, daß die Versuchspersonen sich schämten. Sie blieben im wesentlichen auch ohne ihre Kleidung in den bis dahin eingenommenen Positionen, sie schienen zu schlafen. Wir wollen sie ein bißchen aufwecken, sagte der Leiter des Versuchs. Es wurden Schallplatten herbeigeholt. Durch das Bullauge war zu sehen, daß beide Gefangenen auf die Musik zunächst reagierten. Wenig später verfielen sie aber wieder in ihren apathischen Zustand. Für den Versuch war es

wichtig, daß die Versuchspersonen endlich mit dem Versuch begannen, da nur so mit Sicherheit festgestellt werden konnte, ob die unauffällig erzeugte Unfruchtbarkeit bei den behandelten Personen auch über längere Zeitabschnitte hin wirksam blieb. Die am Versuch beteiligten Mannschaften warteten in den Gängen des Schlosses, einige Meter von der Zellentür entfernt. Sie verhielten sich im wesentlichen ruhig. Sie hatten Weisung, sich nur flüsternd miteinander zu verständigen. Ein Beobachter verfolgte den Verlauf des Geschehens im Innenraum. So sollten die beiden Gefangenen in dem Glauben gewiegt werden, sie seien jetzt allein.
Trotzdem kam in der Zelle keine erotische Spannung auf. Fast glaubten die Verantwortlichen, man hätte einen kleineren Raum wählen sollen. Die Versuchspersonen selbst waren sorgfältig ausgesucht. Nach den Akten mußten die beiden Versuchspersonen erhebliches erotisches Interesse aneinander empfinden.

Woher wußte man das?
J., Tochter eines Braunschweiger Regierungsrates, Jahrgang 1915, also etwa 28 Jahre, mit arischem Ehemann, Abitur, Studium der Kunstgeschichte, galt in der niedersächsischen Kleinstadt G. als unzertrennlich von der männlichen Versuchsperson, einem gewissen P., Jahrgang 1900, ohne Beruf. Wegen P. gab die J. den rettenden Ehemann auf. Sie folgte ihrem Liebhaber nach Prag, später nach Paris. 1938 gelang es, den P. auf Reichsgebiet zu verhaften. Einige Tage später erschien auf der Suche nach P. die J. auf Reichsgebiet und wurde ebenfalls verhaftet. Im Gefängnis und später im Lager versuchten die beiden mehrfach, zueinanderzukommen. Insofern unsere Enttäuschung: jetzt durften sie endlich, und jetzt wollten sie nicht.

Waren die Versuchspersonen nicht willig?
Grundsätzlich waren sie gehorsam. Ich möchte also sagen: willig.

Waren die Gefangenen gut ernährt?
Schon längere Zeit vor Beginn des Versuchs waren die in Aussicht genommenen Versuchspersonen besonders gut ernährt worden. Nun lagen sie bereits zwei Tage im gleichen Raum, ohne daß Annäherungsversuche festzustellen waren. Wir gaben ihnen Eiweißgallert aus Eiern zu trinken, die Gefangenen nahmen das Eiweiß gierig auf. Oberscharführer Wilhelm ließ die beiden aus Gartenschläuchen anspritzen, anschließend wurden sie wieder, frierend, in das Dielenzimmer geführt, aber auch das Wärmebedürfnis führte sie nicht zueinander.
Fürchteten sie die Freigeisterei, der sie sich ausgesetzt sahen? Glaubten sie, dies wäre eine Prüfung, bei der sie ihre Moralität zu erweisen hätten? Lag das Unglück des Lagers wie eine hohe Wand zwischen ihnen?

Wußten sie, daß im Falle einer Schwängerung beide Körper seziert und untersucht würden?
Daß die Versuchspersonen das wußten oder auch nur ahnten, ist unwahrscheinlich. Von der Lagerleitung wurden ihnen wiederholt positive Zusicherungen für den Überlebensfall gemacht. Ich glaube, sie wollten nicht. Zur Enttäuschung des eigens herangereisten Obergruppenführers A. Zerbst und seiner Begleitung ließ sich das Experiment nicht durchführen, da alle Mittel, auch die gewaltsamen, nicht zu einem positiven Versuchsausgang führten. Wir preßten ihre Leiber aneinander, hielten sie unter langsamer Erwärmung in Hautnähe aneinander, bestrichen sie mit Alkohol und gaben den Personen Alkohol, Rotwein mit Ei, auch Fleisch zu essen und Schampus zu trinken, wir korrigierten die Beleuchtung, nichts davon führte jedoch zur Erregung.

Hat man denn alles versucht?
Ich kann garantieren, daß alles versucht worden ist. Wir hatten einen Oberscharführer unter uns, der etwas davon verstand.

Er versuchte nach und nach alles, was sonst todsicher wirkt. Wir konnten schließlich nicht selbst hineingehen und unser Glück versuchen, weil das Rassenschande gewesen wäre. Nichts von den Mitteln, die versucht wurden, führte zur Erregung.

Wurden wir selbst erregt?
Jedenfalls eher als die beiden im Raum; wenigstens sah es so aus. Andererseits wäre uns das verboten gewesen. Infolgedessen glaube ich nicht, daß wir erregt waren. Vielleicht aufgeregt, da die Sache nicht klappte.

Will ich liebend Dir gehören,
kommst Du zu mir heute Nacht?

Es gab keine Möglichkeit, die Versuchspersonen zu einer eindeutigen Reaktion zu gewinnen, und so wurde der Versuch ergebnislos abgebrochen. Später wurde er mit anderen Personen wieder aufgenommen.

Was geschah mit den Versuchspersonen?
Die widerspenstigen Versuchspersonen wurden erschossen.

Soll das besagen, daß an einem bestimmten Punkt des Unglücks Liebe nicht mehr zu bewerkstelligen ist?

EIN BERUFSWECHSEL

I

Wir Neuen, Namenlosen, Schlechtverständlichen, wir Frühgeburten einer noch unbewiesenen Zukunft – wir bedürfen zu einem neuen Zweck auch eines neuen Mittels, nämlich einer neuen Gesundheit, einer stärkeren, gewitzteren, zäheren, verwegeneren, lustigeren, als alle Gesundheiten bisher waren.

F. Nietzsche, Die fröhliche Wissenschaft

Schwebkowski wurde 1938 aus Quinta in die NAPOLA Ballenstedt getan. Die Abrichtungsregel Elternhaus, Volksschule, Höhere Schule wurde unterbrochen. Einige solche Unhistorische wuchsen in den verschiedenen über Deutschland verteilten Anstalten auf, darunter Schwebkowski von 1936 bis 1942. 1943 meldete sich Schwebkowski zur SS-Division Peter Freytag, die in Nord-Griechenland aufgestellt wurde. Noch im Aufbau wurden aber die Kader dieser Division auf drei Heeresdivisionen verteilt, die rasch und vorrangig, unter Verzicht auf die SS-Division, wiederaufgefüllt und in die bedrohte Süd-Ukraine geworfen werden sollten. Während der Ausbildung überwarf sich Schwebkowski mit einem Heeresoffizier. Aus dem Militärgefängnis floh er, da er mit dem Tod bedroht wurde. In einer Oberleutnantsuniform durchquerte er mit Militärtransporten den Balkan in Richtung Norden. Ursprünglich verfolgte er die Absicht, sich zu seiner Schule in Ballenstedt durchzuschlagen. Da sich aber, je näher die von ihm benutzten Militärzüge der Ostmarkgrenze kamen, die Feldpolizeikontrollen mehrten, verzögerte er in Laibach seine Fahrt und benutzte dann andere Züge in Richtung Südosten. In Sofia lernte Schwebkowski im Herbst 1943 in einem Absteigequartier der rumänischen Wehrmacht Francesca B. kennen. Schwebkowski beteiligte sich an Handelsgeschäften. Als 1944 die Russen in Sofia erschienen, wurde er, der die Oberleut-

nantsuniform ausgezogen hatte, von Geschäftsfreunden denunziert. Er verlor so die B., die er nie wiedersah. Er wurde zu den Sammellagern in der Umgebung von Odessa transportiert. Eine Landschaft kann für einen nichtseßhaften Menschen wie Schwebkowski nicht die Bedeutung haben wie für frühere Generationen, da es kein Land gibt, das Schwebkowski besitzen will, und ohne Besitztrieb die Freude an der schönen Landschaft versagen muß. An die leere Stelle tritt die Beziehung zu dem Land, in dem persönliche Entscheidungen gefallen sind. Deshalb ist das Land zwischen Kolomea und Odessa für Schwebkowski eine von zwei Heimaten, weil eine von zwei Entscheidungen über sein Leben hier stattgefunden hat.
Die Entscheidung, aus dem Sammellager bei Odessa im Frühling 1945 zu fliehen und sich zu den sagenhaften amerikanischen Linien in Kärnten durchzuschlagen, hält Schwebkowski heute für falsch. Er sähe nachträglich die bessere Chance in der Anpassung an die Gefangenenarbeit. Vielleicht hätte er dann vor 1948 wieder in Sofia sein können, u. U. als russischer oder rumänischer Staatsbürger. Bis zu diesem Zeitpunkt hätte er die B. in Sofia noch angetroffen.

II

Jagen wir die Himmelstrüber,
Weltenschwärzer, Wolkenschieber,
hellen wir das Himmelreich!
Brausen wir . . . oh, aller freien
Geister Geist,
braust mein Glück dem
Sturme gleich. –
F. Nietzsche, Die fröhliche Wissenschaft

Zahlreiche jüngere Menschen erwarteten 1945 große Freiheit, einen neuen Anfang. In Halle hatte im Juni 1945 der Kommandeur einer im Abzug nach Westen befindlichen amerikanischen Panzerdivision sein Hauptquartier aufgeschlagen. Mit seinen

Maßnahmen hielt er die örtlichen Behörden in Atem. Diesem Kommandeur war es zu verdanken, daß ein Lehrerseminar in Halle schon Ende Juni 1945 die Arbeit aufnahm. Die Ausbildung wurde weitergeführt, als dann die Russen nach Halle einzogen. An dieser Lehrerbildungsanstalt wurde Schwebkowski ausgebildet. Seine Hoffnungen auf die unbegrenzten Möglichkeiten des Lehrberufs waren nie beschädigt worden. Er nahm an, daß er sich als Lehrer am ehesten in den verlorengegangenen Traum der Jahre 1938 bis 1942 wieder einarbeiten könnte. 1946 bis 1949 unterrichtete Schwebkowski in den Bezirken Halle und Magdeburg. 1950 übernahm er eine Planstelle an einer südwestdeutschen Privatschule in der Bundesrepublik. 1952 wurde von der vorgesetzten Schulaufsichtsbehörde in Freiburg entdeckt, daß Schwebkowski nur eine Art Notabitur und ein Oberlehrerexamen aus dem Frühjahr 1946 besaß, das nach den Richtlinien der Kultusministerkonferenz der Länder nicht anerkannt werden konnte. Seine Planstelle wurde gestrichen. Seinen Plan gab Schwebkowski deshalb nicht auf. Er ließ sich in Marburg als Student einschreiben. Marburg (Lahn) ist eine schlauchartig um einen Berg gewundene Stadt. Schlauchartig beengt sie die im Lahntal von Norden – Kassel nach Süden – Gießen führende Straße. Bergzüge zu beiden Seiten verbieten Abweichungen, erlauben Spaziergänge. Die Trostlosigkeit des Lernbetriebs suchte Schwebkowski durch Musikstudien zu mildern, aber man kann nicht den verlorengegangenen Traum der Jahre 1936 bis 1942, der etwas Lebendiges ist, durch Hausmusik ersetzen. Wie in einen Hohlweg suchte die verheiratete Dagmar Grothusen Schwebkowski einzufangen. Sie sah die Möglichkeit, seine Kraft für die Änderung ihrer ehelichen Gefangenschaft zu nutzen. Wahrscheinlich erwartete sie, daß ihr Schwebkowski helfen würde, wenn sie sich nur fest genug auf ihn verließ. Es ist schwierig, einer solchen Situation zu entgehen, wenn sie sich in desolater Umgebung ohne starke Hoffnungen für die nächste Zeit ergibt. Nur die Überzeugung, daß der Lehrberuf etwas von der verlorenen Napola-Zeit rekonstruieren könnte, bewegte Schwebkowski zu der Vorleistung dieses Studiums. Aus einer an sich gleichgültigen Umarmung entließ Frau Grothusen Schwebkowski zu spät. Das erwartete Kind wollte Frau Grothusen nicht abtreiben lassen. Schwebkowski hätte dafür Geld zur Verfügung gestellt, das er gerade zu dieser Zeit aus einer Erbschaft erhielt. Sie wechselte Schwebkowski, um den lästigen Ansprüchen dieser Frau zu entgehen, nach München, wo er die pädagogische Staatsprüfung bestand.

III

Damals wurden in Bayern alle verfügbaren Lehrernachwuchskräfte, gleich ob es sich um Volksschullehrer, Berufsschullehrer oder Gymnasiallehrer handelte, in die Gegend von Aschaffenburg geworfen, wo für alle Schularten eine akute Mangellage bestand. Die Nachbarschaft zum Land Hessen, das über ein größeres Nachwuchspotential verfügte, machte in diesem Grenzland ein gewisses Versagen der bayerischen Bildungspolitik deutlich. Schwebkowski befand sich unter den provisorisch in diese Gegend delegierten Lehrkräften. Als Referendar hatte er an verschiedenen Schulen Probeunterricht zu geben, gelegentlich in Anwesenheit eines Vertreters der Schulaufsicht, der ihn mit seinen Ratschlägen unterstützte. In Schwebkowskis Erziehung fehlte das Rädchen Abrichtung. Es ergaben sich hier Disziplinschwierigkeiten für Schwebkowski wie in der Zeit des Aufbaus der drei Heeresdivisionen in Nord-Griechenland. Schwebkowski hielt die Vorbereitungszeit auf der Universität und die Bewährungszeit im Schuldienst für überdehnt, glaubte auch immer weniger, daß der Vorleistung auf der Gegenseite irgendeine Spur von Hoffnung entspräche. Nach bestandenem zweitem Staatsexamen wandte sich Schwebkowski nach Nordrhein-Westfalen, wo er (in einem größeren Lande) auf günstigere Arbeitsbedingungen hoffte. Schwebkowski unterrichtete von 1958 bis 1960 in verschiedenen Schulen im Rheinland und in Westfalen. Er sammelte Eindrücke, faßte kaum neue Hoffnung, gab aber die alten Hoffnungen noch nicht auf. 1960 lernte er den Oberschulrat de Martin kennen, eine Freundschaft entwickelte sich mit dem vollbeschäftigten Mann, der über einen Dienstwagen verfügte. De Martin versuchte, Schwebkowski in den Schulaufsichtsdienst zu ziehen.

De Martin hielt die Wunschträume, die Schwebkowski immer noch hegte und in der Schule verwirklichen wollte, für utopisch, und sogar für etwas faschistisch. Er erinnerte daran, daß Schwebkowski den Ausdruck nationalsozialistisch oder Nationalsozialismus nie verwandte: er sprach entweder von Hitler oder von Faschismus. Schwebkowski war immer noch nicht angepaßt, schwebte noch im Rhythmus der Jahre 1935 bis 1945. De Martin redete ihm zu. Nachdem Schwebkowski sich gewandelt hatte: von einem Schüler zu einem Nationalsozialisten, von einem Nationalsozialisten zu einem Freiheitsdurstigen, von einem Freiheitsdurstigen zu einem Studenten, von einem Studenten zu einem Angepaßten (bis dahin immer von einem Ziel befeuert), sah er vor sich jemand, der ihm bestritt, daß auch nur eines von dem, was er vertreten hatte, real sei. Schwebkowski glaubte ihm nicht.

IV

Alle Lehrer in D. wurden im Herbst 1961 durch die Verhaftung von Dr. Willett aufgewühlt. Willett, Lehrer für Latein, Griechisch und Geschichte, war so alt wie Schwebkowski. Er war in einem verlassenen Kartenraum des Grillparzer-Gymnasiums am Spätnachmittag zusammen mit der 16jährigen Schülerin P. Gnade gesehen worden. Eine schlüssige Erklärung für die Anwesenheit der beiden in dem wenig benutzten Raum konnte niemand geben; die Aussagen der Schülerin und des Lehrers blieben unklar. Die Schulaufsicht versuchte den Vorfall zu bagatellisieren und Gespräche darüber in den Lehrerkonferenzen der Stadt zu unterdrücken. Die Eltern des Mädchens sorgten aber dann sehr rasch für eine Anzeige. Noch vor Eröffnung des Hauptverfahrens vor der Großen Strafkammer in D. gelang es Schwebkowski, den Freund Willett, dem die Kriminalpolizei den Paß abgenommen hatte, nach Italien zu bringen. Der für eine Flucht nicht ausgebildete Willett wurde aber in Florenz verhaftet und an die Bundesrepublik ausgeliefert. Hatte Willett wirklich eine Straftat begangen? Das war für Schwebkowski (und auch für seinen Gönner de Martin, der Schwebkowski gewinnen wollte) vollkommen gleichgültig. Selbstverständlich bestritten sie den von der Polizei und den Eltern behaupteten Tatbestand; unabhängig davon ging es aber um eine ganz andere Frage: Ob sie in der Lage waren, einen der Ihren in einer so heiklen Lage zu schützen. Es ging um eine Machtfrage, um die Frage, ob Bildung eine Macht ist, ob für den Kader Bildung Schutz möglich ist.

V

Gespräch mit de Martin

> Die Schulaufsicht hält die wissenschaftlichen Grundsätze, aus welchen die einzelnen Verwaltungs-Maximen herfließen, unverrückt gegenwärtig und dient der Sektion, ihr Verfahren im einzelnen immer nach seinen allgemeinen Richtungen übersehen und gehörig würdigen zu können; sie verrichtet außerdem diejenigen ihrer Arbeiten, welche eine freie wissenschaftliche Muße erfordern und mitten unter den Zerstreuungen der laufenden Geschäfte nicht gedeihen können
>
> Wilhelm v. Humboldt

Den Vormittag über war der Dienstapparat von Oberschulrat de Martin besetzt. Eine Zeitlang wäre er an sich frei gewesen, da war aber die Sammelnummer des Schulkollegiums überlastet. Als Schwebkowski in den Mittagsstunden zum Büro seines Freundes durchwählen konnte, sagte ihm die Sekretärin, die nicht wußte, wer Schwebkowski war, de Martin habe soeben das Amt verlassen. Durch das Drehen an der Telefonscheibe und das lange Warten (teilweise unter Benutzung von öffentlichen Fernsprechern) entnervt, überzeugte sich Schwebkowski nicht persönlich im Amt von de Martins Abwesenheit. Dort hätte er den Oberschulrat noch angetroffen.

Nachmittags sollte de Martin im Landtagsgebäude zu treffen sein. Schwebkowski suchte das Gebäude ab, in dem der kulturpolitische Landtagsausschuß tagte. De Martin überbrachte jedoch um diese Zeit anderswo einer Lehrertagung die Grüße des Kultusministers und des Oberbürgermeisters. Die Zeit drängte für Schwebkowski. Schwebkowski traf de Martin abends im Foyer der Rheinhalle. De Martins Gesicht verwandelte sich, sobald er seinen Freund Schwebkowski sah, in eine freundliche Grimasse; er war für die Schnelligkeit seiner Wandlungsprozesse bekannt: eben noch eine gewisse ministerielle Überheblichkeit, jetzt eine liebenswürdige Freundesmiene. Er hoffte noch, Schwebkowski für die Schulaufsicht zu gewinnen. Deshalb versprach er auch, die Abgeordneten Fuhr und Semmler auf den Fall Willett anzusprechen. De Martin traf andere Freunde, die wichtiger waren als Schwebkowski. Später sprach er mit den bereits erwähnten Abgeordneten, die zum Empfang gekommen waren; da jedoch de Martin zahlreiche vordringlichere Themen zu besprechen hatte, konzentrierte er sich nicht auf den Fall Willett. Die Abgeordneten vergaßen den von ihm erwähnten Namen gleich wieder. Hätte sich de Martin mehr darum gekümmert, wäre das Ergebnis voraussichtlich auch kein anderes gewesen. Wahrscheinlich konzentrierte sich de Martin auch aus diesem Grund nicht genügend auf den Fall. Um aber die schwache Chance eines Zufallsglücks im Fall Willett (z. B. die Staatsanwaltschaft stellte das Verfahren von sich aus ein) für die Gewinnung Schwebkowskis nutzbar zu machen, redete er wenigstens kurz über den Fall, um sagen zu können, er hätte Fuhr und Semmler darauf angesprochen, denn es gehörte zu de Martins Gewohnheiten, in solchen Fragen immer die Wahrheit zu sagen, da Unwahrheiten in unnötige Abhängigkeiten bringen. Am folgenden Tag konnte Schwebkowski de Martin nicht erreichen. Der Oberschulrat befand sich auf einer Dienstreise nach Münster, Köln, Duisburg und Essen, von der er erst Ende der Woche zurückerwartet wurde. Durch seine Sekretärin ließ de Martin ausrichten, er hätte mit den Abgeordneten gesprochen. Unterwegs war de Martin nicht zu erreichen. Sehr schnell sah Schwebkowski die Unerreichbarkeit de Martins ein.

Übergabe Willetts am Brenner
Hätten die österreichischen Grenzbehörden den Transit des verhafteten Willett von Italien in die Bundesrepublik verhindern können? Der österreichische Oberst, der die Grenzwache am Brenner befehligte, riet davon ab. Vor ihm saß Willett in einem verbrauchten Staubmantel, übermüdet von den Aufregungen des Transports. Der in der Nacht zur Grenze herangereiste Schwebkowski versuchte, den Freund zu retten. Eine Verweigerung des Transits hätte aber lediglich zu einem Rücktransport des Gefangenen nach Mailand geführt. Von dort wäre Willett nach Deutschland eingeflogen worden. Die Kosten des Flugs hätte Willett tragen müssen. So konnten also auch die österreichischen Grenzbehörden Willett nicht retten.

Das Beispiel des Botschafters v. O.
Im 3. Reich gab es einen gewissen Botschafter v. O., der später die Kunstschätze Roms retten half. Er war kein Nationalsozialist. Die Stellung, die er bekleidete, nützte aber den Nationalsozialisten. Er bekleidete sie, um Freunde und Standesgenossen weiterhin zu schützen. Seine Unterschrift, seine Persönlichkeit, seine geheime Opposition deckten die Politik der

Nationalsozialisten. Schließlich verlor er die meisten seiner Freunde und Schützlinge, später auch seinen Posten. Nach dem Krieg wurde er vor ein Militärgericht gestellt. Die permanente schiefe Lage des Botschafters v. O. ist das Grundbeispiel für Schwebkowski; es zeigt die Grenze an: Sobald es nicht mehr gelingt, Freunde zu schützen, ist es Zeit, das Amt zu wechseln.

Kurze Bestandsaufnahme

> Wie man Wasser aus einem volleren Glas an einem Wollfaden in ein leereres leitet. Sokrates

Die Bildungsmethoden einer Gesellschaft, die Bildung eigentlich nicht will: 14 Fächer teilen sich in 9, maximal 12 Jahre. 2mal wird alles wiederholt. Das zu Hause Gelernte wird in der Stunde abgefragt. Das im Vierteljahr Gelernte wird in Abständen geprüft. Wer aufpaßt, gelangt heil durch die Bildungsanstalt.

Niederzwingung des Pädagogen durch den Zoll

> Im Jahre 1918 bezog der sowjetische Pädagoge Makarenko mit einer Gruppe von acht jugendlichen Verbrechern eine abgelegene ehemals zaristische Baracke, in der es nichts gab als eine Axt, mit der sie sich gegenseitig totschlagen konnten. Sie haben sich nicht totgeschlagen, weil sie sich gegenseitig brauchten.

Mit seinen Schülern von einer Klassenfahrt nach Gesamt-Berlin zurückkehrend, überwarf sich Schwebkowski in Helmstedt mit den westdeutschen Zollbehörden. Er hatte den Schülern die Mitnahme von Schriften und Büchern aus Ost-Berlin erlaubt. Die Zollbeamten beschlagnahmten diese Schriften; vor den aufmerksam registrierenden Schülern erwies sich der Pädagoge unwissenden Beamten unterlegen. Später fiel umfangreicher Schriftwechsel an, da die disziplinarrechtlichen Folgen von Schwebkowskis Widerstand zunächst nicht geklärt werden konnten. In einem anderen Fall wurde von der Schulaufsicht die Lektüre von Jean Paul Sartres »Die Mauer« für die 6. Klasse (16jährige) beanstandet. In wieder einem anderen Fall konnte ein vom Lehrer versprochener Ausflug in das Bergische Land wegen der Transportgefährdung der Schüler nicht genehmigt werden, da die Unfallquote von Schülerunfällen im Regierungsbezirk die zulässige Richtzahl bereits überschritten hatte. Aus bereits vorweggenommenen ähnlichen Erwägungen kamen eine größere Anzahl von Projekten Schwebkowskis gar nicht erst zum Vorschlag.

Wird der Lehrstand irgendwann einmal der erste Stand sein?

Diese Gründe zusammen: die wissenschaftliche Auszeichnung, die vorzügliche Befähigung im Beruf, das anständige Gehalt und die durch innere Würdigkeit bedingte Aussicht, verbunden mit der rücksichtsvollen Behandlung der Schulmänner, haben diesen Stand mit einer Achtung und Anerkennung in der bürgerlichen Gesellschaft umgeben, die ihm sonst nicht zuteil wurde und die sehr vorteilhaft auf ihn selbst zurückfließt. Ein junger Oberlehrer von Auszeichnung ist darum auch in sozialer Hinsicht ein sichergestellter Mann, geht den Beamten anderer Dienstkategorien, selbst den angesehenen, parallel, und jedes Jahr liefert Beispiele von Heiraten, die zwischen ihnen und den Töchtern aus den angesehensten Familien im Staatsdienst, von Generalen, Staatsräten, Regierungspräsidenten oder Direktoren geschlossen werden.

Friedrich Thiersch, Öffentlicher Unterricht I, 460, um 1840

Die Stellung, die der Lehrer durch die moderne gesellschaftliche Entwicklung erhalten muß, begegnet in der Praxis erheblichen Schwierigkeiten. Dem Lehrer fehlt die Freiheit der Eigengestaltung, die seiner Bedeutung für die Gesellschaft entsprechen würde, und die Selbständigkeit und Entscheidungsfreiheit eines Finanzvorstehers ist heute wesentlich größer als die eines Lehrers oder Schuldirektors. Wenn es eine Zeit gab, in der der Landrat und der Offizier der erste Stand im Staate waren, dann könnte man mit einem Bild aus jener vergangenen ständischen Denkweise sagen, daß der Lehrer heute der erste Stand in der modernen Welt geworden ist.

Hellmut Becker, Quantität und Qualität, 1962

Die akademisch gebildeten Lehrer erhalten Gehälter nach Besoldungsordnung A 13 und A 14 wie die wissenschaftlichen Assistenten an den Universitäten – was hat der Lehrberuf mit einer Beamtenbesoldung zu tun? Lehrer brauchen alle sieben Jahre ein freies Jahr, in dem sie sich auf den neuesten Stand der Dinge bringen können – wer gibt ihnen diese Zeit? Bildungsfragen und daher Lehrerbildungsfragen sind das Politikum unserer Zeit – aber wie viele sind es, die diese Fragen ernst nehmen? Der Lehrberuf braucht die Leidenschaft – aber ist sie zulässig?

Spur, über die Willett gestolpert ist
Schmaler, brauner Rücken – nicht einladend zum Beischlaf. Knöchern und frierend unter der Haut das, was den Eingeweihten herbeizieht, den Pädagogen bewegt. Schon an den Albigensern hat man dies zerstört. Ruckartig öffnet der Zeuge und spätere Anzeigeerstatter den selten benutzten Kartenraum: Keine Macht im gesamten Kulturbereich kann den ertappten Pädagogen mehr retten.

Schwebkowski gibt einen Glauben auf

Der Fall Willett überzeugte Schwebkowski endgültig davon, wovon er bereits teilweise überzeugt war, daß die Gesellschaft, in der wir leben, für Bildung, für Erfindung, für Tätigkeit und Spur des Geistes keine Verwendung hat. Sonst gäbe es Machtmittel, die im Fall Willett wirksam wären.

Entwicklung seit 1800

> Fühlt ihr nicht an solchen Gestalten, wie noch der Spinozas, etwas tief Änigmatisches, Rätselaufgebendes und Unheimliches? Seht ihr das Schauspiel nicht, das sich hier abspielt, das beständige *Blässerwerden* – die immer idealischer ausgelegte Entsinnlichung? Ahnt ihr nicht im Hintergrund irgendeine lange verborgene Blutsaugerin, welche mit den Sinnen ihren Anfang macht und zuletzt Knochen und Geklapper übrigbehält, übrigläßt?
>
> F. Nietzsche, Die fröhliche Wissenschaft

Furchtsame Leute um 1800 haben die geistige Entwicklung in Deutschland kanalisiert. Idealität ersetzt Macht, Überhöhung ersetzt Kritik, Rechtsgeschichte überbietet das Recht, Philosophie lenkt ab von der Praxis, Kunstgeschichte lenkt ab von der Baupraxis. Hegel wurde von Minister Altenstein nach Berlin berufen, um die hauptsächliche Jugend von gefährlichen praktischen Idealen abzulenken. Die Kalmierung gelang. Was nützt die Auflehnung des Geistes, wenn seine Organisation gegen Auflehnung ist? Gehorsame Fakultäten ließen sich von Kalmierern schikanieren und ausstatten, so wurden sie selbst kalm; Schulen unter Militärverfassung bildeten die Unteroffiziere und Offiziere, die die Schlachten von Königgrätz und Sedan gewannen, die von 1914 bis 1918 verloren. Was können die demokratischen Arbeitsjahre von 1923 bis 1928 (vorher Inflation, hinterher Krise) gegen eine Tradition von 150 Jahren ausrichten? Wie rasch saugt die Tradition einen Moment

Geschichtslosigkeit zwischen 1933 und 1945 wieder auf? Unter den gegebenen Umständen fand es Schwebkowski ganz überflüssig, Lehrer zu sein.

VI

> Auf Kompromisse kann man keine Bildung gründen, denn Bildung fordert Mut und Entschiedenheit: sie soll dem Leben eine Richtung geben.
>
> Rahmenplan, S. 33

Das abschließende Gespräch zwischen den Freunden Schwebkowski und de Martin mußte mehrfach wegen Terminschwierigkeiten de Martins verschoben werden. Es fand in der Privatwohnung de Martins statt. De Martin hatte das vorgeschlagen, um seinen ganz persönlichen Einfluß auf Schwebkowski geltend zu machen: in der Hoffnung, daß Schwebkowskis Unlust am Lehrerberuf ihn vielleicht der Schulaufsicht zuführen würde. Er stellte ihm Aufstieg nach A 14 in Aussicht. Frau de Martin servierte Tee und beteiligte sich am Überredungsversuch.

Im Frühjahr 1962 wechselte Schwebkowski den Beruf. Er trat in die Immobilienfirma eines Düsseldorfer Grundstücksmaklers ein. Hier konnte er endlich auch das Geld aus der Erbschaft verwenden, die ihm zugefallen war.

KORTI

I
Korti im Erfolg

Gesamtsumme

Im ersten Halbjahr 1960 war Korti im ganzen erfolgreich. Eine unbekannte junge Frau beleidigte ihn im Januar 1960, indem sie gegen den Richterstand eine obszöne Bemerkung fallen ließ. Korti, der zu diesem Zeitpunkt in der Gerichtsklause (gegenüber dem Justizgebäude) vor einem kleinen Hellen saß, gelang es, die Personalien der Frau festzustellen. Unter der von ihm gemeldeten Adresse konnte die Polizei die Unbekannte aber später nicht finden.

Der Präsident

Das Gebäude, in dem jetzt das Landgericht, das Amtsgericht, die Staatsanwaltschaft und Amtsanwaltschaft, das Untersuchungsgefängnis und einige weitere Dienststellen untergebracht sind, wurde 1945 vom ehemaligen Wehrbezirkskommando übernommen. Der Präsident hat sich das Gebäude nicht aussuchen können, sonst hätte er diesen Monumentalbau, begonnen 1935, nicht genommen. Die großen, gewölbten Säle, Dienstzimmer und Wandelgänge geben weder wirkliches Vertrauen auf Bombenfestigkeit (weil man aus der Lärmempfindlichkeit des Gebäudes weiß, daß die Decken nicht so stark sein können, wie sie aussehen), noch sind sie dem Gedanken der Rechtsprechung angepaßt, die nicht in kellerartigen Gebäuden angesiedelt sein sollte. Trotz dieser Vorbehalte hätte der Präsident gern eine genauere Kenntnis, eine Theorie des Baues, gewonnen. Er versuchte längere Zeit, an die Bauakten heranzukommen, die aber im Hauptstaatsarchiv unter Verschluß liegen, möglicherweise überhaupt in das document center nach Berlin transportiert sind. Es werden in Zukunft Heizungsreparaturen erforderlich sein oder Veränderungen

des Innenbaus. Wie das Röhrensystem verläuft, läßt sich nur aus den Bauakten feststellen. Der Präsident haßt ein nur pragmatisches Vorgehen (daß man jeweils bei Mauerdurchbrüchen erst nachträglich feststellt, ob man eine Wasser- oder Heizungsader mit durchgeschlagen hat).
Auf seinem Weg die Freitreppe hinauf grüßen Justizwachtmeister den Präsidenten, begegnende Richter grüßen mit einem Kopfnicken kollegial, sie sind in ihrer richterlichen Entscheidung vom Präsidenten unabhängig, dessen Herrschaftsbereich sich auf die Präsidialverwaltung und die Bewirtschaftung der Assessoren beschränkt.

Saal der Justizwachtmeister
Eine einzelne Schreibmaschine tackt langsam in dem durch Regale und hüfthohe Barrieren mehrfach unterteilten Saal. Acht Justizwachtmeister befinden sich im Augenblick in diesem riesigen, reitsaalähnlichen Raum, einem umgebauten Sitzungssaal neben dem Haupteingang. An den Wandfächern für die Posteingänge der verschiedenen Gerichtsabteilungen erscheinen Stenotypistinnen und bringen Eingänge. Die Eingänge erhalten an zwei dafür vorgesehenen Tischen die Eingangsstempel. Keiner der Wachtmeister redet, aber Gronke haut seinen Eingangsstempel mehrmals hintereinander hart auf eingelaufene Schriftstücke.
Es erhebt sich ein Problem: Eine Stenotypistin möchte einen Brief, der versehentlich unter die Eingänge geraten ist, wiederhaben. Der Eingang ist bereits mit dem Stempel versehen. Es ist fraglich, ob der Brief wieder zurückgegeben werden kann. Haubig und Hoffmann wissen keinen ähnlichen Vorfall. Den Landgerichtspräsidenten kann man in dieser Bagatellsache nicht befragen. Der Brief wird verlesen, gegen den Protest des Mädchens. Es ergibt sich aus dem Inhalt des Briefes, daß es sich um ein persönliches Schreiben handelt, andererseits ist der Eingangsstempel bereits erteilt. Es würde zu weit führen, wenn jeder bereits hereingenommene Eingang wieder heraus-

verlangt werden könnte. Der Brief bleibt deshalb bei den Eingängen, wird aber nicht weitergeleitet, sondern in Reserve gehalten. Das Mädchen erhält den Rat, den Brief abzuschreiben. Für die Abschrift wird der Brief ihr ausgehändigt. Das Mädchen darf dafür die Schreibmaschine von Wachtmeister Saremba benutzen.

Fahrstuhl

Sehr gern fährt Korti in dem neuinstallierten Fahrstuhl des Justizgebäudes. Angenehm sind vor allem die Spiegel, in die man hineinsehen kann, wenn gerade niemand mitfährt. Es ist angenehm warm im Fahrstuhl.

Korti in der Verhandlung

Der Beleidiger und Beklagte, Pädagoge, weigerte sich, einen Revers zu unterschreiben, in dem er die Beleidigung abmilderte. Er befürchtete, daß sein Gegner, Philologe, diesen Revers in den philologischen Fachblättern veröffentlichen würde und gewissermaßen rehabilitiert dastünde. Der Pädagoge wollte den Revers nur dann unterschreiben, wenn zugleich eine von ihm verfaßte Gesamtdarstellung des Streitfalles zum Gegenstand des Vergleiches gemacht würde. Inzwischen warfen die Prozeßvertreter der Parteien die Kostenfrage auf. Um 12 Uhr war die Geduld Kortis zu Ende. Die draußen seit Stunden wartenden Rechtsuchenden, die Korti hörten, erschraken. Innerhalb einer Viertelstunde waren auch ihre Angelegenheiten geregelt. So kam Korti noch um halb eins zum gemeinsamen Mittagessen der Richterschaft in die Kantine.

Die Kantinenwirtin

Richter, Gerichtspersonal und Laufpublikum ergeben einen Markt von täglich 160 Menschen. Der Präsident genügt seiner Aufsichtspflicht, indem er monatlich einmal eine Suppe in der Kantine nimmt. Er ist immer hoch erfreut über die Qualität.

Die Kantinenpächterin, eine noch ziemlich hübsche Sächsin, erfreut ihn durch ihre Unterhaltung. Mit der Hüfte lehnt sie ohne viel Aufwand an der Theke, streicht blondes Haar aus der Stirn. Ihre großen Augen, die fast jederzeit lachen, die Schnelligkeit aller Vorgänge in ihrem Gesicht lassen vergessen, daß die Größe der Augen darauf beruht, daß Augen generell bei Sächsinnen weiter aus den Augenhöhlen hervortreten. Der Präsident läßt sich von der Unterhaltung einfangen, weil die Unterhaltung ihm die Zeit gibt, das Essen wirklich zu prüfen, das natürlich auf den Tellern rings umher an den Tischen vielleicht nicht so gut ist wie auf seinem Teller. Insofern ist auch diese Regierungsmaßnahme, wie so viele, vergeblich.

Neben dem Prüfungsrecht des Präsidenten besteht ein selbständiges Prüfungsrecht des Richterausschusses, den Amtsgerichtsrat Korti leitet. Früher gehörte Korti zu den Hauptgegnern der Kantinenbewirtschaftung. Jetzt gehört auch Korti zu dem Personenkreis, der der Wirtin persönlich verbunden ist.

Ihr Mann, den sie schon aus der Ostzone mit herübergebracht hat, bereist die Bezirke Köln und Aachen als Generalvertreter für Uhren. Er ist selten in der Stadt. Das Paar zieht sich für die Wochenenden in die Hotels des nahen Waldgebirges zurück, aus Rücksicht auf eine minderjährige Tochter, die mit dem Ehepaar die Wohnung teilt. Erholt kommt die Pächterin montags wieder zum Dienst, schickt die Tochter in die Höhere Schule, führt die Kantine. Ihr Herrschaftssystem ist auf gezielte Freundschaften aufgebaut. Genügend Geld verfängt sich in diesem Netz, obwohl es schon deshalb nicht einfach ist, aus Richtern und Justizangestellten Nutzen zu ziehen, weil sie nur ein geringes Einkommen haben.

Korti ist seinem Kollegen Wiegand überlegen

Im Februar 1960 hätte Korti ungern mit seinem Kollegen Amtsgerichtsrat Wiegand getauscht, der die Sitzungen des

Schöffengerichts für die Buchstaben A bis K leitete. Kollege Wiegand befand sich in der unangenehmen Lage, den für die gesamte Justizverwaltung verantwortlichen Ministerialdirektor im Justizministerium, Berthold, abzuurteilen. Es handelte sich um eine Verkehrsstrafsache.

Korti hätte sich in einem solchen Fall, d. h., wenn er dem Schöffengericht vorgesessen hätte, entweder krank gemeldet und sich vertreten lassen, oder er hätte eine unerwartet hohe Strafe erteilt, aber eine sehr schwache Urteilsbegründung abgefaßt. Dann hätte die Berufungsinstanz das Urteil aufgehoben und erfahrungsgemäß milde gestraft oder freigesprochen. Ein Freispruch oder eine milde Bestrafung durch Korti selbst hätten nicht das gleiche Ergebnis gehabt, denn gegen ein solches Urteil hätte die Staatsanwaltschaft Berufung eingelegt, die Strafkammer hätte das Urteil aufgehoben und hart gestraft.

Auf diese Ausgangslage hätte Korti den hohen Beamten durch Mittelsmänner aufmerksam gemacht, außerdem hätte Korti die Presse von der Verhandlung ausgeschlossen. Amtsgerichtsrat Wiegand ging anders vor. Er versuchte in der Hauptverhandlung, den ihm an sich übergeordneten Ministerialdirektor ins Unrecht zu setzen; auch die Presse war anwesend. Wiegand hätte dabei überlegen sollen, daß ein hoher Beamter, der zugleich Politiker ist, nicht durch einen Richter, auch nicht durch die Presse, wegen einer Bagatellsache zu erledigen ist. So verschaffte sich Wiegand hier einen Feind, was man nur dann tun soll, wenn man sicher ist, daß man den betreffenden Gegner auch wirklich vernichten kann.

Korti und der Präsident

Im März 1960 versuchte der Präsident in mehreren Anläufen, einen neuen Geschäftsverteilungsplan bei den verschiedenen Herren seines Gerichtsbezirks durchzusetzen. Auch bei Korti versuchte er, Änderungen zu erreichen. Er entzog ihm einen Teil der Jugendgerichtssachen und wollte ihm dafür die Buchstaben S, T, U, V und W der Strafsachen des Amtsrichters als Einzelrichter aufhalsen. Selbstverständlich lehnte Korti diese Änderung ab. Er schrieb:

An den
Herrn Präsidenten
des Landgerichts in S.

Sehr geehrter Herr Präsident!
Zu meinem Bedauern sehe ich mich nicht in der Lage, der in der Verfügung vom 10. Oktober 1960 vorgesehenen Geschäftsverteilung zuzustimmen. Auf dem Sektor des Jugendrechts habe ich seit Jahren meine besonderen Bemühungen auf eine jugendgerechte Praxis gerichtet. Ich würde ungern meine Zuständigkeit aufgeben, mit der mich meine besonders große und lange Erfahrung verbindet. Dann aber erscheint mir bei Beibehaltung dieser Zuständigkeit eine zusätzliche Betrauung mit den Buchstaben S, T, U, V und W in den Angelegenheiten des Amtsrichters als Einzelrichter unangemessen und eine Schlechterstellung gegenüber gleichrangigen und gleichaltrigen Kollegen. Meiner Dienstliste können Sie die laufende Beschäftigung in den letzten Jahren entnehmen. In der Punktbewertung der bearbeiteten Fälle des letzten Quartals unterscheide ich mich nicht von anderen Referaten. Ich bitte deshalb, sehr geehrter Herr Präsident, von einer zusätzlichen Belastung, die ich gewissermaßen als Zuteilung von Strafarbeiten empfinden muß, Abstand zu nehmen.

Mit dem Ausdruck meiner kollegialen
Hochachtung
bin ich Ihr sehr ergebener
Korti

Wenn der Präsident nach diesem Schreiben noch auf seinem Geschäftsverteilungsplan beharrt hätte, hätte Korti Beschwerde beim Oberlandesgerichtspräsidenten eingelegt.

Korti und der Arbeitgeber

Amtsgerichtsrat Korti als Jugendrichter war einer modernen wirtschaftlichen Betrachtungsweise nicht abgeneigt. In dem Strafverfahren gegen Jägerlein und andere war diese Betrachtungsweise jedoch nicht angebracht. In der Hauptverhandlung ergab sich, daß nicht nur die angezeigte Jugendliche Jägerlein, sondern sämtliche Angestellten des Holzgroßhändlers B. die Firma durch Fremdabladen von Holz (§ 242 StGB) geschädigt hatten. Der Arbeitgeber im Falle Jägerlein und andere kämpfte in der Hauptverhandlung aus der ungünstigen Position eines Zeugen und Anzeigeerstatters um seine Arbeitskräfte. Um der Abwanderung aller Arbeitskräfte ins Gefängnis entgegenzuwirken, verstieg er sich zu unwahren Schutzbehauptungen. Korti überlegte, ob er diesen Zeugen durch eine Vereidigung zusätzlich schädigen sollte.
Der Arbeitgeber setzte sich nach der Verhandlung, seiner Arbeitskräfte verlustig, ziemlich deprimiert in sein Auto. Amtsgerichtsrat Korti ist ein unabhängiger Richter, der sich vor keinem Unternehmer zu fürchten braucht.

Korti macht auch vor der Kirche keinen Rückzieher

In der Mittagspause erschien die Bewährungshelferin Treiber auf der Arbeitsstelle der ihr anvertrauten Jugendlichen K. Sie schickte die Mädchen fort, die sich noch im Büro herumtrieben. Sie forderte ihr Bewährungskind auf, ihr zu helfen, die Bürotische zur Seite zu rücken. Sie kniete zwischen den praktisch gehaltenen Möbeln auf die Erde und forderte das Mädchen auf, ebenfalls niederzuknien und dem Herrn für die Arbeit zu danken, die sie ihr vermittelt hätte. Später rückten sie gemeinsam die Tische wieder an den alten Platz und warteten, bis die Arbeit wieder anfing. Es war bei diesen Eingriffen der Bewährungsaufsicht verständlich, daß die Jugendliche wieder straffällig wurde. Korti hielt es für einen Mißbrauch, wenn eine kirchliche Organisation oder eine Vertreterin einer solchen Organisation oder eine sonstwie religiös oder weltanschaulich gebundene Person die Abhängigkeit einer Verurteilten, deren Strafe zur Bewährung ausgesetzt ist, also wie ein Damokles-Schwert über ihr schwebt, ausnutzt, um ihren religiösen Ehrgeiz zu befriedigen. Korti setzte eine solche Ausbeutung gefühlsmäßig, wenn auch nicht tatbestandsmäßig, einer Unzucht mit Abhängigen gleich. Einen Augenblick schwankte er, ob er nicht die Bewährungsauflagen ganz aufheben sollte; er riskierte damit einen Konflikt mit dem Kollegen Jakob. Deshalb verschaffte er der Verurteilten lieber eine neue Bewährungshelferin. (Fräulein Treiber fand aber später doch Mittel und Wege, an das Mädchen heranzukommen. Vertretungsweise sprang sie für die erkrankte Bewährungshelferin Fehn ein.)

Korti weist die Bahnpolizei in die Schranken

Den von der Bahnpolizei am Morgen eingelieferten Neuzugang ließ sich Korti in seiner Eigenschaft als Haftrichter der Untersuchungsstrafanstalt sogleich vorführen.

Das Untersuchungsgefängnis war ein kasernenähnlicher Backsteinbau mit Schießschartenfenstern, die zum Himmel gerichtete Luftöffnungen besaßen. Außen hatte das Gebäude etwas Backsteinschmuck, der aber nicht für die Gefangenen bestimmt war, die ihn nur auf einem Fluchtversuch hätten sehen können, auch nicht für Passanten, denn es war Außenstehenden verwehrt, den Gefängnishof zu betreten, sondern nur für die Richter und Geschäftsstellenangestellten zu beobachten war, deren Fenster zum Hof der Untersuchungsstrafanstalt hinausgingen. Kleine Backsteintunnel brachten die Gefangenen aus diesem Bau herüber in das Justizgebäude. Korti war an diesem Morgen noch ganz frisch. Schon um 9 Uhr hatte er auf der Geschäftsstelle nach neuen Akten gefragt; es waren keine da. Alles war aufgearbeitet, der Aktenbock neben Korti war leer. In dieser Verfassung erhielt Korti Kenntnis von dem soeben eingelieferten Neuzugang. Da er der Bahnpolizei aus grundsätzlichen Erwägungen mißtraute, ordnete er das Erscheinen der Beamten an, ohne Rücksicht darauf, daß sie Nachtdienst gehabt hatten und bereits in ihren Betten lagen.

Vernehmung des Untersuchungshäftlings:

– Haben Sie das Bier bezahlt?

– Ja.

– Die Beamten kamen auf Sie zu und sagten, Sie sollten das Bier austrinken?

– Das Bier austrinken.

– Und dann?

– Ich habe das Bier langsam ausgetrunken.

– Und die Beamten?

– Kamen schon wieder, ehe ich das Bier ganz ausgetrunken hatte.

– Wie viel war noch im Glas?

(Zeigt wieviel)

– Kann das der Wirt des Wartesaals bezeugen?

Er wird sich nicht mit den bahneigenen Polizisten anlegen.

Diese Antwort gefiel Korti. Er fragte jetzt die Beamten.

– Stimmt das?

– Ja.

– (Zum zweiten Beamten, der nichts sagt:) Und Sie?

– Ebenfalls: Ja.

– Haben Sie ihn dann arretiert?

– Ja.

– Warum kam es dann zu dem Vorfall?

– Er leistete Widerstand.

Diese Antwort ärgerte Korti.

– Was hat er gemacht? Hat er mit den Füßen getreten?

Korti bezweifelte nicht, daß die Beamten ohne Grund gehandelt hatten. Die Beamten behaupteten, der Angeklagte hätte

»Bahnhengste« gesagt. Kortis Meinung war in dieser Sache längst gebildet.

Korti holt einen Zeugen vom Rhein herunter

In den ersten Maitagen 1960 wollte ein Gastwirt nicht zur Hauptverhandlung erscheinen, nachdem er im April 1959 gegen den Vertreter Qu. Anzeige wegen einer nichtbezahlten Zechschuld erstattet hatte. Trotz wiederholter ordnungsgemäßer Ladung zog er es vor, am Tag der Hauptverhandlung eine in den Zeitungen bereits angekündigte Schiffsfahrt auf dem Rhein mit Tanz und Bewirtschaftung zu veranstalten; er hatte für diesen Zweck einen Dampfer gemietet und ausgestattet.

Amtsgerichtsrat Korti wartete eine halbe Stunde auf diesen Zeugen. Er konnte sich zunächst nicht vorstellen, daß der Zeuge die Ladung, die ihm persönlich zugestellt war, denn seine Unterschrift stand auf der Zustellungsurkunde (was sich durch einen Unterschriftenvergleich der Anzeige und der Zustellungsurkunde feststellen ließ), in den Wind geschlagen haben sollte. Nachdem feststand, daß der Zeuge sich nicht lediglich verspätete, löste Korti die polizeiliche Fahndung aus.

Die schnellen Boote der Wasserschutzpolizei suchten den Gastwirt K. auf dem Rhein zwischen Eltville und Bingen. Viele Vergnügungsreisende auf den Rheindampfern wunderten sich an diesem sonnigen Frühsommertag über die aufgeregt kreuzenden, vorn wassersprühenden Schnellboote, die verschiedene Dampfer einer scharfen Beobachtung unterzogen. Knapp vor Geschäftsstellenschluß um halb fünf brachten Polizeibeamte den Zeugen zur Hauptverhandlung. Die Vernehmung durch Korti dauerte fünf Minuten. Der Angeklagte wurde zu fünf Tagen Haft verurteilt. Die Kosten des Verfahrens und der polizeilichen Fahndung wurden dem Zeugen auferlegt.

Man unterschätzt oft die Richter, weil sie ein vergleichsweise geringes Gehalt beziehen. Deshalb hat Korti das Exempel statuiert. Es ist der Irrtum zu korrigieren, daß man sich ungestraft mit einem Richter anlegen könne. Das kann nicht einmal der Geschädigte.

Korti und die Polizeiquadriga

Im Winter 1959 wurde Korti zum Ehrenvorsitzenden der berittenen Schutzpolizeistaffel in S. gewählt; er selbst ritt nicht. Korti waren Pferde fremd, und die Vorstellung, durch ein Pferd schneller voranzukommen, wäre ihm absurd erschienen. Die Verfremdung ging so weit, daß Korti bei dem Stichwort »reiten« eher an den Geschlechtsverkehr als an Pferde gedacht hätte. Anders verhielt es sich bei der Reiterstaffel der Polizei, die ihn zum Ehrenvorsitzenden gewählt hatte. Korti setzte in dem Jahr seiner Ehrenpräsidentschaft bei den übergeordneten Behören der Inneren Verwaltung durch, daß die Staffel die Mittel erhielt, zwei Polizeiquadrigen im Mai 1960 vorzubereiten. Es handelte sich dabei um zwei Vierergespanne, Apfelschimmel und Grauschimmel, die von einem berittenen Polizeisergeanten auf braunem Pferd, der den eigentlichen Wagen der Quadriga vorläufig ersetzte, von hinten mit vier Leinen geführt wurden. Korti drang bis zum Innenminister seines Bundeslandes vor, um die Mittelbewilligung hierfür durchzusetzen. Bei dem Sportfest der Polizei im Sommer 1960 wurden dann die – auch von der Presse begrüßten – Quadrigen gezeigt. Zunächst folgten die obligaten Motorradkunststücke, Hundevorführungen und Mannschaftsfahren der Polizei. Plötzlich kamen die zwei Vierergespanne, die das Stadion dreimal durchliefen und vor der Ehrentribüne anhielten, auf der Korti saß. Der Landgerichtspräsident und der Polizeipräsident nickten Korti zu, als die Quadrigen genau vor der Tribüne anhielten. Die beiden Quadrigenführer in weißer Polizeiuniform riefen etwas Unverständliches zur Tribüne hinauf, die auf der Tribüne Befindlichen faßten es als Dank für die Mittelbewilligung auf. Für Korti war 1960 ein glückliches Jahr. Erfolg reihte sich an Erfolg. Dies waren die besten Jahre seines Lebens, eine gewisse Selbstachtung verbindet sich mit langjähriger Erfahrung, während die physischen Kräfte noch nicht nachgelassen haben. Korti war schneller als alle Kollegen, schlagkräftiger und vorsichtiger. Auch demokratischer und moderner als die meisten Kollegen.

Wie Korti mit einer Schöffin fertig wird

Ein Fräulein v. Saalburg hatte die Straße überquert, war auf der Straßenmitte zögernd stehengeblieben und dann lieber wieder zurückgegangen. Dadurch geriet sie in den Bereich eines Lastzuges, der nur in Richtung auf einen parkenden PKW ausweichen konnte. Offensichtlich war die Zeugin fast blind, ein Beamter mußte die Bebrillte im Termin in Kortis Richtung drehen, auch dann sah sie nichts. Nichts erkannte sie wieder, sie konnte sich auch kaum noch an den Vorfall erinnern, da sie sich über den Unfall nicht einmal erschreckt hatte, weil sie kaum etwas davon bemerkte. Korti ging davon aus, daß ein Fernlastfahrer verurteilt werden müßte, denn der Besitzer des parkenden Wagens war offenkundig schuldlos, die Saalburg nicht verantwortlich zu machen; ein Schuldiger mußte im Urteil bezeichnet werden, nicht zuletzt wegen der Regelung der Versicherungsansprüche, die sonst gewissermaßen in der Luft hingen.

Mittags unterbrach Korti die Hauptverhandlung für eine Stunde. In der Kantine konnte er beobachten, daß die noch sehr junge Schöffin (Hausfrau stand als Berufsbezeichnung in der Ladung, aber eher schien sie ihm eine Konkubine), ihr hübsches Gesicht erregt, auf die anderen Beisitzer einredete, den Lastwagenfahrer freizusprechen. Sie hielt ihre Laienkollegen, den juristischen Beisitzer und den Referendar mit Würstchen und Bier frei. Korti wollte sich nicht einmischen, nachdem man ihn nicht aufgefordert hatte, ebenfalls an der Tischrunde Platz zu nehmen.

Gefiel der Fahrer der jungen Frau? Hätte sie sich nicht denken können, daß Korti genügend *Erfahrung* besaß, um sie auch dann zu überspielen, wenn es ihr in ihrem Eifer für den Angeklagten gelang, den Vorsitzenden (also Korti) mit Hilfe der Beisitzer zu überstimmen? Zur Arbeitsüberlastung des Richters kommt hier die Willkür von Frauen. Korti ließ sich widerwillig überstimmen. Bei der Abfassung seiner Urteile kalkulierte Korti viele beobachtete Eigenarten der Großen Strafkammern (an die die Berufungsfälle gehen) ein. Jeder Berufungsfall war für Korti ein Examen, meist wartete er mit dem Diktat der Urteilsgründe, bis sicher war, ob Berufung eingelegt würde; er feilte an den Urteilen, die nach oben gingen, Woche für Woche. Nur selten wurden gut abgesicherte Urteile Kortis aufgehoben. Umgekehrt konnte Korti durch die spezifische Art der Abfassung eines Urteils eine der Großen Strafkammern gegen widerspenstige Beisitzer auf den Plan rufen. In diese Richtung ging Kortis Spekulation im Fall der widerspenstigen Zeugin: Wie zu erwarten war, ärgerte sich die II. Große Strafkammer unter Direktor Hoffmann über den ganz unzulänglich begründeten Freispruch Kortis im Fall des Lastwagenfahrers. Der Fahrer erhielt in der Berufungsverhandlung vor der II. Großen Strafkammer mehrere Monate Gefängnis. Mit einem Begleitschreiben sandte Korti das Urteil an die blonde Schöffin, deren Adresse aktenkundig war.

Die Oberherren Kortis

Die Berufungssachen werden in den Geschäftsstellen des Amtsgerichts gesammelt und durch Justizwachtmeister in den dritten Stock des Justizgebäudes gebracht, dort werden sie nach Jugendsachen und Erwachsenenstrafsachen sortiert, die Erwachsenenstrafsachen werden nach Buchstaben auf zwei Große Strafkammern verteilt. Vorsitzender der Großen Strafkammer I ist Landgerichtsdirektor Dr. Friedrich. Vorsitzender der Großen Strafkammer II ist Landgerichtsdirektor Hoffmann.

Ist Dr. Friedrich menschlich, weil er schwach ist?
Viele Verurteilte halten Dr. Friedrich für einen milden Richter, weil er ihnen Zeit opfert, in ihr Schicksal einzudringen versucht, also neugierig, vermutlich also menschlich ist. Oft hat er Schmerzen, er muß Wasser trinken und Tabletten einnehmen. Oft muß er auch die Sitzung unterbrechen, die bis in die Nachtstunden hineinreicht. Gerichtsdiener bringen dann belegte Schnittchen und Wein für die Richter. Andere Verurteilte sagen, er höre zwar stundenlang zu, aber er vergesse auch wieder alles. Ein ungeübter Angeklagter verfange sich in dem Netz von Freundlichkeiten, das Dr. Friedrich um ihn ausbreite, und verliere das Ziel aus den Augen, hier wieder freizukommen. Außerdem halte auch ein kräftiger Angeklagter eine zehnstündige Hauptverhandlung nicht durch, während Dr. Friedrich, der zwischendurch ißt und trinkt, gerade in den Abendstunden seine besten Kräfte entwickelt. Verurteilt sehe sich dann der Angeklagte einer Justizverwaltung gegenüber, die nicht neugierig, nicht verträumt, nicht menschlich-schwach ist. Insofern sei das Ergebnis von Dr. Friedrichs Güte eher unmenschlich.

Ist Dr. Friedrich ein Intellektueller?
Verurteilte sagen: Der Himmel bewahre uns vor einem intellektuellen Richter, der nicht wirklich ein Intellektueller ist. Was nützt es uns, daß er Klavier spielt, wenn er zum Schluß der Hauptverhandlung die Zeit so schlecht einteilt, daß aus der Beratung ein Stimmungsurteil hervorgeht? Gott schütze uns vor einem guten Menschen, wenn er keine Ausdauer hat. Was nützt ein Tag gütiger Verhandlung, wenn abends die Zeit für die Abwägung der Schuld des Angeklagten fehlt. Der Landgerichtspräsident hält Dr. Friedrichs Urteilsstil (gemeint sind die Urteile von früher, denn heute schreibt Dr. Friedrich keine Urteile mehr) für klassisch; bestochen durch Friedrichs ausgezeichneten Chopin-Vortrag am Klavier, vermutet der Präsident in Friedrich einen umfassenden Geist, so wie man in

manchem nervösen Zahnarzt, der seine Nerven durch Klavierspiel beruhigt, ein Genie sieht; erst zahlreiche Fehlgriffe zerstören den Mythos. Ausgesprochene Fehlgriffe lassen sich aber in der Strafpraxis nicht nachweisen, denn wer sollte darüber richten? Das Geschäftsstellenpersonal, das sich an die Urteilsstatistiken hält und die Akten kennt, sieht allerdings die geringe Reichweite der Interessen des Chefs Friedrich, der sich hauptsächlich für Angeklagte interessiert, die ihm selbst ähnlich sind, der gewissermaßen in den Hauptverhandlungen nach den Verbrechen spürt, die er selbst in seiner hohen Stellung nicht begehen kann.

Warum ist Hoffmann bösartig?

Eine Zeitlang im Winter 1959 hofften viele – einschließlich des Leiters der Geschäftsstelle, der Räte, der Assessoren, der Protokollführer, der Wachmannschaften –, daß Hoffmann infolge eines Herzinfarktes dienstunfähig würde und stürbe, aber die Aussicht zerschlug sich. Hoffmann ist ein schwerer, braunäugiger, vorsichtiger, breitgesichtiger Mann, an Herz- und Kreislaufschwäche leidend, ein großer struppiger Kopf über dem kurzen Körper und kurzen Hals, die langen Backen röten sich bei Erregung, beim Verhör des Angeklagten; die Backen färben sich dann rot-bläulich, so daß zu dem moralischen und juristischen Druck der Hauptverhandlung für den Angeklagten die Angst hinzukommt, daß er am Tode des Gerichtsvorsitzenden schuldig werden könnte, wenn er ihn noch weiter durch Widerstand ärgert. Es gibt harte Strafen.

Verstimmung zwischen Hoffmann und
dem Landgerichtspräsidenten

In einem Streit Direktor Hoffmanns mit seinen Beisitzern mußte der Präsident schlichten, als ein Schöffe, Volksschullehrer, den Sitzungssaal zu verlassen drohte, weil er sich nicht vom Vorsitzenden anschreien lassen wollte, nur weil er eine

Frage anmeldete. An der Saaltür hielt ihn auf Anordnung des Direktors ein Justizwachtmeister fest, bis der Präsident auf Veranlassung des Staatsanwalts, der vermitteln wollte, herbeigerufen werden konnte. Direktor Hoffmann saß auf einem erhöhten Sitz, die Wangen bläulich, die runden kleinen braunen Augen auf den entlaufenen Beisitzer gerichtet. Der Präsident bat den Lehrer in sein Dienstzimmer, und es gelang ihm, den Mann zu überreden, wieder auf die Richterbank zurückzukehren. Dort aber war der Chef, der den Volksschullehrer angeschrien hatte, weil dieser sich nicht knapp auszudrücken verstand, in Wut fortgegangen, ohne an der Geschäftsstelle zu hinterlassen, wo er zu finden sei. Jetzt war der Präsident verärgert und entließ die noch wartenden Teilnehmer der Hauptverhandlung. Der Angeklagte wurde in das Untersuchungsgefängnis zurückgeführt.

Die Oberherren in Kortis Augen
Korti fürchtete die ihm in ihrer Kürze oft unverständlichen Anspielungen Dr. Friedrichs, die Unberechenbarkeit Direktor Hoffmanns, der gerade auf taktisch gelungene Gesichtspunkte in den Urteilsgründen oft gereizt reagierte. Weshalb man Außenseiter zu Hütern der Berufungsinstanz machte, war Korti unverständlich. Sein Vorschlag: Vierzig Assessoren, frisch ausgebildet im gutachtlichen Stil und Urteilsstil, bilden die Berufungsinstanz. Dr. Friedrich lud Korti eines Tages zu einer Weinprobe mit Leberwurstessen im Rheingau ein. Korti fühlte sich den ganzen Abend nicht wohl. Er glaubte, größere Sicherheit zu gewinnen, wenn er viel Wein trank, aber ihm wurde nur übel davon. Er mußte sich vom Gerichtsfahrer nach Hause bringen lassen. Dies war vielleicht ein Mißerfolg, dem aber auf der anderen Seite zahlreiche Erfolge im Verkehr mit den Großen Strafkammern gegenüberstehen.

Gestärkt durch ½ Flasche Champagner
geht Henderson zu Hitler

Der Botschafter Englands, Henderson (als er 1938 die Tschechenkrise beilegen wollte), stärkte sich mit ½ Flasche Champagner, ehe er zu Hitler ging. Der Champagner machte ihn ruhig, siegesgewiß, auch dem gefährlichen Hitler überlegen. Korti nahm vor gefährlichen Unternehmungen einen Likör oder einen Weinbrand.

Eine rasch wieder eintrocknende Liebschaft

Bevor er am Himmelfahrtstag zur Betriebsfeier ging, hatte Korti Angst. Die wenig besuchte Betriebsfeier war eine Erfindung der Kantinenwirtin, um den Umsatz zu heben; Korti umstrich die Kantinenwirtin. Korti wollte mit dieser von allen Seiten bewunderten Frau anstoßen und versuchte, ihrer Hand mit dem kleinen Finger, während die Gläser anstießen, näherzukommen. Das gelang nicht, aber die Frau ergriff seine Hand und streichelte sie. Man legte, nachdem der Präsident und die Landrichter gegangen waren, nur noch die engste Clique der Kantinenwirtin übriggeblieben war, Platten auf. Korti zog die schöne Frau in eine Nische und trank dort mit ihr Brüderschaft.

Später lag Korti zwischen den kräftigen Beinen dieser auch geschäftlich erfolgreichen Frau. Nach einer Weile kam die minderjährige Tochter der Frau in einem Morgenmantel ins Zimmer. Korti wußte bis dahin nicht, daß sie in der Wohnung war; sie setzte sich auf das Doppelbett ihrer Mutter. Die Frauen wechselten einige Worte. Korti erkundigte sich, sobald die Tochter einen Augenblick das Zimmer verlassen hatte (um eine Flasche Wein aus dem Eisschrank zu holen), nach ihrem Alter. Die Auskunft erschreckte ihn, er wollte hier nicht länger bleiben. Die Kantinenwirtin mußte ihn nach Hause fahren. Dieses Erlebnis bestätigte ihre Erfahrung, daß mit Leuten, die Angst haben, keine Geschäfte zu machen sind. Sie hatte Korti gern verpflichtet gesehen, als eine Vorsichtsmaßnahme für die leichtere Erhöhung der Kantinenpreise. Korti erschien am nächsten Tag zur Mahlzeit in der Kantine und tat so, als sei nichts geschehen. Er entsann sich auch nicht an das Du, auf das sie gemeinsam getrunken hatten. Die Kantinenbesitzerin vergaß daraufhin ebenfalls das Vorgefallene.

Ein Problem erhebt sich

In der Jugendstrafsache Slotosch ging es um Blutschande der älteren Schwester mit ihrem minderjährigen Bruder. Die Familie stammte aus dem Osten. Welche Erziehungsstrafe kam für den Jugendlichen Slotosch in Betracht?

Ist eine Lösung des Problems möglich?

Ende Mai beabsichtigte Korti in Urlaub zu gehen. In der Jugendstrafsache Slotosch fand er keine passende Erziehungsstrafe. Er telefonierte mit dem Oberstudiendirektor des Prinz-Max-Gymnasiums, der den Fall aus der Zeitung kannte, aber ebenfalls keine geeignete Erziehungsmaßnahme wußte. Korti spielte mit dem Gedanken, die Frage der Urlaubsvertretung zu übertragen.

Gefunden

1. Juni 1960! Korti überlegte etwas und sah zum Fenster hinaus, während er überlegte, dachte er daran, daß er eigentlich zum Fenster hinaussehen wollte. Überraschend sah er jene Person (vor dem Justizgebäude vorbeigehend), die im Januar gesagt hatte: Ich möchte einmal einen Richter zwischen den Beinen haben. Anschließend hatte sie eine falsche Adresse angegeben (siehe Seite 160). Korti erreichte die Beleidigerin, ehe sie einen Omnibus besteigen konnte. Die Überraschte gab ihre richtige Adresse an. Sie wurde sofort der Bestrafung zugeführt. Dies war am Tage, bevor Korti den Urlaub antrat: 1. Juni. So leicht entgeht Korti niemand.

II
Vernichtung des Gegners

Labyrinth

Einige Beispiele, die im Laufe eines Jahres im Gerichtsbezirk S. anfallen:

1

Der jetzt 29jährige, zum zweitenmal verurteilte W. befand sich 1945, 14jährig, während des Februarangriffs auf Dresden in der Erziehungsanstalt Dresden, die in den Räumen des Stadtgefängnisses untergebracht war. Die Gefangenen waren schon während des Nachtangriffs in ihrer Angst dazu übergegangen, ihre Zellen zu zerstören: das Gefängnis eine große offene Lärmwunde. Zu Beginn des zweiten Angriffs, des Morgenangriffs, öffneten die Wachtmeister wahllos Zellen. Die Gefangenen erschlugen einen Teil der Wachmannschaften und zerstreuten sich an den Elbufern, wo sie von den feindlichen Jagdmaschinen zum Teil verfolgt wurden. Auch W. schloß sich den Ausbrechern an. Dies war insofern ein Fehler, als alles Spätere auf dieser – vielleicht kopflosen – Anfangshandlung aufbaut.

Später beging W., 16jährig, im Westen Raubüberfälle. Zwei Polizeibeamte, die ihn in einem Personenwagen von Wiesbaden nach München transportieren sollten, erschoß er mit der Dienstpistole, die er einem der Beamten entwendete. Der unglaubwürdige Tathergang wollte den Gerichten zunächst nicht einleuchten, später verurteilten sie W. W. brachte zehn Jahre in einem bayerischen Zuchthaus zu. In dieser Zeit sammelt sich Hoffnung. Die trostlosen Jahre des Gefangenenlebens lassen einen Umkehrschluß auf die Großartigkeit der Freiheit zu. Befreit aus dem Gefängnis, geriet W. in die Hand einer Gefangenenbetreuerin, die ihre Güte schon zahlreichen Gefangenen zugewandt hatte. W. hätte jetzt mehrere Berufe ergreifen mögen: Pionierberufe. W. wäre gern nach Abessinien, Südamerika oder in die Antarktis gegangen, aber er erhielt nicht die nötigen Papiere, weil er unter Bewährung stand. Ihm lag nicht an Sühne, da er die getöteten Polizisten als Feinde nicht bedauerte (wenn es auch im Gefängnis zur Angewohnheit wird, von Sühne zu sprechen). Er wurde als Angestellter bei einer Wäscherei untergebracht. Im Kreuzfeuer zwischen der Caritas seiner Betreuerin, der Bewährungsaufsicht und der Last der Arbeit, suchte er Zuflucht bei der Frau eines Gefängnisaufsehers. Nach einiger Zeit wurde W. bei einem erneuten Einbruchsversuch überrascht. Er erhielt eine Zuchthausstrafe von zweieinhalb Jahren und Widerruf der zur Bewährung ausgesetzten Jugendstrafe, der fünf Jahre Gefängnis, die vom Polizistenmord übriggeblieben waren; auf sieben Jahre geht er in die Strafanstalt. Ist die neuverwirkte Zuchthausstrafe von zweieinhalb Jahren oder die zur Bewährung ausgesetzte, inzwischen widerrufene Gefängnisstrafe von fünf Jahren zuerst zu vollstrecken?

2

Ein Mädchen, das das Familienleben ihrer Eltern unmöglich findet. Sie erträgt es nicht, die sie liebt, so schal zu sehen, und will ihre Familie umbringen. Sie erschießt ihren Lieblingsbruder, ein Nervenzusammenbruch hindert sie, weitere Morde zu begehen. Welche Erziehungsstrafe kommt in Betracht?

3

Dr. med. S. ist ein fleißiger, gebildeter, gutausgebildeter Arzt. Im Krieg hat er einmal seine Planstelle als Oberarzt zur Verfügung gestellt, um auf unhaltbare Zustände und Mängel an Sorgfalt in einem Feldlazarett hinzuweisen; daraufhin wurde von den vorgesetzten Stellen sofort Abhilfe geschaffen. Dieser Arzt führt seit Jahren eine Privatklinik, sie ist klein, weil S. auf äußerste Präzision, Vorsicht und handwerkliche Genauigkeit Wert legt. An dem Tag seiner Straftat war er frisch, gut ausgeschlafen, ohne nachteilige Einflüsse auf seinen Körper oder seinen Geist. Aus seiner Aussage: Die Patientin klagte über Schmerzen an der rechten Bauchseite. Die Untersuchung ergab eine starke Spannung und Schmerzempfindlichkeit in der rechten Bauchseite. Alle Symptome sprachen für eine Blinddarmentzündung. Als ich dann zur Operation schritt, fanden wir den Blinddarm nicht. In der Nähe des Dünndarms fand ich eine gelbliche Flüssigkeit, die ich mit dem Tupfer absaugte. Die Patientin schlief nach der Operation mehrere Stunden ruhig. Noch in der Nacht stieg das Fieber ganz heftig, die verantwortliche Nachtschwester rief mich in meiner Privatwohnung an. Nun hatten wir einen Blinddarm oder eine nennenswerte Entzündung bei der Operation nicht gefunden; ich war ganz sicher, daß da keine Entzündung vorlag. Ich ging in die Klinik hinüber und untersuchte die Operierte, die stark und mir völlig unerklärlich fieberte. Ich habe die ganze Nacht gegrübelt, was das sein könnte. Um 7 Uhr früh rief ich Prof. H. in der Universitätsklinik an. Ich bat ihn dringend, die Frau zu übernehmen. Während der Vormittagssprechstunde versuchte ich mehrmals, die Überführung in das Krankenhaus zu beschleunigen. Ich hörte dann von der Sprechstundenhilfe, daß der Krankenwagen da wäre, und ging hinüber, die Verlegung zu überwachen. Alle Schwestern waren im Zimmer, es war ein Großalarmzustand für die Klinik. Ich war sicher, daß sich kein entzündeter Blinddarm in diesem Bauch befand. Die Sprechstunde nahm mich dann vollkommen in Anspruch. Später bin ich zum Krankenhaus gefahren. Aber ich konnte Frau X. beim besten Willen nicht finden. Meine Krankenbesuche und eine anschließende eilige Operation hielten mich den Nachmittag über fest. Abends erreichte ich in der Universitätsklinik nur den Oberarzt, der von einer zweiten Operation der Frau X. sprach, die der Chefarzt vorgenommen hätte, die Operierte sei ohne Fieber. Da dachte ich mir: Jetzt ist alles in Ordnung, ich habe also doch eine Entzündung übersehen. Rufen Sie mich an, bat ich den Arzt, wenn irgend etwas passiert. Ich hörte den ganzen nächsten Tag nichts. Als ich dann am Spätnachmittag

anrief, hörte ich, daß Frau X. gestorben sei. Die Auskunft des Oberarztes über eine zweite Operation beruhte insofern auf einem Irrtum, als sie sich auf eine andere Person bezog, die der Arzt mit Frau X. verwechselt hatte. Die Leiche der Frau X. wurde noch am gleichen Tag obduziert: zwei kleine Verletzungen in der Nähe des Dünndarms. Nachträglich werde ich den Gedanken nicht los, daß ich richtiger getan hätte, die Patientin bei mir zu behalten und ein zweites Mal zu operieren. Aber ob ich die Verletzungen gefunden hätte? Die Anklagebehörde hat Anklage gegen mich erhoben, weil sie davon ausgeht, daß eventuell ich die Verletzungen der Frau zugefügt haben könnte. Der Staatsanwalt sagte mir, daß er zwar selbst nicht an diese Möglichkeit glaube, aber Laie sei, und die Frage geklärt werden müsse, denn ein Leben sei schließlich kein Pappenstiel. Ich stimme ihm darin zu, wenn ich es auch nicht so ausdrücken würde.
Welche Strafe ist angemessen?

4
Vor dem Gericht stehen Jordan, Mahlke und zwei Polizeibeamte. Sie haben in der oberschlesischen Kreisstadt Krottkau im Januar 1945 Gendarmendienst getan. Bei Annäherung der Russen erscheinen sie am 30. Januar 1945 im St.-Josephs-Krankenhaus in Ottmachau, das von katholischen Ordensschwestern geführt wird und mit Geisteskranken belegt ist. Gegen den Widerstand der Schwestern, die die Absicht der Gendarmen allerdings nicht erkennen, lassen sie durch Hilfsbeamte zwei Flaschen Gift in den Tee der Anstaltsinsassen schütten, darauf sterben zwei Kranke. Als Hauptführer des Roten Kreuzes verkleidet, erscheinen Jordan und Mahlke erneut am folgenden Tag – der russische Vormarsch war an der Kreisgrenze vorübergehend zum Stehen gekommen –, sie teilen diesmal größere Mengen eines stärkeren Giftes an die in der Anstalt befindlichen Kranken aus. Auch diesmal stirbt nur ein Teil der Insassen, gegen zusätzliche Giftspritzen wehren

sich die Gefangenen durch Zusammenrotten. Die Gendarmen wissen daraufhin keinen Rat. Sie holen aus Krottkau den Kreisgeschäftsführer der Partei, der die Idioten in das Isolierhaus treibt und sie dort erschießt. Dafür ließ er sich die Dienstwaffen der Gendarmen und der begleitenden Polizisten aushändigen. Die Ordensschwestern waren zu dieser Zeit auf Transport nach Glogau gebracht.
Zwei Jahre Zuchthaus oder fünfzehn Jahre Zuchthaus für Jordan und Mahlke?

5

Dem Wächter Heinrich F. von der Wach- und Schließ-Gesellschaft war ein Fahrrad gestohlen worden. Einige Tage später bemerkte F. bei seinem Wachgang einen Jugendlichen, der sich auf einem von F. zu bewachenden Parkplatz an einem Fahrrad zu schaffen machte. F. geriet in eine besondere Erregung. Als der Jugendliche auf Anruf nicht reagierte, feuerte F. dreimal seine Dienstwaffe auf den Jugendlichen ab, der mit Bauchschüssen liegenblieb. Die Kugeln verletzten an elf Stellen Leber und Magen. Der Junge schleppte sich noch 250 Meter weiter, dann brach er zusammen. F. ging seinem Opfer nicht nach, wozu er nach der Dienstanweisung verpflichtet gewesen wäre, benachrichtigte auch die Polizei nicht, sondern setzte seinen Rundgang fort. Welche Sühne ist angemessen?

6

Der Caféhausbesitzer L. wurde 1936 von den Nationalsozialisten vertrieben. Aus Frankreich floh er 1940 nach Portugal. Von Portugal rettete er sich zur Insel Kuba. Dort wartete er auf die Einreisegenehmigung in die Vereinigten Staaten. Die USA erwiesen sich aber als ein Gefängnis. Sooft L. versuchte, ein Caféhaus einzurichten, verstrickte er sich in Schulden, aus denen er nur nach Jahren der Arbeit als Kellner herausfand. Voller Hoffnung wandte er sich 1958 nach Deutschland zurück. Er fand hier allerdings keine früheren Freunde mehr vor.

Nach Dienstschluß bat er eine in seinem Caféhaus angestellte minderjährige Kellnerin in sein Privatbüro. Sein Fehler war, daß er die Zimmertür abzuschließen versuchte. Dies war ein erster Annäherungsversuch an einen anderen Menschen nach fünfzehn kontaktlosen Jahren. Die Eltern des Mädchens erstatteten selbstverständlich Anzeige. L. verstand das so: 1936 hätten die Nationalsozialisten ihn unmittelbar gefaßt, jetzt faßten ihn diese Leute auf dem Umweg über die Justiz.
Wo sind die Richter für diese und ähnliche Fälle?

Der Schweineohresser

Dr. Korti aß ein Schweineohr, mit Gemüsen umlegt. In dem Stadtteil am anderen Flußufer, wo es das gab. Ein Teil der Gemüse war mit dem Flugzeug aus Malta gekommen, wie der Wirt sagte. Wie ein breiter, fester Lappen lag das Schweineohr auf der Platte, es waren aber sehr schöne Fleischpartien versteckt, vor allem in den Ohrenwinkeln. Zur Mahlzeit ließ Korti Bier in seinen Magen laufen, nicht schluckweise, sondern in abgegrenzten langen Strömen, die im Hals ein Prickeln verursachten, das Korti nur dann unterbrach, wenn es zu arg wurde. Korti saß allein. In diesem etwas dusseligen Zustand, die Lampen des Lokals große sorgfältige rosa Bälle, dachte Korti nach über seinen Feind Dr. Glaube.

Der Sonderfall Dr. Glaube

Landgerichtsrat Dr. Glaube wartete seit Jahren, mit Zurückhaltung, die ihn bei den Kollegen in der Beschwerdekammer – der IV. Zivilkammer des Landgerichts von S. – beliebt machte, auf den Fall, der ihm zugedacht ist: in dem er durchgreift und das Recht gewissermaßen vom Kopf auf die Füße stellt. Einen Fall, groß genug, um den Einsatz der ganzen Person zu rechtfertigen. Dr. Glaube hat den Richterberuf ergriffen, um für einen solchen Fall bereit zu sein. Mehrere Chancen hatte Glaube im Laufe der Zeit verpaßt, erst nachträglich stellte sich heraus, daß es sich um große Fälle gehandelt hatte. Bei den Kollegen ist Glaube wegen seiner Zurückhaltung, seiner vermittelnden Haltung beliebt. Sie würden ihm im Notfall ein Stück auf seinem Weg folgen; vielleicht folgen sie ihm so weit, daß sie ihm ganz folgen müssen. Ein Fall, der für Glaubes Vorhaben groß genug ist, Glaube rechtzeitig klar wird, kommt nicht. In kleiner Münze läßt sich ein umfassendes Vorhaben wie das von Dr. Glaube nicht durchführen.

Glaube, geb. November 1917 in Schneidemühl (Westpreußen). Geschont vom Schicksal, d. h. vorgesehen für große Aufgaben. 1936 Abitur. 1941-1943 Oberleutnant. Keine gebrochenen Knochen. Keine Verletzungen geistiger Art. 1944 Kriegsrichter in Paris. 1946 Amtsrichter in Flörsheim (Main). 1953-1956 Leiter der Strafanstalt B. in Hessen, die er reformierte. Ein Fluchtversuch von Häftlingen (die Wachbeamten hatten vorher vor den liberalen Vollzugsmethoden gewarnt) kostete ihn diese Stellung. Von 1956 bis 1962 ist Glaube in der Beschwerdekammer des Landgerichts in S. tätig. Eines Tages ist der erwartete Fall da, es ist der Fall P.

Fall P.

Ein Mädchen mit Nachnamen P. wird in der Landesheilanstalt gehalten. Man glaubt, daß man sie heilen könnte, wenn das auch mit erheblichen Kosten verbunden wäre. Geld wäre an sich da, wenn man für die P. einen Pfleger bestellen könnte, der ihre Wiedergutmachungsansprüche eintreibt. Sie hat als Kind zugesehen, wie ein Lagerführer ihre junge Mutter vergewaltigt und getötet oder auch nur getötet hat. Ihre Erzählung ist unklar. Viele Gutachter halten die Unklarheit, die sie in dieser, wie in mancher anderen Sache zeigt und die sie in die Landesheilanstalt gebracht hat, für eine Folge ihrer damaligen Eindrücke. Andere Gutachter weisen auf die statistische Erfahrung hin, daß auch in Notzeiten die Zahl der Psychosen nicht zunehme; sie folgern daraus, daß eine Parallelität, aber keine Kausalität vorliege. Der Streit zwischen den Schulen ist kompliziert. Insofern ist es ein Glück, daß die Sache gar nicht zur Verhandlung kommt und es bei dem Aufenthalt in der Landesheilanstalt verbleibt.

Dr. Glaube im Fall P.

Er war sicher, daß er im Fall P. etwas tun müßte, daß er den Zirkelschluß im Fall P. durchbrechen, die Zufriedenheit mit diesem Ergebnis unterbrechen müßte.

Verstimmung zwischen Glaube
und Richterkollegen

Schon die Entscheidung der Beschwerdekammer, meinten viele Richter von S., die eingewiesene P. freizulassen und die Akten der Wiedergutmachungskammer zu übersenden, sei angesichts der zweifelnden wissenschaftlichen Gutachten bedenklich gewesen. Das Oberlandesgericht habe deshalb auch die Entscheidung der Beschwerdekammer aufgehoben. Daraufhin habe Dr. Glaube das bereits wieder in die Heilanstalt verbrachte Mädchen adoptiert und kraft Elternrechts ihre Herausgabe verlangt. Das sei eine offene Brüskierung des Oberlandesgerichts-Urteils gewesen. In der Folgezeit habe Dr. Glaube aus seinem Richtereinkommen die erheblichen Heilkosten für die Patientin P. bezahlt. Wiedergutmachungsansprüche der P. seien, wie es den Gutachten namhafter Hochschullehrer entsprochen habe, rechtskräftig abgewiesen worden. Das Verhalten Glaubes sei insgesamt unverständlich.

Korti und der Fall P.

Er, Korti, habe mit diesem Fall nichts zu tun. An der Adoption habe Glaube niemand hindern können, denn jedermann stehe es frei, Rechtsgeschäfte abzuschließen. *Eine ganz andere Frage sei es, ob es richtig war, sich auf die P. zu versteifen und das OLG zu brüskieren!*

Korti im Café

Korti sah in einem Café: Etwa zwei Meter entfernt, eine Frau, die ihren Kuchen abteilte, ihn aß und dabei Korti in die Augen sah, die er nur vorübergehen ließ. Die von Korti angewandte Geschicklichkeit (das zufällige Vorübergleiten der Augen) konnte angesichts der Offenheit, mit der sie ihn ansah, lächerlich wirken. Korti sah an ihr vorbei auf die Straße hinaus. Plötzlich hörte er ein Kichern, die Frau ging, hohe kleine Brüste, eine Zeitung holen. Sie redete nichts, las aber auch nicht in der Zeitung, sondern sah Korti an, so daß es keine Ausweichmöglichkeiten für seine Augen gab; die Folge war eine Grimasse Kortis. Die Frau trägt einen Glückswürfel am bloßen Hals, wo die Guillotine zuschneiden würde. Korti sagt: Ihr Würfel ist wie ein Orden. Sie verzieht das Gesicht. Später steht sie auf und sagt etwas, das Korti nicht versteht. Sie holt Geld aus ihrem Mantel. Die Kellnerin will Geld herausgeben, die Frau hört nicht darauf. Korti entschloß sich, ihr zu folgen. Auch er zahlte und ließ sich kein Kleingeld zurückgeben. Er folgte ihr. Sie durchlief in angenehmem Tempo die Ladenstraße zum Opernplatz; später verlor er sie aus den Augen. Hatte sie einen Autobus bestiegen?

Vernichtung des Gegners

Die meisten Richter in S. hielten es für möglich, daß Glaube zu der P. unerlaubte Beziehungen unterhielt. Gegen Glaube sprach, daß er sich derart radikal für das Mädchen eingesetzt hatte. Erschwerend trat hinzu, daß die lediglich durch einen Trick aus der Heilanstalt befreite P. nach richtiger Auffassung weiterhin als in der freien Willensbestimmung beschränkt anzusehen war (§ 176 II, Ziffer 2 StGB). Als ein entsprechender Verdacht von Kollegen geäußert wurde, bat der richterliche Disziplinarausschuß für den Bezirk S. Glaube zu einer formlosen Anhörung. Belastend für Glaube wirkte sich aus, daß die im Verhör nach ihrer Einstellung zu Glaube befragte P. eine Erklärung abgab, die sich nur als eine Liebeserklärung auffas-

sen ließ. Unter dem Eindruck des sich um ihn verdichtenden Verdachts beging Glaube, noch ehe staatsanwaltschaftlich gegen ihn ermittelt worden war, im Anschluß an die formlose Anhörung vor dem Disziplinarausschuß, einen Selbstmordversuch, der ihn das Augenlicht kostete. In diesem Zustand war er für den Justizdienst nicht mehr tragbar.
Die in Glaubes Wohnung domizilierende P. wurde noch während des Krankenhausaufenthalts Glaubes wieder in die Heil- und Pflegeanstalt in O. (Rheingau) eingewiesen.
Vorsitzender des Disziplinarausschusses, der die formlose Anhörung veranstaltete, war Amtsgerichtsrat Korti.

Ehrenrunde der Richter, die an der Vernichtung Glaubes teilgenommen haben

Das befriedigte Rechtsgefühl

> Es wäre eine Umfrage darüber interessant, wie viele Zuschauer bei einer Hinrichtung mehr Ekel als befriedigtes Rechtsgefühl empfunden haben.
>
> Leserbrief

Das befriedigte Rechtsgefühl ist das Hornsignal nach gelungener Jagd. Den unbefangenen Menschen könnte die Bestrafung nicht über das Verbrechen hinwegtrösten. Den feudalen Jagdherrn befriedigt der Tod des Wilddiebs und des Waldfrevels, er vergißt sogar den Anlaß, weil er in seinem Kampf einen Schritt weitergekommen ist: der Tod ist ein Präzedenzfall zu seinen Gunsten. So befriedigt den Hanseaten um 1700 der Tod des 16jährigen Diebs. Es ist ein Präzedenzfall zu seinen Gunsten. Den Fabrikanten um 1900 befriedigt der Tod des Mörders auch nach 10 Jahren Wartezeit; der Mord betrifft ihn nicht, aber der Tod des Mörders schärft allen ein, daß sie dem Fabrikanten nicht ans Leben dürfen. Heute müßte danach der Tod des Landes- und Verfassungsverräters das Rechtsgefühl besonders befriedigen. Der Kirchen-, der Eigentumsjustiz folgt die politische Justiz als letzte Verteidigungsfront, nicht nur der westlichen Welt, sondern der Justiz selbst.

Amtsgerichtsrat Jakob

> Ein Verteidiger der Festung Justiz.
> André Gide, Erinnerungen aus dem Schwurgericht

Kennzeichen: Befriedigtes Rechtsgefühl.
Momentaufnahme: Jakob sitzt mit seinem großen, dichtbehaarten Kopf (aber zu Stoppeln die Haare gekürzt) am Richtertisch, ein Blick zum Uhr-Auge am dunklen Saalrand oben, das wie eine Göttin das Gleichmaß der Justizausteilung kontrolliert: montags und dienstags von 8 bis 12 Uhr Sitzung. Um 8 Uhr betritt Jakob den zur Hauptverhandlung hergerichteten Saal. Ein Blick zur Uhr überzeugt ihn, daß der auf 8 Uhr angesetzte Termin auch pünktlich beginnen kann. Von 8 bis 12 Uhr wirft Amtsgerichtsrat Jakob jede Viertelstunde einen Blick zu diesem Auge, wie ein kurzes Vaterunser, da er die Fälle des Vormittags in Einheiten von je 15 Minuten einteilt und diesen Fahrplan einhält, so wie er auch auf Bahnreisen die Zeiten notiert, zu denen der Zug bestimmte Bahnstationen passiert, oder darauf achtet, daß seine acht Töchter zu Hause, die wohl niemehr einen Mann finden werden, zur rechten Zeit den Tisch bereiten und selbst am Tisch sitzen. Von der väterlichen Gewalt sind im wesentlichen nur diese gemeinsamen Mahlzeiten, von der Gerechtigkeit ist die Ordnung übriggeblieben. Jakob straft nach festen ethischen Gesichtspunkten: er bildet zunächst als Grundlage das Mittel aus Höchst- und Mindeststrafe. Für Onanie kommt ein Zuschlag von drei Monaten hinzu, für Ehebruch ein Zuschlag von drei Monaten, für Lügen drei Monate. Eine Wiedersehensfreude gibt es bei Angeklagten im Rückfall. Hier ist noch etwas von der ursprünglichen Geschlossenheit des Systems zu erahnen.
Amtsgerichtsrat Jakob geht es nicht darum, die Leistung der

Kriminalität zu verkleinern, denn das hätte auch eine Verkleinerung des Ansehens der Justiz zur Folge. Es geht um mehr: Die im Großen nicht mehr angewendete Gerechtigkeit findet im Zusammenspiel von Justiz und Kriminalität eine stellvertretende teilweise Erfüllung, eine Erfüllung, die ihr in der Gesellschaft nicht mehr zuteil wird, obwohl Jakob eine solche große Lösung vorgezogen hätte. Aber der letzte Zeitpunkt, zu dem die große Lösung möglich war, wäre die Französische Revolution von 1789 gewesen. Ungeschicklichkeiten brachten diese Revolution in ihrem Höhepunkt zu Fall.
Mitgemacht gegen Glaube: Weil Glaubes Methode (nicht nur im Fall P.) die Grundlagen der Justiz erschüttere. Die individuelle Denkmethode (sprich: Willkür) sei in der Justiz so wenig zu ertragen, wie z. B. im Aufbau eines kommunistischen Staates. Glaubes Ausscheiden sei bedauerlich, aber notwendig.
Begründung: Die Idee der Justiz sei geschrumpft. Viele sähen in der Justiz nur noch einen Ordnungsfaktor. Um so entschiedener gelte es, die Fragmente einer ursprünglich großen Idee zu verteidigen. Glaube habe durch sein Beispiel Institutionen der Justiz unterhöhlt, ohne als Einzelner in der Lage zu sein, etwas Justizgemäßes an die Stelle zu setzen. Glücklicherweise habe Glaube sich in der eigenen Kombination verfangen, d. h., er habe unerlaubte Beziehungen zur eigenen Adoptivtochter unterhalten.
Ob das erwiesen sei?
Breustedt sage es. Jedenfalls liege ein Verdacht im Rahmen des Möglichen.

Amtsgerichtsrat Breustedt
Kennzeichen: Unbezähmbare Denunziationslust.
Momentaufnahme: Als Artillerieoffizier einer Panzerdivision geriet Breustedt 1943 in russische Gefangenschaft. 10 Jahre Lagerdasein in Offizierslagern haben die scharfen Gesichtszüge des Soldaten vertieft. Richter Breustedt sieht aus, als ob er nur schweigen könnte. Im Gegensatz dazu steht ein Mitteilungs-

bedürfnis, eine in der Gefangenschaft erworbene Deformation: andere kommen heim mit erfrorenen Gliedern oder mit Hirnverletzungen. Breustedt wäre einem Flugzeug vergleichbar, dessen Ladung nach vorne gerutscht ist und die Führungskanzel zerdrückt hat: war es seine Pflicht als Artillerieoffizier gewesen, verdächtige Bewegungen zu erkennen und nach oben zu melden, war es in der Gefangenschaft notwendig, auf dem laufenden zu sein, aber die Zunge zu hüten; so haben sich jetzt die Pflichten eines langen Soldatenlebens ineinander verschoben: die strahlenden Augen eines Helden notieren verdächtige Kleinigkeiten, verdächtige Kleinigkeiten summieren sich zu Verdachtsmomenten, Verdachtsmomente drängen zur Zunge. Die Zunge ist nicht zu halten: unwiderstehlich teilt sich Breustedt mit. Er ist die Klatschzelle des Gerichts in S.

Mitgemacht gegen Glaube: Glaube habe die Empfindungen aller sittlich Denkenden verletzt.

Begründung: Glaube habe seine Adoptivtochter P. mißbraucht. Der Tatverdacht beruhe auf folgenden Erwägungen: 1. G. und die P. wohnen (obwohl nicht verheiratet, aber auch nicht blutsverwandt) in ein und derselben Wohnung; 2. bei einem Besuch Breustedts bei Glaube öffnete die P. ungenügend bekleidet die Tür; 3. G. war zu dieser Zeit im Haus anwesend; 4. in der weiteren Unterhaltung an jenem Abend redete die P. Glaube vertraulich an; 5. allgemeine menschliche Erfahrung; 6. besondere Einschätzung des Charakters Glaubes und seiner Einstellung.

Amtsgerichtsrat Wilke

Er ist ein Schauspieler seiner Ideale.
Friedrich Nietzsche, Die fröhliche Wissenschaft

Kennzeichen: Gütig und liberal, aber nicht gleichmäßig gütig und liberal. Unfähig, Widerstand zu leisten, wenn andere Illiberales planen. Im Ergebnis gehört er dann zu den Nichtgütigen, wahrscheinlich deshalb, weil ihm für die Güte das Motiv fehlt.

Momentaufnahme: Seit der Richter anfing, sie zu duzen, antwortete die Angeklagte nicht mehr. Der Richter brauchte ein letztes Wort der Angeklagten für das Protokoll. Die Angeklagte antwortete nicht, der Richter mußte selbst formulieren: Die Angeklagte bittet um milde Bestrafung. Sie erhielt ein mildes Urteil. Bei der Annäherung einer Polizeisirene hätte die Angeklagte aufgehorcht, jemand, der die Treppe heraufsteigt, hätte sie beunruhigt, weil eine Polizeikontrolle ebenso heraufsteigen würde. Die persönlichen Fragen, die Wilke nach der Urteilsbegründung an sie richtete, nahm sie dagegen nicht für voll. Sie glaubte dem Richter die Güte nicht, hielt die Güte für eine besondere Art des Richters, sich einen schönen Tag zu machen. Der Richter war enttäuscht, als seine Menschlichkeit kein Echo fand.

Mitgemacht gegen Glaube: Glaube habe einen entscheidenden Fehler begangen, als er sich mit seinen Kollegen nicht arrangiert habe.

Begründung: Man habe nichts für Glaube tun können. Glaube sei taktisch ungeschickt vorgegangen. Er, Wilke, bedaure den Ausgang des Konflikts. Aber habe man denn dieses Ergebnis voraussehen können?

Amtsgerichtsrat Wilde

Kennzeichen: Lustlosigkeit, in vieler Hinsicht sogar Schwäche. Dem steht das Recht auf die eigene Schwäche gegenüber, das zu den Grundrechten der Persönlichkeit zählt.

Momentaufnahme: Wilde und seine Frau

Im Café: Das Wunderbare, daß sie ihn ansieht, etwas Zärtliches sagt (auch wenn Wilde nichts zu sagen weiß) und die Melodie immer noch hält, wie ein Wettläufer, der sich gegen die auswärtige Prominenz immer noch hält und auf der Rennbahn beklatscht wird: sie weiß immer noch etwas zu sagen: das Wunderbare, daß sie immer noch eine Reaktion, eine neue

Gesichtsbewegung weiß, und als das Fiasko immer noch nicht da ist, sieht Wilde weg. Aber er versucht es noch einmal. Er vermag seine Frau jedoch nicht lange anzusehen, ohne auf die Ruheplätze rechts und links von ihren Ohren auszuweichen. Sie sieht auf seinen Mund, und er beginnt in seiner Unsicherheit zu sprechen: sie sieht ihn zärtlich an, und er klappt mit den Lippen.

Später ist die Zauberstunde zu Ende. Es wird offenbar, daß heute keine Fortschritte gemacht worden sind. Die Zauberin räkelt sich auf ihrem Sitz, als von Aufbrechen die Rede ist. Die Langeweile jeder Veränderung. Da keine Zeit mehr bleibt für vernünftige Bewegungen, pusselt er an ihrem Haar, sie wehrt ab, aber lacht nicht, statt dessen kluckst sie mit der Zunge am Gaumen und macht Aussuch-Lippen wie eine Hausfrau, die unter zu viel Waren wählen muß. Er zahlt, und sie steht schlaksig auf, er holt ihr den Mantel, lustlos, sie haben eine lange Ehe vor sich.

Die Lustlosigkeit gleicht Wilde in der Verhandlung aus: Neulich hat er 12 Prostituierte ins Arbeitshaus geschickt.

Mitgemacht gegen Glaube: Als Protokollführer des Disziplinarausschusses sei er zur Mitwirkung an dessen Sitzungen verpflichtet.

Begründung: Auf persönliche Schwächen könne im Dienst keine Rücksicht genommen werden. Insofern lasse seine Beteiligung an der Sitzung keinen Rückschluß auf seine Einstellung zu Glaube zu. Andererseits solle damit aber nicht gesagt sein, daß er das Ergebnis dieser Sitzung mißbillige.

Amtsgerichtsrat L.

Tuer avec cérémonies

Kennzeichen:

Vfg.

I. Auf AO des Gerichts wird das Todesurteil vollstreckt an Thadeusz Piatzowski – kath. – um 15 Uhr.

II. Sanitätsoffizier wird gestellt.

III. Die Leiche wird, wenn keine weitere Verfügung ergeht, an die Polizeiverwaltung Brandenburg ausgeliefert.

IV. Zur Kenntnis und weiteren Veranlassung Herrn Reg. Med. Rat, Herrn Pfarrer, Herrn Wirtschaftsinspektor, Hauptwachtmeisterei. L.

Vfg.

Am Montag, dem 10. Januar 1944, werden in der hiesigen Anstalt folgende Todesurteile vollstreckt: SAO des Gerichts WK Berlin-Charlottenburg

1. ehem. Gefreiter Reinhard Zitter
2. ehem. Soldat Nikolaus Panzer
3. ehem. Grenadier Anthon L.

Momentaufnahme: Der Richter L. kann es nicht leiden, wenn Angeklagte oder Verurteilte unbeherrscht sind. Oft spricht einer mitten in die mündliche Urteilsbegründung hinein oder er schreit etwas oder weint, obwohl er in diesem Zustand sicher der Urteilsbegründung nicht folgen kann. Ein Verurteilter, der 1943 auf das Fallbeilbrett gelegt werden sollte, warf sich vor dem Staatsanwalt und aufsichtführenden Richter hemmungslos nieder, preßte seine Beine (wie bei Blinddarmreizung) an den Leib, so daß er auch unter Beihilfe der Anwesenden nicht gestreckt werden konnte; man behalf sich dann, den unwürdig Knienden insgesamt in die Reichweite des Fallbeils zu bringen. In einem anderen Fall hängte sich die Frau eines Verurteilten, eine junge Polin, an den Richter L. und umkrampfte ihn in der Leistengegend, was von allen Anwesenden als peinlich empfunden wurde.

Mitgemacht gegen Glaube: Falls Glaube seiner Adoptivtochter gegenüber eine Straftat begangen haben sollte, habe er damit auch in seine Bestrafung eingewilligt.
Begründung: Strafen sei eine Kunst, die mit der Tatbestandsfeststellung beginne. In dieser Hinsicht habe die Verhandlung vor dem Disziplinarausschuß versagt. Es sei keineswegs geklärt, daß Glaube sich an der P. vergangen habe. Unterstellt aber, daß Glaube der P. gegenüber eine Straftat begangen habe, so sei es ein Mangel, daß keine Bestrafung, sondern lediglich eine Selbstbestrafung stattgefunden habe. Ob die Selbstbestrafung Glaubes dem verletzten Recht Genüge leiste, sei zweifelhaft. Die gesamte Abwicklung des Falles zeige ein Versagen des Vorsitzenden Korti.

Korti
Ich, Korti, bin geboren am 3. 9. 1909 in Flörsheim/M. Ich besuchte die Volksschule und die Höhere Schule in S. In Marburg studierte ich von Sommer 1929 bis Sommer 1931 die Rechtswissenschaften, im Herbst 1931 bestand ich die 1. jur. Staatsprüfung. Die 2. Staatsprüfung legte ich in Berlin im Dezember 1935 nach Absolvierung des Referendardienstes und eines Ertüchtigungslagers in Jüterbog ab. Im Krieg ließ ich mich als Kriegsgerichtsrat beurlauben und meldete mich zur Front, da ich festgestellt hatte, daß ich dann nach Südfrankreich zur Heeresgruppe v. Blaskowitz versetzt würde. Andernfalls hätte ich weiterhin in Kroatien Kriegsgerichtsurteile unterschreiben müssen. Ich glaubte zwar damals 1942 nicht an einen unglücklichen Ausgang des Krieges, noch weniger an eine Bestrafung durch die deutsche Justiz selbst, wie sie heute offenbar verschiedenen Kollegen droht, aber ich befürchtete Racheakte der von uns bekämpften Partisanen, deren Kameraden ich zum Teil hinrichten lassen mußte. Vom Standpunkt unserer Führung billigte ich diese Kampfmaßnahmen, ich zog es aber gleichzeitig vor, mich diesem Dienst zu entziehen. Da ich über die Möglichkeit verfügte, als Offiziers-

anwärter nach Frankreich versetzt zu werden, ergriff ich diese Gelegenheit. Ich denke gern an die Zeit in Kroatien zurück, ein Land, in dem wir wirklich die Eroberer waren und Wein und »Damen« offen vor uns lagen. In Frankreich herrschte dagegen straffe Disziplin. Trotzdem: Wer ist nicht gern in Frankreich? Ich würde aber doch sagen, daß die große Zeit meines Lebens auf dem Balkan lag, wenn ich auch nachträglich – und aus grundsätzlichen Erwägungen – es richtiger finde, daß ich das kurze Glück dort nicht überdehnt habe. Viele meiner Freunde von der Artillerie, die dort unten geblieben sind, haben jene erfüllten Jahre mit ihrem Tod bezahlt, wobei ich die Verbindung von Liebe und Tod nie begriffen habe und auch nicht billige, wie mir auch Opern nicht liegen. Ich vermeide im allgemeinen extreme Entscheidungen. Meine Auffassung setzt sich im jeweiligen Moment aus verschiedenen Umständen, Überlegungen, Einfällen, Abwarten und Logik zusammen. Ich möchte sagen, daß fast etwas Schöpferisches dabei ist, denn es gehört viel Erfahrung dazu. Der Einzelne ist auch hier ein Teilchen eines großen Betriebes, im Krieg einer Heeresgruppe oder einer Division, im Frieden ein Glied der Justizverwaltung. Ich glaube nicht, daß es einen praktischen Unterschied macht, wenn einer sich trotzdem als selbständiger Geist fühlt.

Die Wahl, Richter zu werden, finde ich noch heute richtig. Zwar verdient ein Richter weniger als ein Wirtschaftler, hinzu kommt aber, daß jeder andere Beruf ein weitaus größeres Risiko enthält. Wenn ein Richter gewisse Vorsichtsmaßnahmen einhält, braucht er weder den Staat noch die Vorgesetzten, noch die Politik, noch die Kirchen, noch die Verbände zu fürchten, er ist im eigentlichen Sinn des Wortes unabhängiger Richter, dem staatshörigen Richter der 20er Jahre ist der unabhängige Richter der 50er Jahre gefolgt. So ist die Richterbank die geschützteste Stelle in der Gesellschaft, wobei ich, um Mißverständnisse zu vermeiden, bemerken möchte, daß ich keine strafbaren Handlungen begehe und insofern auch nicht

gefährdet bin. Meine Erfahrungen, insbesondere im 3. Reich und in der Besatzungszeit, haben mich aber gelehrt, daß der natürliche Trieb zur Vorsicht zu besseren Ergebnissen führt als jeder andere natürliche Trieb.
Der Richter steht heute anders da als vor 30 Jahren. Die Anrufung der Großen Strafkammer ist die einzige Möglichkeit, die Initiative des Richters zu begrenzen. Ich hätte z. B. im Jahre 1943 die Möglichkeit gehabt, eine Adelige zu heiraten. In Berlin waren die Hochzeitsvorbereitungen der Eltern der Braut, eines Fräulein v. Zachwitz, die auch gar nicht häßlich aussah, sehr weit gediehen, als mein Absagetelegramm eintraf. Mir genügte die Möglichkeit, es war nicht nötig, diese Möglichkeit praktisch auszuführen. In den Elendsjahren von 1945-1947, als die Gerichte nicht oder nur beschränkt arbeiteten, hätte eine solche Ehe sicherlich zu Spannungen geführt. Überdies hatte ich im Jahre 1943 andere Pläne und wollte mich auch nicht von meiner damaligen Frau, die ich in Kroatien kennengelernt hatte, scheiden lassen. Leider machte dann die Schwarzmarktzeit und mein desolater Zustand als kränklich heimkehrender Offiziersanwärter ohne Richteramt die in Kroatien ursprünglich erworbene Autorität wieder zunichte. Meine Frau verließ mich, betrog mich mit einem Kaufmann und verließ mich, als ich das duldete, obwohl ich sie gerade durch meine Duldung zu halten gedacht hatte. Ich gebe zu, daß ich das damals falsch gemacht habe. Oft sehne ich mich nach meiner früheren Frau, von deren Verbleib ich durch Kartengrüße und auch durch gelegentliche Besuche höre, so wie ich mich an die ganze Zeit in Kroatien gern erinnere und mich oft zurücksehne. Andererseits ist das Leben als Richter im Bezirk S. zufriedenstellend. Bald werde ich der dienstälteste Richter sein, wenn nächstens die Kollegen Kaiser, Spetzel, Schwerin, Peitl, Wiesloch, Wirth und Albert sterben, was zu erwarten ist. Bald wird auch der Posten des Oberamtsrichters frei, und ich sehe nicht recht, wie der Präsident es anstellen will, mich bei der Neubesetzung zu übergehen,

der ich mein Soll pünktlich erfülle; auch glaube ich, daß der Präsident mich trotz mancher Auseinandersetzungen gern mag. Alles dies ist nicht Kroatien, aber es ist unter den Voraussetzungen des Augenblicks und der Situation das denkbar Beste.

III
Korti privat

Schneewittchen
Einige Pissoirbecken sind wie Rosenstöcke in Packpapier eingefaßt und mit Bindfäden verschnürt. Korti versuchte, die rosa Desodorierscheiben zu treffen.
Er vermeidet das Lokal, in dem er wieder trinken müßte, und funselt allmählich nach Hause. In der Schmiedestraße ist eine große Schaufensterscheibe eingeschlagen. Eine wunderschöne Prinzessin liegt hinter dem durchlöcherten Glas. Ihr billiges Täschchen hängt an ihrem Arm, der schmale Arm auf einem Glasspeer. Sonst hängt nur von oben und von den Seiten Glas im Rahmen – der Arm mit den gefärdeten Adern auf der Glaskante, was der Verzauberung aber nichts anzuhaben vermag. Aber als Korti den Arm mit dem Handtäschchen emporhebt, zeigt sich auf der Unterseite ein blutiger Schnitt. Er bugsiert das schöne Mädchen aus dem Schaufenster, in dem es totenähnlich betrunken schläft, und schleppt es auf dem Rücken, eine warme weiche Last, die nicht aufwacht, zu seiner Wohnung. Er läßt sie herab, was nach hinten zu Verrenkungen führt, also kippt er sie zur Seite auf den Boden, wo sie schläft. Er bringt sie zu Bett und möchte, nachdem er in der Küche etwas gegessen hat, den Prinzen machen, da er aber zuviel Bier in der Blase hat, geht das nicht. Sie hat nichts bemerkt und schläft in seinem Schlafanzug, öffnet nur einmal die Augen, um sich an ihn heranzukuscheln, schläft sofort wieder ein. Er könnte jetzt vielleicht doch Prinz sein, aber er läßt es, wie es ist.

Schon früh macht er ihr einen Kaffee, weil er wissen will, was sie für eine Stimme hat. Als er aus der Küche zurückkommt, ist sie angekleidet und hat auch das schäbige Täschchen in der Hand, vermutlich will sie so ihr Inkognito wahren, denn die Kleidungsstücke, die herumliegen, sind im Gegensatz zu dem Täschchen kostbar und verführerisch. Korti bringt die Frau, weiß selbst nicht, weshalb er Eile hat, in ein Lokal, das er kennt. Er erschrickt, als ihn die Katze des Wirts, die er an und für sich kennt, am Ellbogen anstößt. Es ist eine Katze mit Uhuaugen, früher nannte man diese Sorte von Katzen schwarze Baumleiter, es wird auch gelegentlich behauptet, daß die Mongolen von Wildkatzen abstammen. Die schöne Frau fragte, weshalb Korti sich so erschreckt hätte. Sie bestellte Biere und wollte einen schönen Frühschoppen starten, die schöne Frau ganz gefügig: Ja. Korti bekam aber Angst, wußte nicht, wohin das führen sollte. Er entschuldigte sich und ging für einen Moment auf die Toilette und fand einen Weg, der ins Freie führte.

Tageslauf Kortis

Regelmäßig steht Korti um 7 Uhr früh auf und hört den »Frankfurter Wecker« im Radio. Ein Frühstück wird zubereitet. Früher einmal im Krieg hatte Korti eine Frau, sie hat ihn aber im Stich gelassen. Nach dem Frühstück geht Korti bis 8.30 Uhr in den Anlagen spazieren. Gegen 9 Uhr erscheint er im Amt. Es gibt Tage, an denen wenig zu tun ist. Schon vor 10 Uhr erscheint Korti mit den fertigbearbeiteten Akten seines Schreibtisches in der Geschäftsstelle und fragt nach neuen Akten. Selten ist noch etwas da. Der Geschäftsstellenleiter hält manches in Reserve, weil er weiß, daß Korti an arbeitsarmen Tagen »Futter braucht«; andernfalls macht Korti Rationalisierungsvorschläge für die Arbeit der Geschäftsstelle, oder er entwirft Mehrzweckvordrucke, von denen es bereits genügend gibt. Diese Arbeitslosigkeit gilt nicht für die Sitzungstage, an denen mit einer kleinen Unterbrechung für die Kantine der gesamte Tag voll besetzt ist. Korti setzt seine Termine dicht an, so daß ein Arbeitsüberdruck entsteht, ein Wirbel, der die Arbeitskraft anregt, das Hirn wacher macht, die Vorsicht anspitzt. Er formuliert an solchen Erntetagen besser als an normalen Tagen, deshalb diktiert er im Anschluß an solche Tage sofort die Urteilsbegründungen hintereinanderweg. Ähnliche Überlastung stellt sich an den Sprechtagen ein und bei Übernahme von Vertretungen, zu denen Korti wie jeder Richter in gewissem Umfang verpflichtet ist. Mittags in der Kantine: Die heiße Suppe schärft die Sinne, überholt Kopf und Körper, das folgende, meist gut zubereitete Gericht stärkt. (In der Verhandlungsführung ist Korti ab 12 Uhr unruhig, er neigt zum Schimpfen. Um ½ 1 Uhr geht er zu Tisch. Auch gibt es im Sommer oft eine erfrischende Kaltschale und weich sich im Gaumen schmiegendes Kompott, das Korti schnell aufißt.) Nachmittags ist oft wenig zu tun. Korti läßt sich die Neuzugänge aus dem Gefängnis vorführen, besichtigt zum tausendsten Mal die Untersuchungsstrafanstalt. Auf unberechtigte Beschwerden mancher Querulanten unter den Gefangenen fällt er nicht herein. Er kennt die Schwächen des Gefängnispersonals, er kann sagen, wann eine Beschwerde berechtigt ist: dann hilft er ihr ab. Gegen fünf Uhr im Herbst wird es in den weiten Gängen des Justizgebäudes dämmrig. Wenig Publikumsverkehr. Im Winter brennen um diese Zeit alle Lampen in den Zimmern der Staatsanwaltschaft und Amtsanwaltschaft, die Richter sind dann meist schon gegangen. Korti versucht auf seinem Spaziergang um das Justizgebäude zu errechnen, ob bei der Staatsanwaltschaft die Personalersparnis durch Längerarbeiten nicht durch die Verschwendung an Licht bei Nachtarbeit wieder ausgeglichen wird. Korti hätte gern einen Dienstwagen und einen Fahrer. Er wäre als Rechnungshofbeamter geeignet; Chancen, Landgerichtspräsident zu werden, sieht Korti nicht; Präsident des Rechnungshofs könnte er werden. Dem Präsidenten des Rechnungshofs steht ein Dienstwagen zu.

Korti trennt sich spät, gegen 7 Uhr, vom Gebäude. Auch zum Sonntagsdienst ist er immer bereit. Nach Hause gekommen, macht er intime Beleuchtung. Er hat wenig Besuch. Kaum kann er einmal seine alten Freundinnen zu einer Übernachtung in S. überreden. Dann kommt die Junggesellenwohnung zu ihrem Recht. Da er vorsichtig bleibt, beschränken sich die Besuche auf bereits gehabte Freundinnen aus den Kriegsjahren, die er damals in der großen Zeit als Soldat kennengelernt hat. Einladungen zu Kollegen, bei denen man dann Salzstangen knabbert und sauren Mosel trinken soll, nimmt er selten an. Um 12 Uhr legt er sich schlafen. Dieser Rhythmus wird natürlich in den großen Arbeitszeiten durchbrochen. Dann geht Korti schon um 10 Uhr schlafen, steht um 6 Uhr auf, hat keinen Augenblick Zeit für Spaziergänge. Es entsteht aus dem Eifer, mit dem er sich der auf ihn eindringenden Arbeit hingibt, aus dem Vorüberhuschen der Stunden und Eindrücke ein Rauschzustand, den er nicht missen möchte. Früher einmal hat man geglaubt, daß man sich in der Freizeit durch Kultivierung des eigenen Ichs sich zum Menschen entwickelt. Bei diesem Verfahren kommt nach Meinung Kortis nichts heraus. Korti wird nervös, langweilig, fühlt sich allein gelassen. In der Rage der Arbeit erhält Korti (der Kopf von der raschen Erledigung der Aufgaben erfüllt) seinen unmittelbaren Zugang zu den Menschen. Es ist dann möglich, daß er einen Zeugen oder Mitarbeiter persönlich interviewt und sich für ihn interessiert und dieses Gespräch fortsetzt, auch wenn draußen 40 Leute warten. So hat Korti seine Freundin Reinhild K. kennengelernt. Dieses aus Thüringen geflüchtete Mädchen, das eine Frisur trug, wie sie Korti aus Kroatien kannte, diese Frisuren gibt es nur noch in der Ostzone, machte vor ihm als beauftragtem Richter eine Aussage gegen ihren in Thüringen verbliebenen Mann, von dem sie geschieden sein wollte. Ohne einen Gedanken an Vorsicht besuchte Korti sie noch am selben Abend. Nie hätte er das in einer Zeit normaler Tätigkeit gewagt.

Berufung als Verfassungsrichter nach Mali

In den ersten Maitagen erhielt Korti ein Angebot aus der eben erst in die Freiheit entlassenen Negerrepublik Mali. Er sollte dort Verfassungsrichter werden; sein ehemaliger Vorgesetzter Dr. R. in Hamburg hatte ihn dorthin empfohlen. Korti hätte seine Planstelle am Amtsgericht in S. in eine Leerstelle verwandeln und das Angebot annehmen können, ohne die Pensionsansprüche in Deutschland zu verlieren. Er zog Erkundigungen über das Klima in Mali ein. Wegen der unsicheren Weltlage verzichtete er aber dann auf die Extratour nach Mali.

Ein Problem kommt auf Korti zu

Ein 19jähriger Autoschlosser tötete seinen Vater, der mit Schrott handelte. Vor der ehelichen Wohnung Luisenstr. 26 näherte sich der Vater drohend einem PKW, in dem die Familie saß. In diesem Augenblick schoß der Sohn.

In der Schöffengerichtssitzung wollte Korti eine einheitliche Atmosphäre erzeugen, wie sie für ein Urteil Voraussetzung ist: Er versuchte die kriminelle Veranlagung des Jungen herauszuarbeiten. Aber sofort erhob die Vertreterin des Jugendamtes Einwände. Später wollte Korti auf Freispruch hinsteuern. Hierfür wären die Schöffen vielleicht zu gewinnen gewesen, aber Korti spürte aus der pikierten Haltung des Jugendstaatsanwalts, daß auch dieser Verhandlungslinie Schwierigkeiten im Wege standen.

Korti lebte in der Hoffnung, daß er diesen Fall ohne Entscheidung wieder loswerden könnte. Er dachte nach ergebnislosem Schluß der Sitzung lange darüber nach, wie er den Fall wieder loswerden könnte, wie er ihn zum Platzen bringen oder abschließen könnte.

Ein weiteres Problem, das auf Korti zukommt

Es handelte sich um ein junges Mädchen, S., aus einer Flüchtlingsfamilie in einem Dorf am Rande des Gerichtsbezirks. Die Familie wurde von den übrigen Dorfbewohnern gemieden. In dieser Familie ereignete sich ein Fall von Blutschande. Das Mädchen beschuldigte zunächst einen Dorfbewohner, sie mißbraucht zu haben. Die Polizei hielt den Schwager der S. für den Täter. Später verdächtigte man allgemein den älteren Bruder des Mädchens. Als der Verdacht auf den auswärts arbeitenden Vater des Mädchens fiel, fragte das Mädchen den vernehmenden Kriminalkommissar: Wer weiß davon? Das weiß bis jetzt nur ich, antwortete der Kriminalist. Als er die Angeschuldigte in das Zimmer der Erziehungsanstalt zurückbrachte, in der sie vorläufig festgehalten wurde, und ihr den Rücken kehrte, um eine Tür aufzuschließen, hängte sich die Angeschuldigte an seinen Hals und drückte mit ihren dafür zu kleinen Fingerknochen zu. Also insgesamt ein schwieriger Fall. Korti gab 2 Jahre als Erziehungsstrafe. Nach der Bestrafung saßen Korti und der Kriminalbeamte in der Kantine. Sie vermuteten, daß die verurteilte S., sobald sie aus dem Gefängnis wieder entlassen wäre, nach dem Vater suchen gehen würde. Wenn sie ihn an der alten Arbeitsstelle nicht fände, würde sie ihn wahrscheinlich so lange suchen, bis sie ihn fände. Falls er seinerseits dann schon aus der Haft entlassen war!

Anlauf zur Lösung des Problems

Weshalb haben Sie, als Ihr Vater auf dem Bürgersteig lag und blutete, aber noch stöhnte, also noch nicht tot war, Sie daneben hockten, einen zweiten Schuß abgegeben, der ihn dann traf? Mit dieser Fragestellung eröffnete Korti die zweite Jugendschöffengerichtssitzung gegen den 19jährigen Autoschlosser, der seinen Vater erschossen hatte.

Und was haben Sie getan, bis Sie zum Telefonhäuschen gingen und den Peter Wagen der Polizei anforderten? Was haben Sie mit Ihrer Mutter und Ihrer Freundin gesprochen, die Ihnen, bevor Sie auf Ihren Vater schossen, der auf den Wagen zukam, den Revolver zu entreißen versuchten, vielmehr – ich berichtige mich – bevor Sie Ihrem angeschossenen Vater den Pistolenknauf auf den Kopf schlugen, was einen Schädelbruch zur Folge hatte? Korti behandelte sorgfältig jede Einzelheit des Tathergangs in der Hoffnung auf eine Lösung. Er las in den Akten und stellte dabei Fragen. Ein Freispruch schien ihm zu sensationell, eine Erziehungsstrafe mußte gut gewählt sein, durfte nicht lächerlich wirken, für eine Jugendstrafe mußte erst die Stimmung sondiert und vorbereitet werden.

Der Schläfer in der Hoffnung, daß eine kommt

Auf einer Faschingsveranstaltung nahm Korti nicht an dem unruhigen Treiben der vielen Paare teil, sondern legte sich auf ein Ruhebett, die Veranstaltung fand in Privaträumen statt, von diesem Ruhepunkt außerhalb des Geschehens sah er den Tanzenden zu und schlief auch eine Zeitlang, hielt sich also frisch, um im späteren Verlauf des Festes vielleicht noch einmal aktiv zu werden. Er hoffte inständig, daß vielleicht jemand käme und sich zu ihm setzen würde; viele Paare wunderten sich über den Schläfer, der sein Ruhelager bis zum Ende des Festes nicht mehr verließ und zuletzt so müde war, daß er nach Hause gefahren werden mußte.

Lorbeer-Abenteuer

Die Bar war so angelegt, daß man eine Treppe hinaufgehen und sich dann hinhocken konnte: ein Kinderstockwerk, in dem man sich nicht aufrichten durfte, in dem man aber auch nicht gesehen werden konnte. Korti fühlte sich unterlegen, weil er ein ungewohntes Hemd trug, das seinen Wärmehaushalt durcheinanderbrachte, enge Hose am Bauch, die vielleicht das Blut abschnürte. Was nützte da die günstige Gelegenheit, daß er sie vor sich sitzen hatte in diesem Kinderparadies, er fand keinen Anfang. Er sah ihr zu, der schon lange Verfolgten: wie ihre silbergefärbten Nägel, die schrieben, den Tisch zum

Unruheherd machten, Zigarettenspitze, Schluchten in der Haut am Kinn; Warze an der Schläfe, an der Hand ein Siegelring wie eine Warze, haarüberdeckte Stirn, Augen, auf denen schwere grüne und silberne Schminke lag; Lorbeerfeder am Kleid, Siegerin mit silberlackierten Fingerschnäbeln.
Nach kurzer Zeit war Kortis Hemd vom bloßen Zusehen so durchgeschwitzt, daß er nach Hause gehen und es wechseln mußte. Vorher mußte er bei dem Kellner die horrende Rechnung für ein Glas Whisky bezahlen; sie ließen sich diesen Ausflug in die Kinderzeit in der Bar teuer bezahlen; obwohl sie andererseits durch die kleinere Bauausführung nur Material sparten. Was bezahlt wurde, waren die Seltenheit eines solchen Lokals und die verbotene Rückkehr in die Kindermaßstäbe. Als Korti mit frischem Hemd und anderer Hose wiederkam, diesmal eines Sieges sicher, war die von ihm aus der Ferne schon lange verehrte Dame – wie er vermutete, eine Schauspielerin – schon gegangen.

Abfuhr und anschließende Mahlzeit
Viele Richter verehrten damals, ja waren verliebt, in die junge Kammersängerin S., die einen großen Mietprozeß vor dem Landgericht führte und deshalb oft im Gebäude zu sehen war. Wie viele Kollegen sandte auch Korti ihr Blumen. Nachdem er das längere Zeit hindurch getan hatte, bat er sie, einen Abend mit ihm auszugehen. Er hatte durch Anruf im Intendantenbüro festgestellt, daß sie für diesen Abend im Opernhaus keine Verpflichtungen hatte. Er erhielt eine Absage. Abends erschien dann aber eine Gruppe Menschen vor seiner Tür, die ihn zu einem Enten-Essen mitnehmen wollten. Die schöne Sängerin war nicht unter den Leuten, aber sie hatte Freunden gesagt, der Rat Korti säße einsam zu Hause. In einem für Empfänge hergerichteten Jagdhaus gab es den Enten-Braten. Die Mahlzeit, zu der Sekt getrunken wurde, entschädigte Korti. Es waren auch Damen erschienen; es gelang Korti aber nicht, sich in die Nähe einer Dame zu setzen. Dafür durfte er

sich mit einem Wirtschaftsführer unterhalten. Es gibt für alles ein Surrogat.

Rückerinnerung
Eine junge Frau bestellte zwei Königinpastetchen, Torte und Eis, in Erwartung dessen streichelte sie ihren Hund. Sofort war in Korti die Erinnerung an Maria da, seine verlorengegangene Frau.

Genauere Rückerinnerung
Bestand 1956, als Frau Maria Korti auf ein Wochenende ihren Mann Korti besuchte, eine Chance der Wiedervereinigung? Oder war es lediglich eine Laune, daß sie kam? Korti trank am Abend ihrer Ankunft ziemlich viel Alkohol, er war völlig überrascht von der Ankunft, fürchtete einerseits für sein Junggesellenleben, wollte sie andererseits keinen Augenblick aus den Augen lassen, während sie mit ihren braunen Lama-Augen auf dem Barhocker neben ihm saß und ihm Sachen sagte, von denen sie glaubte, daß sie ihm angenehm wären. Er kam aus dem Gefängnis seiner Gewohnheiten nicht heraus, wurde müde, als es 10 Uhr wurde; es war nicht die alte Zeit in Kroatien. In der Hoffnung, die Unerwartete dennoch zu fesseln, versprach Korti goldene Schlösser für die Zukunft, einen neuen Korti. Maria Korti sagte zu allem: Ja.

Wie war Marias Antwort: Ja, aufzufassen?
Sie stellte sich gar nicht vor, ob sie das, was Korti versprach, haben wollte, denn das hätte die Antwort kompliziert. Sie entnahm seinen Worten, daß er sie wieder um sich haben wollte, und so verlängerte sie sich das Gefühl, bei ihm Schutz gefunden zu haben, indem sie ihm zuhörte und allen Plänen zustimmte. Sie sagte ohne Vorbehalte ja, weil sie zugleich damit rechnete, daß es zu diesen Dingen, d. h. zu den Wandlungen Kortis, nicht kommen würde, daß er schon in der nächsten Woche wieder der alte wäre. Sie hätte in ihrem Leben

nur für Dinge, von denen sie wußte, daß sie sich nicht ereignen, feste Zusagen gegeben. Stand ihr Wille fest, etwas wahrscheinlich nicht zu tun, konnte sie zusagen, aber sie wäre zu abergläubisch gewesen, eine Zusage für etwas abzugeben, das sie sich selbst wünschte. Sie war aber nicht mehr sicher, daß sie sich wünschte, bei Korti zu bleiben.

Unglück und Organisation
Korti meinte später, nachdem ihn Maria verlassen hatte, wenig später reichte sie die Scheidungsklage ein, daß vielleicht die Junggesellenwohnung Maria nicht gefallen hätte. Er gab diese Wohnung auf, räumte eine neue Wohnung ganz neu ein, organisierte seine gesamten Gewohnheiten neu, in der Hoffnung, daß er so für eine vielleicht noch kommende zweite Rückkehr seiner Frau gerüstet wäre. In diese Zeit fiel eine Neuaufstellung des Geschäftsverteilungsplanes, Korti wurde mit Arbeit vollgepackt. Ihm wurde die Aufsicht über die Gerichts-Bibliothek übertragen. Vorsitz im Schwurgericht lag an. Geldüberweisungen waren auszuführen. Die Organisation des neuen Haushaltsplanes für den Gerichtsbezirk S. und die Reorganisation der Geschäftsstelle waren vorzunehmen. Korti erlebt privat Enttäuschungen und Zurückweisung, aber auch gegen privates Unglück gibt es ein Auffangsystem, das noch jedes Unglück, das Korti betroffen hat, in Organisation verwandelte. Korti ist nicht angreifbar.

IV
Kortis Ende?

Gesamtsumme
Von welcher Seite will man Korti noch gefährden? Frontal schützt ihn die Unabhängigkeit des Richterstandes. Fehler, die die Unabhängigkeit kosten, macht Korti nicht. In den Flanken schützen Richterkollegen. Im Rücken steht das deutsche Volk, das er mit seiner Spruchtätigkeit vertritt. Die Großen Straf-

kammern können ihn nicht absetzen, die Vorgesetzten können ihn nicht anweisen. Selbst Hitler hat die Justiz nicht bezwungen. Im ausgebauten Spinnennetz Justiz sitzt Korti. Wer bezwingt Korti? Niemand, der nicht zuvor die Justiz bezwänge.

Kurzgefasster Lehrgang der deutschen Justiz

Barbarische Justiz nach 1300
Nach 1300 entstand als Antwort auf die im 14. Jh. rasch ansteigende Kriminalität die Justiz. Ihre Mittel übernahm die Justiz von der Kriminalität. Als sich diese Mittel nicht nur gegen Straßenräuber, Brandstifter und Münzfälscher, sondern auch gegen verdächtige Bürger richteten, suchte man nach 1400 Schutz auch gegen die Justiz: den Schutz gegen die Justiz bildeten die Justizformen.

Oberflächliche Romanisierung nach 1400
Die Formen entnahm die Justiz der römischen Rechtsgeschichte. Unterhalb der Formen blieb die Justiz, wie sie war. So zerfällt die Justiz in Zivilrecht, Strafrecht und Vollzug: in einen rationalen Oberbau, einen christlich-mittelalterlichen Mittelbau und einen barbarischen Unterbau. Den gewachsenen Kentaurenleib aus dem 15. Jh. wagte später niemand zu zerschneiden.

Liebe zur Justiz (amor juris)
Diese Justiz war nie bestimmt, der Gerechtigkeit zu dienen. Nach 1300 und nach 1400 beabsichtigte niemand, Gerechtigkeit einzuführen. So verteidigt die Justiz in ihren Mauern die Idee der Gerechtigkeit gegen eine ungerechte Welt, aber die Gerechtigkeit war nie in diesen Mauern. Abgeschnitten von ihren Zufuhrgebieten in der Idee wird die Justiz pervers. Sie schützt, wie sie vor vielem anderen schützt, vor der Gerechtigkeit. Wer also liebt die Justiz? Alle, die Veränderungen fürchten müssen.

Rationalismus ohne Aufklärung

Im 18. Jh. unterlag auch die Justiz der Aufklärung. Die Aufklärung in Deutschland nach 1700 hat aber nicht schlechthin aufgeklärt, sondern im Rahmen des Vorhandenen aufgeklärt. In der Justiz waren vorhanden: 1. persönliche Anschauungen der Richter; 2. Überordnung des Richters über den Angeklagten; 3. Rechtsgelehrsamkeit, die die Nachwuchsbasis schmal hält, den Stand nicht durch zuviel neue Kräfte gefährdet; 4. ein Juristenstand, auf dem Wege zum Berufsbeamtentum; 5. das scharfe Schwert der Logik und die Werkzeuge des Henkers. Aus diesen Bestandteilen entstand im 18. Jh. eine exakt arbeitende Justizmaschine. Ihre Stärke entwickelte die Justiz aber aus den Gefahren, die ihr drohten.

Friedrich II. und die Justiz

Eine große Gefahr für die Justiz bildete im 18. Jh. Friedrich II. König Friedrich II. von Preußen, als König in ein barbarisches Land versetzt, versuchte wenigstens die Justiz zu reformieren. Er verbot gleich nach Regierungsantritt Scheiterhaufen und Folter. Die Justiz machte sich ganz klein. Der erste Großkanzler Friedrichs für Justiz war ein Koch (1747-1755). Der zweite, v. Jarriges, war bereits wieder adlig (1755-1770). Der dritte Karl Joseph Max Baron v. Fürst und Kupferberg war von hohem Adel und empfing schon keine Bürgerlichen mehr (1770-1779). Als der König nach langen Kriegen spürte, daß er nicht mehr viel Zeit hätte, sich gegen die Justiz aber noch längst nicht durchgesetzt hätte (vielmehr die Justiz im alten Stil sich wieder auszubreiten begann), provozierte er einen Skandal: den Fall Müller-Arnold. Als Schockmaßnahme wurden mehrere Richter und Regierungsjuristen auf die Festung Spandau gesandt, Großkanzler v. Fürst und Kupferberg kassiert. Die Justiz lernte in diesen Jahren sich absichern. Sofort nach dem Tode des Königs wurde die Justiz wiederhergestellt. Frühjahr 1786 verstarb der König, Herbst 1786 bot Berlin wieder das Schauspiel einer Menschenverbrennung.

Aus der Krise ging ein in seinem Selbstbewußtsein erneuerter Juristenstand, verstärkt um den Stand der Kameralisten und Rechnungsprüfer, hervor. Spätere Krisen nach 1920, nach 1933 und nach 1945 tangierten die Justiz nicht mehr. Die Schule der vergangenen 660 Jahre, aber besonders die Schule des 18. Jh., hat die Justiz hart gemacht. Sie hat eine Denkmethode entwickelt, bei der common sense und Logik, Logik und Allgemeinbegriffe, Allgemeinbegriffe und common sense einander wechselseitig stützen. Sie hat exakte Methoden entwickelt. Exakte Methoden lassen sich kaum jemals wieder abschütteln. Gegen Angriffe von außen ist der Justizapparat resistent. Einer solchen Institution gehört die Zukunft.

Zum ewigen Frieden aus dem Geiste der Justiz

Der Weltuntergang, sagt Max Frisch, sei vollziehbar geworden. Deshalb ist anzunehmen, daß die rechtsstaatlichen Nationen der Welt in Zukunft dazu übergehen, ihre Schwierigkeiten nach den Methoden der Justiz zu lösen. Dann gibt es keine Veränderungen mehr. Für diese Zukunftsaufgabe bereitet sich die Justiz aller Länder vor. Im Vordergrund steht die Nachwuchsausbildung.

Übungsfälle für den Justiznachwuchs

33. Eine Witwe, die sich wieder verheiratet, hat eine Weinhandlung oder ein Möbelgeschäft mit in die Ehe gebracht. Kann der Mann (im gesetzlichen Güterstand) die vorrätigen Weine und Möbel wirksam an Dritte veräußern (Gb. 1376/1)?

48. Infolge Raupenfraßes wird es notwendig, einen in ehemännlicher Nutznießung (Gb. 1363) befindlichen Wald zu schlagen. Kann, wenn der Ehemann nun in Konkurs fällt, die Ehefrau das geschlagene Holz aus der Masse herausverlangen?

52. A. sieht einen Schatz in einem Bach. B. pfeift seinem Hund, den Schatz zu holen. C. nimmt dem apportierenden Hund den Schatz aus dem Maul. Wem gehört der Schatz?

85. Wenn Falstaff wegen Trunksucht entmündigt gewesen wäre, was wäre er der Wirtin schuldig geworden, bei der er ohne Zustimmung seines Vormundes für über 8 Schillinge Sekt und für ½ Penny Brot konsumiert hätte?
150. Ein Oberleutnant, der unmittelbar vor dem Hauptmann steht, hat für den Fall seines Avancements ein Pferd gekauft; der Verkäufer aber benutzt eine unmittelbar darauf sich bietende Gelegenheit, das Pferd zu besserem Preis einem Sportsmann zu verkaufen. Kann der inzwischen avancierte Offizier das Pferd nun vom Sportsmann, dem es bereits übergeben worden ist, herausverlangen?
194. Eine Ehefrau veräußert in Abwesenheit ihres Mannes dessen Hund, den sie nicht leiden kann, um 100 Mk. Ihrem Mann sagt sie, der Hund sei entlaufen. Plötzlich erscheint der Hund wieder, und nun verkauft und übergibt ihn der Mann selbst einem anderen um 80 Mk. Da sich aber alsbald der erste Käufer meldet, erfährt der Mann den wahren Sachverhalt und genehmigt nun den vorteilhafteren ersten Kauf. Kann nun der erste Käufer dem zweiten den Hund abfordern? Wenn der Mann den zurückgekehrten Hund einem Förster, der ihm ein Darlehen gab, verpfändet hätte, würde nach Genehmigung der durch die Frau geschehenen Veräußerung das Pfandrecht Bestand behalten? Auch dann, wenn der Förster zur Zeit der Verpfändung von dem unbefugten Verkauf durch die Frau wußte?
197. Jemand gab Mittwoch, dem 13. Juni 1930, vormittags 10 Uhr das Versprechen, eine Schuld binnen 8 Tagen (14 Tagen, 4 Wochen, 1 Monats, 1 Jahres) zu zahlen. Wann war die Frist abgelaufen?
228. Ein Blödsinniger versucht ein Mädchen zu küssen. Da sie sich seiner anders nicht erwehren kann, stößt sie ihn in den seitwärts vorbeifließenden Bach, wobei er sich durch Erkältung eine längere Krankheit zuzieht. Muß sie die Kurkosten ersetzen?
275. Im Zwischendeck eines Dampfers hat ein Reisender einem anderen ein Kistchen Zigarren gestohlen und sie allmäh-

lich geraucht. Wenn nun kurz darauf der Dampfer untergeht und der Bestohlene dabei mit allen seinen Effekten spurlos verschwindet, wird dadurch der gerettete Dieb von der Pflicht, den Wert der Zigarren zu ersetzen, frei?

287. In Immermanns Münchhausen wird dem Hofschulzen aus Rachsucht das von ihm hochgehaltene angebliche Schwert Karls des Großen entwendet und beiseite gebracht. Könnte der Entwender, auf Schadenersatz belangt, Abtretung der Eigentumsansprüche des Hofschulzen verlangen?

310. Zu X. findet der Juristentag statt. Amtsrichter A. daselbst schreibt seinem Freund, dem Assessor B., daß er ihm ein Zimmer zur Verfügung stelle. B. nimmt erfreut an. Ist der Vertrag bindend? Wenn A.'s Dienstmädchen beim Reinigen von B.'s Kleidern ein Loch in dessen Hosen reißt, ist A. schadenersatzpflichtig?

321. Ein Hundeeigentümer, der eine Sommerreise machen will, kommt mit einem Förster überein, daß dieser gegen eine feste Vergütung den Hund während des Monats August in Pflege und Obhut nehmen sollte. Ende Juli beißt der Hund ein Kind, und im Ärger über die daraus erwachsenen Kosten läßt ihn sein Herr töten. Muß er dem Förster nun gleichwohl die vereinbarte Summe zahlen?

448. Jemand gibt einer Frauensperson, mit der er ein Verhältnis hatte, da er sich verheiraten will, als Abfindung einen Schuldschein über 1000 Mk. Ist der Schuldschein gültig?

455. Eine Witwe hat ein Haus in Nießbrauch. Sie gestattet gegen Entgelt einem anderen die Ausübung dieses Nießbrauchrechts. Als sie auf Grund 565 kündigt, behauptet der andere, für die Kündigung müsse 595 maßgebend sein, da Rechte nur verpachtet, nicht vermietet werden könnten.

682a. Ein Prinzipal hat seinem Reisenden auf dessen Bitte ein Monatsgehalt vorausbezahlt. Dieser verspielt es und erschießt sich. Haften die Erben auf Rückzahlung?

700. Ein entmündigter Geisteskranker hat einem Bankier ihm gehörige Wertpapiere zur Veräußerung übergeben, darauf so-

fort 3000 Mk. erhalten, den Restbetrag aber nicht erhoben. Er wird nach einigen Tagen ohne die 3000 Mk. tot aufgefunden. Wenn der Bankier aus den Papieren 11 000 Mk. erlöst hat, schuldet er den Erben des Geisteskranken 11 000 oder nur 8000 Mk?

702. Eine Tante schickt einem Studenten zu Weihnachten anonym eine Flasche Likör, die versehentlich bei dessen gleichnamigem Zimmernachbar abgegeben wird. Wenn dieser sie ausgetrunken hat, hat die Tante, hat der andere Student gegen ihn einen Anspruch? Kommt etwas auf die bona oder mala fides des Empfängers an?

701a. Kann der Kirchenbaulastpflichtige, der die von X. in Brand gesteckte Kirche wiederhergestellt hat, von X. Ersatz seiner Aufwendungen verlangen?

Kortis Traum

Ein gewaltiger Elefantenkörper wie ein Kran, dessen Rentabilität unsicher ist. Der Elefantenkörper bewegte sich einen Schritt rückwärts und zertrat den Angestellten, der irgend etwas im Rücken des Elefanten zu hantieren hatte. Längere Zeit stand die Masse Elefant unbeweglich da. Später begann sich das Tier für den Körper des Angestellten zu interessieren. Der Elefant machte auf der Brust des Angestellten einen Kopfstand, der zu seinem Dressurakt gehörte.

Man hätte den Mörder einfach abschießen können, da er im Kopfstand verharrte und insofern momentan ziemlich ungefährlich war. Man hätte an die schwachen Punkte am Kopf, insbesondere an den Ohren, die Stellen waren durch weiße Kreidestriche gekennzeichnet, herankommen können. Aber weil ein solcher Elefant, ein riesenhafter, sehr nervöser Afrikaner, den zu dressieren überhaupt schon ein Kunststück ist, einen großen Wert darstellt, sahen die Beteiligten davon ab, ihn zu erschießen.

Kortis Monolog

Vielleicht bedeutet dieser schöne Herbst, daß wir nicht mehr lange zu leben haben. Auch das Frühjahr 1945 brachte besonders schönes Wetter. Trotzdem haben die meisten diese Zeit überlebt. Also ist zu hoffen, daß wir auch diesen Herbst – unterstellt, daß er wirklich so gefährlich ist, wie man sagt – überleben werden. In einer Zeitung stand, daß man seinen Samen in einer Erbgut-Bank deponieren kann; falls dann eine Katastrophe eintritt, werden genügend Fortpflanzungsmittel überleben. Dies war der von allen Meteorologen bestaunte Herbst 1961, dem dann trotz aller Schönheit, Blässe und Länge keine Katastrophe folgte.

Der Brand des Justizgebäudes 1943/1944

Jene tragische Silvesternacht von 1943, in der ein Terrorangriff das alte Justizgebäude am Schwarzenbergplatz in Brand setzte, bedeutete zugleich das Ende einer Richtergeneration. Damit soll nicht gesagt sein, daß auch nur ein Richter verbrannte, aber das traditionelle Bewußtsein der Kontinuität seit 1713, das für jeden Richter des alten Justizgebäudes vorhanden war, hat es nach dem Krieg – von einigen Außenseitern abgesehen – nicht wieder gegeben. Damals war Präsident Mangold noch am Leben. Der Präsident begab sich sofort nach Bekanntwerden des Brandes mit den Herren der Gaurechtsstelle und den Landgerichtsdirektoren zum Brandplatz. Die Feuerwehren waren bei Vorwarnung, also schon vor dem Angriff, in die Vororte dirigiert worden, hatten so den Angriff unversehrt überstanden und arbeiteten sich auf den teils verschütteten Straßen zur Mitte der Stadt vor. Vor dem Landgericht waren einige Assessoren und Räte erschienen, das alte Amtsgericht, gegenüber dem Landgericht, schien noch intakt, wurde aber später durch eine Zeitzünderbombe, die man im Dachstuhl übersehen hatte, vollkommen demoliert. Ein am Brandplatz erschienener Feuerwehrmeister sagte, daß das Landgericht unrettbar verloren sei. Der Präsident wollte das wertvolle Gebäude aber nicht ohne Kampf verlorengeben. Mit einigen Räten begab er sich in die oberen Stockwerke und versuchte die Situation zu klären. Mit seinen Räten, Begleitern, Parteiangehörigen und jetzt eintreffendem Geschäftsstellenpersonal bildete er eine Kette, über die aus den obersten Stockwerken brennbares Material auf die Straße hinuntergeschafft wurde. Später rettete man wenigstens die Grundbücher. Letzter persönlicher Einsatz half die Grundbücher retten.

Schon Herbst 1945 konnte das Gericht wiedereröffnen
In der Brandnacht, in der das Justizgebäude bis zum Keller herunter abbrannte, warfen Landgerichtsräte Kruzifixe und Bänke aus den Fenstern der oberen Stockwerke. Aktenberge häuften sich auf dem Hof. Sie wurden teilweise unsachgemäß durch Hitler-Jugend gelagert. Schon im Herbst 1945 konnte aber dann im neuen Gebäude, das nach Wegfall der Wehrmacht übernommen werden konnte, die Arbeit wiederaufgenommen werden.

Inspektor Hansheinz Naleppa berichtet
Wir von der Geschäftsstelle wurden sofort nach der Entwarnung durch Boten zum Landgericht disponiert. Ich muß sagen, daß ich als Justizangehöriger mich ohnehin sofort zum Justizpalast begeben hätte. Der Dachstuhl des Landgerichts brannte lichterloh, das sah man bereits beim Näherkommen. Ich sah den Präsidenten, die Landgerichtsräte Erbe, Dr. Friedrich, Dr. Heintze, Wiegand. Einige Amtsgerichtsräte durchsuchten das intakt stehengebliebene Amtsgericht, das später durch eine Explosion erschüttert wurde, der Amtsgerichtsrat Schmidt zum Opfer fiel. Tags darauf gingen wir alle zur Beerdigung. Ich muß hier einschieben, daß Präsident Mangold sich mit einigen Herren schon im Landgerichtsgebäude befand, als wir ankamen. Er war immer zuerst im Einsatz, trotz seiner Verwundung aus dem 1. Weltkrieg, und machte so

wahr, was er uns immer gesagt hatte: daß an der Front der Justiz stellvertretend für die große Schicksalswende des Volkes gekämpft wird. Wenn Hegel, in dem ich in meiner Freizeit hin und wieder lese – wogegen ich Schopenhauer und Nietzsche als unklar ablehne –, wenn dieser Philosoph vom Leben der Idee in der Wirklichkeit spricht, so möchte ich das praktisch auf die Justiz anwenden, die gewissermaßen zugleich Idee und zugleich Wirklichkeit ist, insofern als sie den Kampf mitverkörperte, der sich an Ost- und Luftfront damals täglich abspielte, wobei auch zahlreiches Geschäftsstellenpersonal gefallen ist. Es existiert darüber eine Tafel im Wandelgang des neuen Justizgebäudes (früheres Wehrbezirkskommando). Für uns war der Einsatz des Präsidenten Mangold wieder ein Zeichen, daß sich die Idee mit der Wirklichkeit unmittelbar koppelt. Es bestand wenig Hoffnung, die oberen Stockwerke zu retten. Wir sahen – selbst im Einsatz stehend –, wie die Landgerichtsräte Kruzifixe und Bänke aus den Fenstern des oberen Stockwerks warfen. Aktenberge häuften sich auf dem Hof. Sie wurden teilweise durch Hitler-Jugend unsachgemäß gelagert. Eine Leerzone sollte das Feuer zwischen dem 3. und 2. Stock zum Halten bringen, aber die Hoffnung erfüllte sich nicht, und das Gebäude brannte noch in der Nacht bis zum Keller herunter ab. Für viele von uns war das das Ende einer Epoche, denn bald darauf kamen wir in neue Gebäude, zunächst in städt. Gebäude, 1946 dann unter dem neuen Präsidenten in das von führenden Architekten 1935 errichtete Wehrbezirkskommando. Sehr rasch erfaßte Präsident Mangold, daß eine Rettung des alten Landgerichts ausgeschlossen sei. So konzentrierten sich unsere Bemühungen auf die Rettung der Grundbücher und der zum Teil wertvollen Tische, der ebenfalls wertvollen, zum Teil geschnitzten Bänke aus dem 18. Jh. Die Bibliothek ging unrettbar verloren. Der Präsident überlebte den Brand des Gebäudes nicht lange. Schon im März 1944 gingen wir alle zu seiner Beerdigung, das Gerichtspersonal erhielt für diesen Tag frei. So brauchte dieser allseits beliebte, wenn auch strenge Präsident nicht mehr zu erleben, daß sein Freund Dr. Kranzler wenig später in den 20. Juli verwickelt wurde. Wir von der Geschäftsstelle haben uns nie an einen anderen Präsidenten oder an ein neues Gebäude gewöhnen können, das gilt natürlich nicht für die neu hinzugekommenen Mitglieder der Geschäftsstelle. Ich muß sagen, daß der Brand wie eine Zäsur war. Eine Richterschaft, die niemand zum Zurückstecken zwingen konnte, vor der noch König Friedrich II. von Preußen den Hut zog, mußte hier Stockwerk für Stockwerk, Zimmer für Zimmer in zähem Kampf aufgeben. Ein großer Teil der Unterlagen ging verloren, und mancher Angeklagte mag dadurch ohne Strafverfahren über das Jahr 1945 hinweggekommen sein. Die Richter, die diesen Brand überlebt haben, haben nie wieder ihr altes Selbstbewußtsein, das auf der Existenz des intakten Gebäudes beruhte, wiedergewinnen können, so wie es für einen Pfarrer sicherlich auch nicht das gleiche ist, wenn er in einem Neubau predigt.

Inspektor Berger berichtet über
den Einsatzgruppenprozeß

Als langjähriger Personalreferent des Präsidenten – der Personalreferent hat volle Akteneinsicht, erst neuerdings bin ich wegen einiger Mißverständnisse durch Inspektor Kaiser ersetzt worden, d. h., bis zum Abschluß meines Disziplinarverfahrens bin ich beurlaubt – kann ich über die Besetzung der Richterstellen im Gerichtsbezirk S. Auskunft geben.

Wir haben mehrere Offiziere unter unseren Richtern, dagegen eine sehr geringe Zahl ehemaliger Parteimitglieder. Dieses beachtliche Ergebnis zeichnet uns vor anderen Bezirken aus. Offiziere: Oberst Schwerin, Major Peitl, Hauptmann Kaiser (Ritterkreuzträger); Kriegsgerichtsräte: Stumpf, Kantorowicz, Dr. Leipzig, Arnold, Wiesloch. Sondergerichte in Polen: Bremser, Peickert, Hoffmann. Intendanturräte: Dr. Wegeleben, Dr. Beier, Dr. Karsten. Marine: Höhne, Sauerbrey. Die übrigen Richter sind neu oder haben keine besondere Qualifikation im Krieg gehabt. Gedient haben außer den vorgenannten: Korti, Dr. Glaube, Meinecke, Jakob, Dr. Schwiethelm, Wiegand und der Präsident. Wir haben vier Frauen im Bezirk als Richterinnen, die in der Vormundschaftsabteilung eingesetzt sind. Ich gebe zu, daß die Art, wie ich mir wichtige Dokumente beschaffte, nicht durchweg zulässig ist. Ich möchte in diesem Zusammenhang betonen, daß ich kein Material über Richter unseres Bezirks gesammelt habe. Der Gedanke, verschiedene Oberlandesgerichtspräsidenten und hochgestellte Richter Norddeutschlands im Einsatzgruppenprozeß in Ulm aussagen zu lassen – in ihrer Eigenschaft als ehemalige Heeresgruppenrichter und Armeerichter –, geht allerdings auf eine Leserzuschrift von mir an verschiedene illustrierte Zeitungen zurück und wurde dann vom Gericht im Einsatzgruppenprozeß aufgegriffen. Es war für uns Personalsachbearbeiter ein wichtiger Eindruck, zu sehen, daß hier hochgestellte Richter und Präsidenten nach ihrer Aussage unvereidigt blieben. Das kann nur den Grund haben, daß das Gericht ihnen nicht glaubte. Wir waren gespannt, was die von ihrer Aussage heimkehrenden Richter in ihren Heimatstädten für einen Empfang bekämen, ich rechnete persönlich sogar mit einer Verhaftung des einen oder anderen, schrieb auch wieder eine Leserzuschrift in diesem Sinne an die Bild-Zeitung, aber unsere hochgespannten Erwartungen wurden enttäuscht.

Erholung des richterlichen Selbstbewußtseins
nach dem Einsatzgruppenprozeß in Ulm

Im Einsatzgruppenprozeß in Ulm wurden verschiedene hohe Richter in ihrer Eigenschaft als ehemalige Heeresgruppenrichter und Armeerichter zur Tätigkeit der Einsatzgruppenkommandos als Zeugen vernommen. Nach ihrer Aussage blieben die hochgestellten Richter und Präsidenten unvereidigt. Eine Verhaftung oder Disziplinaranklage gegen den einen oder anderen der Zeugen schien unvermeidlich. Als dann fast nichts geschah, erholte sich allmählich das richterliche Selbstbewußtsein.

Exzeß der Strafmaße an Sondergerichten in Polen

Eine Zeitlang hatte es den Anschein, als seien die Quoten der Todesstrafen nach dem Polenstrafrecht und der Strafmaße zwischen 1942 und 1944 in Polen generell allzu hoch gegriffen. Zeitungen vermuteten ein persönliches Verschulden von Richtern. Im Gerichtsbezirk S. konnte jedoch keinem der Richter, die an Sondergerichten in Polen tätig gewesen waren – es handelt sich im wesentlichen um die Richter Bremser, Peickert und Hoffmann –, eine schuldhafte Handlung nachgewiesen werden.

Eine Verschwörung wird aufgedeckt

Im Winter 1959/1960 gingen verschiedene Richter in S. dazu über, ihre Strafmaße leicht anzuheben. Die Staatsanwälte hatten vom Oberstaatsanwalt B. die Anweisung, gegen alle Urteile, die unter einem Jahr Gefängnis blieben, Berufung einzulegen. So wurden die milden Richter für ihre Milde bestraft, da sie in großem Umfang Urteile für die Berufungsinstanz abfaßten, d. h. auf die Urteilsgründe ein doppeltes Maß von Sorgfalt anwenden mußten. Ganz allmählich vollzog sich so bis zum Sommer 1960 eine Erhöhung des Strafdurchschnitts um 30 bis 40%. In den Gefängnissen wurde die Gnadenpraxis gedrosselt. Sehr spät, im Herbst 1960, wunderten sich der Präsident und die zwei Kammervorsitzenden der Großen Strafkammern über das Strafmaß in verschiedenen Einzelfällen und entdeckten, welche Entwicklung sich hier anbahnte. Der Präsident und die Vorsitzenden der Großen Strafkammern versuchten, die Strafkurse wieder herunterzuschrauben. Diese Versuche führten zu großer Berufungsfreudigkeit der Verteidiger im Winter 1961, wodurch die Strafkammern I und II hoffnungslos überlastet wurden. Es gelang nicht, das alte Niveau wiederherzustellen, die Strafen blieben im Durchschnitt um 20 bis 30% überhöht. Die den Schaden hatten, saßen in den Strafanstalten. Den Verschwörern geschah nichts.

Das Strichmädchen als Schöffin

Eine gräßliche Fehlleistung, die aber sofort bereinigt werden konnte, passierte der Justizverwaltung in S. im September 1959. Eine Frau F., unter der Bezeichnung Hausfrau im Personenstandsregister der Gemeinde G. eingetragen, wurde als Schöffin ausgelost und dem Jugendschöffengericht für die Buchstaben A bis K zugeteilt. Später stellte sich heraus, daß diese Frau der Prostitution nachging. Sie wurde wegen falscher Personenstandsangabe unverzüglich der Bestrafung zugeführt. Die Urteile, an denen sie mitgewirkt hatte, wurden in der Berufungsinstanz selbstverständlich aufgehoben.

Korti und die Todesstrafe

Erfahrungsgemäß werde man als Richter bei Todesstrafen später zur Rechenschaft gezogen, das gelte insbesondere für die kritischen Zeiten, in denen Todesurteile sich häufen. Bald habe sich dann die politische Meinung geändert, und der Richter, der das Todesurteil verkündet habe, stehe ohne Deckung da und müsse sein Verhalten rechtfertigen. Auch aus diesem Grund meine er, Korti, daß die Justiz sich nicht in die gefährliche Nähe des Todesurteils begeben solle, auch wenn es sicherlich zum öffentlichen Ansehen der Richter beitrüge, auch den persönlichen Stolz vieler Richter befriedigt, wenn auch die Entscheidung über Leben und Tod in der Hand des Richters liege.

Kortis Leibgericht

Kortis Leibgericht sind Linsen. Heilig Abend: Karpfen blau. Silvester: belegte Schnittchen. Ostern: Lamm.

Korti und kein Ende

Die abenteuerliche Reise Kortis zum Ende, das irgendwo schon lauert, ist von guten Vorsätzen begleitet. Zu den Vorsätzen gehört neuerdings der Verzicht auf Neugier im Straßenverkehr. Fast wäre Korti von einem Kraftfahrzeug überfahren worden, als er sich im Frühjahr 1961 neugierig einer menschenumstandenen Unfallstelle näherte. Er brach beide Unterschenkel beim Sturz, verursacht durch das Fahrzeug. Die Ärzte stellten Kortis Funktionsfähigkeit wieder her. Nunmehr erstreckt sich Kortis Vorsicht in besonderem Maße auch auf diese Art von Unglück. Wenig Unglück gibt es in der Welt, auf das sich Kortis Vorsicht nicht erstreckt. Trotzdem bleibt er ängstlich: die Ängstlichkeit ist andererseits eine Kraftquelle. Gewissermaßen genossenschaftlich arbeiten die Richter im Bezirk S., aber auch anderswo die Justiz, an einem Sicherheitssystem, das – unter Verzicht auf viele Formen der Aktivität – das Ende Kortis und anderer hinauszieht. Um 1800 hätte ein Zeitungsartikel zur Abschaffung Kortis genügt, um 1900 wäre eine Reformbewegung dafür notwendig gewesen, 1962 würde auch ein Aufruhr zur Abschaffung Kortis vielleicht nicht ausreichen. Und wer unternimmt schon einen Aufruhr Kortis wegen? So steht Kortis Ende noch in weiter Ferne, ja: Kortis Ende rückt zunächst in immer weitere Ferne.

Zusätze

DER SPANISCHE POSTEN
DER PÄDAGOGE VON KLOPAU
BESTIMMUNG DES GELEHRTEN: MANDORF
WER IMMER HOFFT, STIRBT SINGEND
KOOPERATIVES VERHALTEN
ABBAU EINES VERBRECHENS DURCH KOOPERATION
ALLEWISCHS DIAMANTEN
ANWESENHEITSLISTE FÜR EINE BEERDIGUNG
GITTIS ENDE

DER SPANISCHE POSTEN

In einer Kaserne Spaniens lag ein Haufen Stroh. Ein Posten wurde davorgestellt. Das Stroh vermoderte, sank zu einem Häuflein zusammen. Der Posten, nicht abberufen, stand noch monatelang davor.

Friedrich Nietzsche: »Daß es Bücher gibt, so wertvolle und königliche, daß ganze Gelehrtengeschlechter gut verwendet sind, wenn durch ihre Mühe diese Bücher rein erhalten und verständlich erhalten werden und diesen Glauben immer wieder zu befestigen, ist die Philologie da.«

In tausend Lateinschulen wuchsen in Deutschland 1943/44 junge Menschen heran in der Nachfolge des großen Philologen F. A. Wolf. Der Lehramtskandidat Dr. Friedrich Rühl konnte wegen eines entstellten Beins seinem Land nicht mit der Waffe dienen. Seine Leidenschaft galt dem Erzieherberuf, auf den er sich seit 1939 vorbereitete. Er glaubte inständig an die Lernfähigkeit von Kindern, an ihren guten Willen, an die Bildung von Kindern, die die Zukunft entscheidet. Seine akademischen Lehrer waren Martini und Heidorn in Berlin; er war Anhänger der Individualpädagogik.

In Rühls Referendarzeit starb ein intelligenter Lateinschüler bei der Ausführung einer Riesenwelle, die vom zuständigen Sportlehrer überwacht wurde; Rühl und ein weiterer Referendar beteiligten sich an dem schon hoffnungslosen Versuch, ärztliche Hilfe zu beschaffen.

Verhältnismäßig rasch nach seinem zweiten Staatsexamen im Herbst 1944 wurde Assessor Dr. Rühl nach Klopau in Westpreußen versetzt. Er kam am 10. Januar in Klopau an. Am 12. Januar stießen die russischen Truppen aus ihren Brückenköpfen an der Weichsel nach Polen hinein. Arbeitskräfte wurden zur Herstellung einer neuen Frontlinie angefordert. Ehe sein Unterricht im Klopauer Gymnasium richtig beginnen konnte, mußte Assessor Rühl, eilig zum Studienrat befördert, eine Gruppe wehr- und schanztauglicher Schüler aussieben und ins Hinterland in Marsch setzen. In der Gegend von Graudenz gruben sie Panzerlöcher. Die Schüler lernten rasch graben. Wenig später waren die russischen Panzer schon in der Nähe.

Bei einem Schanzeinsatz überrascht, starben 12 Schüler. Zu diesem Zeitpunkt wurde Studienrat Dr. Rühl mit der kommissarischen Schulaufsicht über den gesamten Bezirk Klopau betraut. Praktisch avancierte Rühl in 12 Wochen vom Assessor zum Schulrat. In der Nacht, die auf den Panzerüberfall vom 18. Januar folgte, versuchten die verbliebenen 18 Schüler einen verwundeten Mitschüler zum Flecken Wilby zu tragen, wo sich ein Feldlazarett befinden sollte. Noch vor Wilby nahmen die Schüler Panzerfäuste und Sturmgewehre in Empfang. An der Straßenkreuzung bei Wiltrusch-Lengsby versuchten sie auf Anraten ihres Lehrers, einen russischen Tank abzuwehren. Eine Gruppe von vier Schülern, zusammen mit ihrem einfüßigen Lehrer, blieb unbemerkt, die übrigen starben. Rühl versuchte alles, wenigstens diese vier Schüler in das Reichsgebiet zurückzuschaffen. Auf dem Marsch durch die märkischen Wälder, auf den Spuren der südlich Berlins zurückflutenden 9. Armee, verlor er einen Schüler durch Artilleriebeschuß, als dieser Fleisch zu ergattern versuchte. Im Gefolge einer motorisierten Kolonne erreichte der Pädagoge mit zwei Schülern Berlin und meldete sich im Reichs- und Preußischen Kultusministerium. Die Schüler wurden in ein Schülersammellager in Spandau-West überführt.
Nach dem Krieg scheute Rühl vor einer Wiederaufnahme des Lehrberufes zurück. In der Schwarzmarktzeit eröffnete er ein Briefmarkentauschbüro. 1948 wechselte er seine Tätigkeit und wurde Grundstücksmakler.

BESTIMMUNG DES GELEHRTEN: MANDORF

I

G. J. Fichte, Bestimmung des Gelehrten: Also der Gelehrte soll der sittlich beste Mensch seines Zeitalters sein.[1] Seit Juni 1932 ging der Nationalökonom Mandorf in der mittleren Universitätsstadt F. unter Triebverzicht Forschung und Lehre nach. Er war entschlossen, sich Mühe zu geben.

Forschung und Lehre
Mai 1933 mußte Mandorf, 23jährig, die Einführungsrede der amtierenden Magnifizenz Heidegger anhören; da er der redenden Magnifizenz vor Augen saß, machte Mandorf eine aufmerksame Miene.[2] Im September wurde er zur Leitung eines Sportfestes kommandiert. 1934 trat er dem NSKK bei. 1935 und 1936 nahm er an wehrähnlichen Übungen teil.[3] Sonnabende und Sonntage arbeitete er in seinem Universitätsinstitut. Seinem Habilitationsvater schrieb er den vollständigen Anmerkungsapparat zu einer Publikation; er verfaßte Register für verschiedene Dozenten. Seine akademische Karriere beschleunigte das kaum. Auch mit Wahrheitssuche hatte es nichts zu tun. Mandorf wurde im Laufe der Jahre Assistent.[4] In ihm entstand ein Stauungsvorgang: er wartete bereits zu lange auf

1 *Einige Vorlesungen über die Bestimmung des Gelehrten*, 1974 Nr. 13, Seite 261.

2 Nach einer Weile wurde er aufmerksam, nur weil er eine aufmerksame Miene machte.

3 Haubitzenschießen, Geschwindmarsch, Dauerrechnen, Dauermärsche; gegen Ende der Übung ein Vorbeimarsch mit Gerät am kommandierenden General, der den blanken Degen zog.

4 Besoldung in Anlehnung an A 13 unter Anrechnung gewisser Vorzeiten auf ein eventuelles Pensionsdienstalter. Ein Grund für das langsame Aufrücken Mandorfs lag darin, daß sein Spezialgebiet (Strukturphasen der wollverarbeitenden Industrie, insbesondere Bembergseide) gerade in dieser Zeit wenig entwicklungsfähig schien. Als Mandorf anfing, war das noch ein ausbaufähiges Problem. Mandorf, dessen Vater Beamter und dessen Großvater väterlicherseits Bauer war, besaß nicht die Gabe, sich von einmal gefundenen Themen rasch wieder zu entfernen. Er habe sein Thema, sagte Professor Eu., mit zu großem Ernst aufgegriffen.

seinen Lehrstuhl. Viele Lehrstuhlinhaber hielten einen solchen Stauungsprozeß im Interesse einer gesunden Wissenschaftspflege für notwendig. In Mandolf bildeten sich zwei vollkommen getrennte Wünsche aus: er wollte endlich einen Lehrstuhl haben; andererseits verlangte ihn nach einer umfassenderen reineren Aufgabe, »da alles Wissen«, wie Schelling sagt, »nur eines ist und jede Art desselben nur als Glied eintritt in den Organismus des Ganzen: da alle Wissenschaften und Arten des Wissens Teile sind einer Philosophie, nämlich des Strebens, an dem Urwissen teilzunehmen«.[5]

Aktionsradius Mandorfs

Mandorfs machtlose Gedanken bevölkerten seit 1934 eine Anzahl von Publikationen. Die Verbreitung blieb auf den Rahmen der Fachzeitschriften beschränkt.[6] Bei größerer Verbreitung hätten die Gedanken ihre Unterdrückung selbst hervorgerufen, da sie mit dem bestehenden Machtzustand nicht vereinbar waren; Mandorf erwartete seit 1934, daß das Erwachen der Nation auch die nationalökonomischen Umstände ändern würde; hierauf bezog sich das Erwachen jedoch nicht. Die Wahl Mandorfs bestand also zwischen Wirkungslosigkeit seiner Gedanken infolge zu geringer Publizität oder Wirkungslosigkeit dieser Gedanken infolge größerer Publizität, die nicht hätte geduldet werden können. Mandorf arbeitete zielbewußt. Seine Habilitation lag 1939 hinter ihm. Lediglich die Antrittsvorlesung stand bei Kriegsanfang noch aus.

Triebbefriedigung

Der erste Lehrer, auf den Mandorf traf, verführte ihn, ein guter Schüler zu werden. Die Bildungsanstalt, die er im Anschluß an die Volksschule besuchte, bewegte ihn durch Beloh-

5 *Zweite Vorlesung über die Methode des akademischen Studiums*, Jena 1802, am Ende.

6 *Finanzarchiv*, Jhg. 1936, Seite 212 bis 214: *Volkswirtschaftliche Rundschau* 1934, Band 2, Seite 430 ff; 1938, Seite 1044 ff; *Der Geldgeber*, Jhg. 1937, Seite 12 f; *Kredit und Boden* 1938, Seite 114 f (Bespr.); *Die Bembergseide*, Sonderdruck 1938; *Wolle und Gewerbe* Jhg. 1938, Seite 425 f; 1939, S. 4320 f.

nung und Strafen, sich für Latein und Mathematik zu interessieren. Der Vorteil, der mit ausgezeichneten Zeugnissen verbunden war, ließ sich schwer ausschlagen: so studierte Mandorf Nationalökonomie. Der Universitätslehrer W. infizierte Mandorf zusätzlich mit Ideen Platos.[7] Da Mandorf seinen Verstand der Wahrheitssuche widmete, konnte er ihn nicht außerdem zur Wahrnehmung seiner Interessen benutzen.[8]

7 Besonders hager. In körperfremder Haltung lehnte W. an seinem Lehrstuhl, wenn er über Plato sprach. Diese Haltung deutete körperliche Schwäche an (zugunsten geistiger Bewegung). Im Gesamtnachweis über mehrere Jahrzehnte hin zeigte W. große körperliche Zähigkeit. Was er an Kräften sparte, dadurch daß er konservativ war, investierte er in Zähigkeit. Die Zähigkeit diente seiner Denkmaschine. Die Denkmaschine diente dem Lebensunterhalt auf dem ordentlichen Lehrstuhl in F. So war für W.'s Körper insgesamt gut gesorgt.

8 Die auf Wahrheitssuche befindlichen 68 ordentlichen Professoren der Universität F. zogen am 26. Mai 33 in den zweiten Universitätsvorhof zu einer Feierstunde ein:

1. Schub: (12. Jh. bis 17. Jh.)

24 Angehörige der oberen Fakultäten mit violetten Kappen, ältere Juristen, Mediziner, 14 Theologen: Aristokratie.

2. Schub: (18. bis 19. Jh.)

Naturwissenschaftler, eng zerteilte Fachgebiete überblickend, natürlich ganz anders geschult als die Kollegen; explosionsartig verstreut über die Stadt F. lagen seit dem frühen 19. Jh. die naturwissenschaftlichen Institute. Die Wissenschaftler trugen rote Streifen an den Amtsmützen. Am liebsten hätten sie lebende Enten zerteilt. Das war teilweise verboten. Einige Mediziner gehörten sinngemäß zu diesem Schub, andere gehörten nicht dazu. Eine Assistenzärztin bewahrte ihre Fehlgeburt in einem institutseigenen Kühlschrank auf. Der Papst der Pathologen, Professor B., wies sie auf das wenig *Humane* dieser Handlungsweise hin.

3. Schub: (frühes 19. Jh.)

12 Philologen, 7 Philosophen, 2 Rechtsgeschichtler, 2 Medizinalgeschichtler, 4 Historiker, 1 Orientalist, 1 Archäologe, 1 Palimpsest-Forscher mit gelben Streifen an der Amtstracht.

4. Schub: (ab 1910)

Angehörige der Nationalökonomie, die in der Hierarchie der Wissenschaften noch keinen unbestrittenen Platz haben; daher besonders bemüht um die Einhaltung wissenschaftlicher Methode. Ebenfalls in der aus dem 16. Jh. stammenden Amtstracht.

Neuer Schub: Meist jüngere Kräfte, Dozenten für Leibesübungen, Musikwissenschaftler, Fechtlehrer, Gaudozentenführer, Assistenten.

Der Vertreter der Philosophie, als Magnifizenz zugleich Vertreter von Forschung und Lehre, ergriff auf dem Universitätsplatz das Wort:

Albert Leo Schlageter sei den schwersten und größten Tod gestorben. Nicht in der vordersten Front als Führer einer Infanterie-Begleitbatterie, sondern wehrlos habe er vor den französischen Gewehren gestanden. Aber er habe gestanden und das Schwerste getragen! Doch selbst dieses wäre noch zu tragen gewesen in einem letzten Jubel,

Kein Mädchen wollte in seine elende Wohnung kommen. Sein Interesse an solchen Unternehmen schmolz dahin. Einen Lehrstuhl oder die Wahrheit selbst erhielt Mandorf aber andererseits auch nicht. Spazierengehen auf eingegrenzten Waldwegen in der Nähe von F. befriedigte ihn nicht. So blieb Mandorf als Trieb, dem er nachgehen konnte, zunächst nur ein deformierter Bildungstrieb übrig, der in ihm angelegt worden war, als er zum ersten Male zur Wissenschaft verführt wurde: immer wieder andere zur Wissenschaft zu verführen.[9]

Unglück als liebe Gewohnheit

1938 war beabsichtigt, Mandorf zum Dozentenführer zu machen; dies scheiterte. Mit dem Amt wäre begrenzte Macht verbunden gewesen. Wer sich in der Macht befindet, kann *denken*, weil er an der Wirklichkeit teilhat. Dafür läßt die Ausübung der Macht kaum Gelegenheit zum Denken. Diese Gelegenheit besitzt wiederum der Wissenschaftler in hohem Maß.[10]

An sein mangelhaft heizbares Studierzimmer hatte sich Mandorf gewöhnt. In der Universitätskleinstadt gab es nirgends richtigen Kaffee; richtiger Kaffee hätte Mandorf vielleicht

wenn ein Sieg erkämpft gewesen wäre. Statt dessen Finsternis, Erniedrigung und Verrat. So habe er im Schwersten noch das *Größte* vollbringen müssen. Woher die Härte des Willens, das Schwerste durchzustehen? Woher die Klarheit des Herzens, das Größte und Fernste sich vor die Seele zu stellen? Student von F.! Erfahre und wisse, wenn du auf den Fahrten und Märschen die Berge, Wälder und Täler, die Heimat dieses Helden betrittst, Urgestein, Granit, sie schaffen seit langem an der Härte des Willens. Wehrlos vor die Gewehre gestellt, habe sich der innere Blick des Helden über die Gewehrmündung hinweg zu den Bergen seiner Heimat gewandt. Harten Willens und klaren Herzens sei Albert Schlageter seinen Tod, den schwersten und größten, gestorben

Lieder schlossen die Feier. In diesen aufregenden Tagen kam natürlich keiner zum Forschen. Am folgenden Tag hatten die Nationalökonomen und Mediziner Fakultätssitzung. Die Juristen waren mit Staatsexamen beschäftigt. Die Theologen arbeiteten an einer Resolution, die Philologen an einer Statutenänderung.

9 In Mandorfs Ohr die Worte: »Wenn du die Not der Erde und der Menschheit mitleidend vorfühlst, wenn du die Notwendigkeit sie aufzugeben opferbereit bejahst, wenn du die Kraft dazu in dir vorhanden glaubst, dann werde Lehrer.«

10 Mit der Macht kam Mandorf nur durch Oberstarzt v. Lehmann in Berührung.

erschreckt. In der geringen finanziellen Ausstattung der werdenden Privatdozenten sah Mandorf ein *Palladium* seines Standes; hier hatte sich noch etwas von der alten Freiheit des *Privatgelehrten* erhalten. Den Mangel an Unterlagen, Büchern, Hilfsmitteln in seinem Institut sah Mandorf ebenfalls unter dem Gesichtspunkt der Freiheit: so konnte der Geist über den Dingen schweben.[11] Eine gewisse Zeit, Frühling 1937, stellte Mandorf einer jungen Dame nach. Fast hätte sie ihn zu einer gemeinsamen Urlaubsreise gezwungen. Dieser Schwierigkeit entronnen, war Mandorf mit seiner Einsamkeit sehr zufrieden. Das Material, aus dem Mandorf seine Pflicht zusammenstellte, war einerseits Ehrgeiz, andererseits Brotinteresse: was er nicht bekam, trieb ihn an; hätte er mehr bekommen, hätte ihn vielleicht nichts mehr angetrieben. Ein mit Mandorf eng befreundeter Nachwuchswissenschaftler wurde von der Universität verjagt. Mandorf brach Herbst 1938 auf dem veralteten Blausteinpflaster von F. die Knöchel. Das Fach Ökonomie ließ Abstecher zu antiken Texten, die Mandorf gern unternommen hätte, nicht zu. Immer das gleiche Menü in seiner Stammgaststätte, die er nicht zu wechseln wagte, wegen des möglichen Geredes der Kollegen, die dann ein Zerwürfnis mit der Wirtin vermutet hätten. Äußerste Anstrengung seines Kopfes, mühsam ausgeglichen durch Sport.[12] Es war nicht so, daß Mandorf sein Unglück nicht gesehen hätte; aber das Unglück verbaute zugleich die meisten Auswege aus dem unglücklichen Zustand.

11 Der Lehrstuhlinhaber G. pflegte zu sagen: »Nehmen Sie sich ein Beispiel an Schopenhauer, der nie einen Lehrstuhl erhielt: was hat er nicht alles geschrieben! Ich erinnere an den Fall Dr. C. Dieser Kollege erhielt ein Institut; sobald er in einem Institut saß, arbeitete er nicht mehr. Arbeitskraft und wirtschaftliche Ausstattung sind grundsätzlich unvereinbar.«

12 Mandorf war aber nicht sportlich gekleidet. Grundsätzlich trug er herrenähnliche, teure Kleidung aus englischen Stoffen, stets besonders sorgfältig ausgewählte Hemden. Am 16. Februar 1346 trug der Graf Regenstein auf dem Wege von Heudeber nach Danstedt keinen Kettenpanzer. Die Dorfknechte töteten ihn, weil sie nicht sahen, daß er einem höheren Stande angehörte. Mandorf, der einer Minderheit angehörte, sah ein ähnliches Schutzbedürfnis. Nur ordentlich gekleidet entgeht er der Ausrottung aus Versehen!

Letzter Stand 1939
In seinem desperaten Zustand war Mandorf veränderungssüchtig. Rund sieben Jahre im Dienste von Forschung und Lehre herangebildet, war Mandorf zu Kriegsanfang bereit, jetzt seine Persönlichkeit zu entfalten.

II

Soviel Welt als möglich,
ja die ganze Welt in die
eigene Person verwandeln,
das ist im höheren Sinn
des Wortes Leben.
Wilhelm von Humboldt
Brief an Caroline

Sobald der Krieg ausbrach, gerieten die Dinge in Fluß. Winter 1939 heiratete Mandorf die in F. studierende Komtesse N. (Die Familie kam ursprünglich aus Bayern, lebte seit 1922 mit Teilen in Bukarest). Kollegen in F. hielten diese plötzliche Heirat für fragwürdig. Die N. befand sich unter den Schülern, die Mandorf als Assistent zu betreuen hatte, insofern konnte sie als »abhängig« gelten. Die Eheschließung fand in dem Dorf W. statt. Die Furcht, die ihn eigentlich vor einer Frau nicht verließ, schien Mandorf unbeachtlich.[13] Es folgten Eingliederung als Sonderführer in das zum Frankreich-Feldzug sich formierende Heer. Ermöglichung einer gemeinsamen Reise nach Bukarest trotz kriegsbedingter Visaschwierigkeiten. Mittagsmahlzeiten von 3 bis 5 Stunden Länge nahmen Mandorf und seine neugewonnene Frau ein; diesen Mahlzeiten stand das frühere hastige Hinunterschlingen des Essens gegenüber, das lediglich als Freiheitsstörung galt. Eine neue Publikation Mandorfs erschien Anfang 1940 auf dem Markt. Den Westfeldzug erlebte Mandorf insofern, als er im Juni 1940 fur einige Tage

13 Mit der Eheschließung kam Mandorf einer ehrengerichtlichen Initiative eines Kollegen zuvor.

nach Bordeaux gesandt wurde; dort führte er Aufsicht über Tuchfabriken. Mit zunehmender Wirklichkeitsnähe begann Mandorf seine Interessen zu übersehen. Seiner Frau war er sicher. Sie bemühte sich, in der von Hügeln bestimmten Umgebung von F. eine Villa als Ehewohnsitz anzukaufen. Er verbrachte die Liebesnächte mit seiner Frau in der Erwartung, seine Persönlichkeit dadurch weiter zu entfalten; als ihn diese Tätigkeit nicht bereicherte, gab er sie teilweise wieder auf. Seine Frau glaubte an einen Stimmungsumschwung. Ein Oberkommando in Rumänien forderte Mandorf an. Am 8. 4. 1941 betrat Mandorf Griechenland; am 9. 4. rückte er in Saloniki ein. Griechenland, Deutschland, Italien, England, also die Beteiligten, empfanden diesen Feldzug als Belastung. Exakt lief der Krieg nach Süden. Der 12. April brachte Gefechte am Klidi-Paß und Kastoria-See, der 14. schon brachte verstopfte Vormarschstraßen am Olymp. Von den Griechen wollte keiner mehr kämpfen. Mandorf spürte als Vertreter der siegenden Partei des Jahrhunderts eine Art physischen Genuß an Sieg und schneller Bewegung. Es galt als Fachmann für Textilfabriken und griechische Sprache. Mandorf, einem Panzerstab folgend bis Korinth, trug das Haar in diesem Jahr an den Kopfseiten extrem kurzgeschnitten. Auf dem Schädeldach waren die kampfmäßig kurz gehaltenen Haare zu einem Scheitel angeordnet. Bei einem Wiedersehen mit seiner Frau, die ihm bis Zagreb entgegenreiste, erkannte er sie nicht wieder. Die Glieder, die ihn vor Jahresfrist noch verstrickt hatten, schienen ihm jetzt unbeachtlich. Er war tiefer in die Wirklichkeit eingedrungen, hatte schon den Zustand, der vor Jahresfrist bestand, hinter sich gelassen. Der Zug, mit dem die N. aus Zagreb wieder abreisen wollte, war hoffnungslos überfüllt. Mit der Dienstwaffe sicherte Mandorf der N. in dem Gedränge einen Sitzplatz.

Mandorf wurde im Juni 1941 wegen seiner Sprachkenntnisse auf die Insel Kreta eingeflogen. Er sah noch Teile der Eroberer Kretas auf dem Flugplatz Maleme, die auf ihren Rücktransport warteten. Mandorf unterstanden auf Kreta zwei Dolmetscher. Er teilte Kreta in Planquadrate ein.[14] Die Heeresgruppe befand sich weit weg in Athen. Auf Kreta verstand sich Mandorf einigermaßen gut mit dem ersten Gehilfen des Festungskommandanten, einem Major v. R.[15] Sein Verhältnis zu den deutschen Freunden wurde aber schon kühler. Die Siegesstimmung changierte zu einer Art Eintauchen in das fremde Land, einer Art Häutung, mit der er seine Vergangenheit – oder schon konnte er sagen: seine Vergangenheiten – endgültig ablegte. Er suchte Kontakt zu einzelnen reichen Familien in Heraklion.

III

Kaum hatte Mandorf auf Kreta seine Vergangenheit oder seine wechselnden Vergangenheiten endgültig abgelegt, *zum zweiten Mal seine Persönlichkeit in diesem Krieg entfaltet*, als ihn die ursprüngliche Vergangenheit auch schon überfiel. Er versuchte, seine griechischen Freunde zur Wissenschaft zu verführen. Mandorfs Totalsinn wandte sich der bildungsbedürftigen Bevölkerung ganz Kretas zu. Zugleich hielt sich sein aufs einzelne gerichteter pädagogischer Eros an die 18 machthabenden Familien des Landes. Eine Abendschule, die Mandorf in Hera-

14 »Kreta besteht im wesentlichen aus Steingebirge. Gelegentlich existieren Oliven und im Westteil der Insel Orangen. In den Schluchten des Ostteils der Insel finden sich Mandelbäume. Ziegen und Sturzbäche verhindern eine Bewachsung der Insel.« Kreta lag erobert da. Auf etwa 10 getötete Engländer kam *ein* getöteter Deutscher; insofern war am Sieg nicht zu zweifeln.

15 Der ehrgeizige Major v. R., der sich auf Menschenbehandlung verstand, zog Mandorf in verschiedenen persönlichen Angelegenheiten zu Rate; während der Offizier Mandorfs Ratschläge nicht weiter befolgte, ergab sich, daß Mandorf sein Verhalten auf Kreta durch Rücksichten auf v. R. bestimmen ließ. Verspätet sah er, daß die vertraulichen Gespräche zu den Herrschaftsmethoden v. R.'s gehörten, die dieser zum Teil schon unbewußt anwandte.

klion für städtische Kinder begründete, florierte nicht.[16] Mandorf hielt für einige grundbesitzende Familien auf deren Landsitzen Vorträge ab über deutsche Sprache, insbesondere Novalis. Die neugewonnenen Freunde wunderten sich sehr, daß Novalis eigentlich ganz anders hieß. Mandorf gewann die Familien Natr. und Kar. Bei der Familie Metropoulus lernte er den 16jährigen G. kennen; dieser neue Wirklichkeitseinbruch erschütterte den Wissenschaftler, nahm ihn für längere Zeit gefangen.[17]

Durch die Metropoulus erhielt er Kontakt zu den Si. und den weitverzweigten Fer., die zugleich die Unterstützung der Familien W. und Best. für die Besatzungsmacht einbrachten, da diese Familien den Osten der Insel im wesentlichen beherrschten. Die Familien suchten den Handel mit dem Festland. Voraussetzung dafür war ein gutes Verhältnis zur deutschen Besatzungsmacht. Eigentlich wollte Mandorf ganz anderes.

Dienststellung der Wissenschaft

Amor scientie factus exulis. Der der Wissenschaft Verfallene ist von der Macht ausgeschlossen. Daher soll er der Macht dienen. Gelehrte waren früher die höheren Bediensteten der Aristokratie. Als Berufsbeamte dienen sie heute der Wissenschaft. Daß das Instrument Wissenschaft sich von Mandorf nicht

16 In den Städten Kretas existierte eine zahlenschwache Schicht unabhängiger Juden, Handwerker, kaum Akademiker, eine Reihe von Popen. Die dorflosen Bergregionen waren von Hirten und Gelegenheitsarbeitern bewohnt. Praktisch gruppierte sich der wesentliche Bevölkerungsanteil um die etwa 18 Familien, die die Insel kontrollierten. Es bestanden Bedenken, diese Klientel durch allzuviel Unterricht dem natürlich gewachsenen Autoritätszustand zu entziehen.

Trotz Mandorfs Protest sperrte Major v. R. nach einem erfolglosen Anfang die für die Abendschule vorgesehenen Mittel. Mandorf bat die Familie Ferania um Hilfe. Die Ferania waren geizig.

17 Während Fliegergefahr befand sich der etwas schwachsinnige, leptosome G. Metropoulus ohne die Wache, die ihn sonst begleitete. Mandorf traf ihn in den Vorratshäusern. Daß sich der junge Geisteskranke an ihn drängte, brachte Mandorf in Verwirrung. Mandorf hielt den Vorgang zunächst wieder für Liebe: die außerordentliche Gefahr, fehlende Übersicht, Lust. Das hielt sich natürlich nicht lange.

Die Metropoulus waren insgesamt schwarz, untersetzt, relativ großknochig.

zielgerichtet gebrauchen ließ, lag daran, daß es von Anfang an zum Dienen erfunden war. Abälard, Bruno, Petrarca, Goethe, Humboldt dienten ihren Herren. Als Abälard und Bruno nicht mehr dienen wollten, wurden sie abgeschafft.

Beschreibung Mandorfs
Weich, liberal (verführbar)
Außenseiter
Völkerversöhner
Allesverbinder
Er trug das Haar jetzt wieder länger, kein Fett am Körper, mit seiner Lage war Mandorf nicht versöhnt.
Er hätte 1943/44 seine Identität wechseln, seine Nationalität ablegen können. Eine der griechischen Banden, die von den besitzenden Familien zur Abwehr anderer Banden unterhalten wurde, machte ihm einen entsprechenden Vorschlag.[18]

Kirremachen einer Entgleitenden
N., die er fast vergessen hatte, meldete sich von Saloniki aus. Mandorf flog noch in der gleichen Nacht dorthin. Es gelang ihm, die Widerspenstige wieder in Abhängigkeit zu bringen.[19]

IV

Von Nordosten bedrohten im August 1944 russische Verbände den oberen Balkan. Die deutsche Führung mochte auch in dieser Situation nicht auf Griechenland verzichten. Sie entschloß sich, Kreta teilweise zu räumen. Die auf Kreta verbleibenden Soldaten zogen sich auf die sogenannte Kernfestung

18 Der Bandenführer hatte Mandorf gern als Stabschef gehabt. Auf den Vorschlag ging Mandorf nicht ein, weil er auf seinen Freund Major v. R. Rücksicht nehmen wollte. v. R. war über die Zusammenhänge des 20. Juli orientiert. Er sprach mit Mandorf darüber, ob sich auf Kreta ein Widerstand gegen Hitler organisieren ließe.
19 Das Konzert für Horn von Mozart konnte Mandorf nicht hören, ohne an jene zaghafte erste Umarmung der N. zu denken (noch belebt vom organisationsreichen 1. Maitag).

Kreta zurück. In den von den Deutschen verlassenen Raum rückten griechische Banden nach, die aus dem Ida-Gebirge herabkamen. Sie ließen sich von englischen Offizieren beraten. Mandorf sah bei der Räumung Heraklions im Fernglas einen solchen Offizier, der den Verkehr der einmarschierenden Banden regelte. In den Tagen nach Räumung des Ostteils der Insel durch die deutschen Truppen verloren die englischen Verbindungsoffiziere die Kontrolle über die Banden. Mandorf hörte, daß Mitglieder der von ihm für die Wissenschaft gewonnenen Familien erschossen würden. Er regte bei General B., dem Festungskommandanten, die Entsendung einer Hilfsexpedition zur Rettung der Freunde an.[20] Die Bitte wurde ihm abgeschlagen. Mandorf versuchte selbst, nach Heraklion vorzudringen. Mandorf war aber aus der Gelehrten-Stille ausgezogen, eine Frau zu beglücken; diese hatte er aufgegeben, um Siege zu feiern; von den Siegern hatte er sich abgesetzt, um in eine kretische Haut zu schlüpfen, alles zur freien Entfaltung seiner Persönlichkeit, von der jetzt vierzig bedrohte Menschen abhingen; jetzt hätte er gern wieder den Anschluß an seine ursprüngliche Tätigkeit gefunden; er hätte die aussichtslos

20 Die eisernen Männer sangen an jenem 24. August den ganzen Tag im Radio Agram. Außerdem hörte Mandorf:
Warum willst du mich nicht?
Eines Tages wird der Himmel wieder blau.
Ich will nicht
Allerdings!
Auf ein Gestern folgt ein Morgen
Siehst du den Chow-Chow im Garten?
Liebe wird es immer geben.
Tief dort im Wehrdorf klingt der Wind.
Grüßt der Glockenschein zum hohen Sternenzelt.
Tief im Meer da liegt die Vergangenheit
Und die Träume sind Lieblichkeit.
Ich brauch' kein Schloß
Ich brauche für heut' und alle Zeit
Mehr Liebenswürdigkeit.
Die Kaulos waren immer vorsichtig gewesen; sie hatten Mandorf nicht empfangen, auch sonst keine Beziehungen zur Besatzungsmacht gehabt. Trotzdem wurden sie jetzt mitgehangen.

werdende Situation gern wissenschaftlich betrachtet. Eine Zeitlang prüfte er, was wichtiger sei: sich für die Freunde zu opfern oder sich nicht zu opfern und ihnen durch Beschreibung, d. h. durch ein Buch, das er nach dem Kriege schreiben wollte, ein Denkmal zu setzen.

Begriff der Persönlichkeit

General B. verbot Mandorf weitere Vorstöße.[21] Wissenschaftler Mandorf hatte sich auf Kreta ein System erdacht. Aber auch bei besserer praktischer Schulung Mandorfs wäre das Kartenhaus zusammengebrochen: es stützte sich auf Mandorfs Person. Diese stützte sich auf das Geschehen. Das Geschehen selbst war nicht abgestützt. So war Mandorf nicht abgestützt.

Mandorf als Fachmann

Fachmann war Mandorf eigentlich für gar nichts.

Eine gräßliche Entdeckung

In den Unglückstagen von Heraklion machte Mandorf eine Entdeckung: ihm war, was geschehen war oder was geschah, gleichgültig. An sich war ihm auch dieses moralische Versagen gleichgültig. Die Gleichgültigkeit angesichts des Unglücks der Freunde nahm aber dem ganzen Feldzug Mandorfs seinen Sinn. Mandorfs Persönlichkeit lag entfaltet da: sie umfaßte nichts.[22]

21 Opfervorgang: Nicht in den Garten gehen, sondern Latein lernen. Nicht trinken, sondern früh aufstehen. Wenn Mandorf das opferte, was er nicht haben will, müßte er zu dem kommen, was er haben will. Gingen bei der Aufopferung von Mandorfs eigentlicher Absicht (den Freunden zu helfen) Persönlichkeitswerte verloren? Es galt zu wählen: eventuelle Werte oder aber die Manövrierfähigkeit zu höheren Aufgaben.

22 Mandorf war in diesen Tagen tätig und ausgefüllt. Er schrieb Fernschreiben nach Saloniki. Täglich bis 1 Uhr erledigte er seinen gewohnten Vermessungsdienst, er prüfte die aus Chania und Rethymnon einlaufenden Berichte; er war der einzige Feldwebeldienstgrad, der die Landessprache verstand. In seine Appelle an General B., die er schriftlich niederlegte, hatte er sich verbissen. Er hätte den Konflikt entbehrt, wenn B. plötzlich nachgegeben und doch eine Expedition nach Heraklion entsandt hätte.

V

Dem General B. wurde die Sache zu bunt. Er sah den Blick Mandorfs nicht gern. Er sandte ihn im September mit Nachtmaschine über Kos nach Agram. Ein Armeestab dort wußte Verwendung für Mandorf. Er erhielt den Auftrag, die Verkehrslage auf der Straße Larina Ziotyon Trinkalla bis zum Olymp hin zu prüfen. Die Straße war, wie schon 1941, verstopft. Noch jetzt – Ende 1944 – wurde Mandorf von den Mitgliedern eines Korpsstabes für einen Fachmann gehalten. An einem Abend durfte er aus Platos Apologie rezitieren.[23] In diesen Tagen erhielt der Korpsstab, den Mandorf begleitete, von der antikommunistischen Widerstandsgruppe Edes das Angebot, die griechische Staatsbürgerschaft anzunehmen. Gemeint war, daß man gemeinsam gegen die Kommunisten vorgehen sollte. Die Angehörigen des Korpsstabes, die für ihren Rechtsstatus als künftige Kriegsgefangene fürchteten, lehnten ab. Mandorf kämpfte, seelisch erschöpft, bis Juni 1945 auf seiten von Edes gegen Kommunisten. Er geriet in jugoslawische Hände. Den ersten wiedergewonnenen Atem benutzte er, die Internationale zu erlernen; Mandorf blieb bis 1945. Nach Deutschland zurückgekehrt, fand er keine Freunde vor. Seine

23 Meine Herren, sagte der Kommandierende General, wir haben heute das Vergnügen, Herrn Professor Mandorf unter uns zu begrüßen. Herr Mandorf hat sich dazu bereit erklärt, aus einer von ihm angefertigten Übersetzung vorzulesen. Nach schweren Tagen erscheint mir eine geistige Ruhepause in dieser Form erwünscht und angemessen. Ich bitte um Aufmerksamkeit. Diese Worte eröffneten das Essen. Es schloß sich die Vorlesung sowie ein Beisammensein an: Ernste Schallplatten wurden gehört. Die Gesamtstimmung war gedrückt, da zweifelhaft war, ob feindliche Verbände eine Paßstraße bei Franquilla besetzt hätten.
Mandorf rezitierte als Zugabe »Die Prätorianer« von Victor Hugo:
Wir waren 10,
Wir nahmen die Stadt
Und den König selber gefangen!
Danach,
Herren der Stadt und des Hafens,
Wußten wir nicht, was weiter,
Und so gaben wir höflich
Dem König Stadt und Hafen zurück.

Frau fand sein Versteck[24], erbat eine vereinbarte Scheidung, die 1952 erfolgte. Wiedereinstellungsansprüche hatte Mandorf nicht. An seiner Habilitation fehlte 1939 die Antrittsvorlesung.[25] Auch habilitiert hätte er keinen Lehrstuhl erhalten, da ihn kein Lehrstuhlinhaber kannte und Mandorf sich auch nicht drängte. Er erhielt 1958 eine Assistentenstelle. 1959 rückte er auf in eine Tutorenstelle. Er hat Aussicht, später einmal die Planstelle eines Wissenschaftlichen Rats zu erhalten.[26] 1960 heiratete er seine Hauswirtschafterin. Begegnete ihm jetzt noch einmal die Wirklichkeit, so fände sie ihn vorbereitet, allerdings zum Teil auch verbraucht.

24 Mandorf trat 1948 in Butzbach/Hessen eine Stelle als Hauslehrer an. In den Städten, in denen er früher gelebt hatte, zeigte er sich nicht. Seine Frau fand seine Adresse trotzdem mit Unterstützung einer Heimkehrer-Organisation.

25 Ein entfernt mit Mandorf bekannter Lehrstuhlinhaber, der selbst ungerecht behandelt worden war, griff den Fall Mandorfs auf. Im Universitätskuratorium von F. lag daraufhin einige Zeit ein Vorgang und wurde bearbeitet. Im Ministerium gab die Abteilung IV (Hochschulabteilung) den Vorgang weiter an die Abteilung I (Recht, Organisation, Haushalt). Hier wurde eine Auslegung des § 7 III BWgöD versucht, die für Mandorf günstig gewesen wäre. Hiergegen erhob der Sachbearbeiter im Finanzministerium Bedenken. Der Vorgang wurde daraufhin unentschieden dem Universitätskuratorium zurückgegeben. Der mit Mandorf entfernt bekannte Wissenschaftler verfügte zwar im Augenblick über erheblichen Einfluß, kümmerte sich aber nicht um den Vorgang; seine Güte war grundsätzlich zweckfrei, sie reichte für einmalige Handlungen.

26 Dies hängt von der allmählichen Durchführung der Empfehlungen des Wissenschaftsrats an der Universität M. ab. Rektor und Senat haben die Empfehlungen grundsätzlich begrüßt. Im Einvernehmen mit der Staatsverwaltung sind *Anstrengungen* unternommen worden. Diese Anstrengungen dürften andererseits das traditionelle Leitbild von Forschung und Lehre, wie es in der Universitätsverfassung verwirklicht ist, nicht verletzen.

Hier ist die Rede von Antoine Billot. An der Katastrophe von Arles nahm er teil. Hundert Tote über Nacht, weil ein Damm brach. Soldaten holten ihn in Booten ab, als er bereits bewußtlos war vor Hunger und Kälte, mit beiden Armen an einen Baum geklammert.

1939 lag er unter der Lokomotive zusammen mit vier anderen Streckenarbeitern, da irgend etwas mit dem Warnsystem nicht geklappt hatte. Das Zugpersonal, das den Eilzug erst einige Meter hinter der Unfallstelle zum Halten bringen konnte, unübersichtliche Kurve, wurde im nächsten Ort ausgewechselt. Die Schäden an der Lokomotive waren gering. Unser Mann wurde ärztlich nicht sogleich behandelt, da man ihn zu den übrigen Toten gelegt hatte, später rappelte er sich noch einmal zusammen.

Eine Betondecke stürzte ein, sieben Frauen, die in dem Raum unter der Betondecke für eine Firma Kartoffeln schälten, wurden getötet. Er war der einzige Mann in diesem Raum. Stand im Augenblick des Betriebsunfalles in der Tür und wurde lediglich schwer verletzt, so daß die Ärzte an seinem Aufkommen zweifelten. Die Sache ging durch die Zeitungen.

Im Krieg wurde er von dem Ort, an dem er seine Verwundung empfing, zurückgeflogen ins Innere des Landes. Da ein Motor der Sanitätsmaschine aussetzte und das Flugzeug an Höhe verlor, kam von der Bodenstelle die Weisung, die Schwerverletzten abzuwerfen. Der Mann gehörte zu den Schwerverletzten. Er wurde abgeworfen. Niemand hätte mehr mit ihm gerechnet, da Mangel an Fallschirmen bestand. Aber er fiel noch ganz glücklich und ließ sich in dem Bauernhof, in dessen Gebiet er fiel, gesund pflegen. Es war sein Glück, denn er entging dadurch der Gefangenschaft und der Zwangsarbeit in Deutschland. Nach dem Sieg beging er die Torheit, sich auf den Nachhauseweg nach Südfrankreich zu machen. Auf diesem Weg geriet er in Nîmes unter die verhafteten Milizangehörigen, die man in das Stadion trieb und mit Maschinengewehren beschoß. Hierein wurde er entweder durch ein Versehen verwickelt oder weil er tatsächlich etwas mit der Miliz zu tun hatte. Er lag angeschossen, verdeckt von einigen Toten, die über ihn gefallen waren, und wurde, wie er später erzählte: wie ein toter Stier, als tot abgeschleppt. Es gelang ihm später, sich zu entfernen.

Vom Wehrdienst in Algier wurde er befreit. Er nahm auch keine Arbeit mehr an, wenn sie in Betrieben stattfand, in denen die Unfallquote über 1,2% im Jahr lag. Es passierte aber, daß er sich im Stadion eines südfranzösischen Städtchens in der goldenen Abendsonne ein Fußballspiel ansah, die Ränge bis auf den letzten Platz besetzt, plötzlich setzt ein wolkenbruchartiger Regen ein, der ganze Himmel ein einziger Wasserstrahl auf die Schaulustigen, die aus Angst naß zu werden zu Tausenden zu den Ausgängen der Arena drängen. Dabei blieben zwanzig Menschen, teils getötet, teils schwer verletzt, liegen. Der inzwischen vierzigjährige Billot – schon in der Nähe des Ausgangs – gehörte zu den erheblich Blessierten, entging aber dem Tode. Die Verletzung, die er auszukurieren hatte und zu der durch unsachgemäße Behandlung in der Kreiskrankenanstalt ein Leberleiden und eine leichte Blutvergiftung hinzukamen, bewahrte ihn vor der Teilnahme am Suez Abenteuer, von dem man damals nicht wissen konnte, ob es nicht gefährlich enden würde. Der Mann war dankbar.

In einem Haus in Blaubach wurden nach dem Fliegerangriff vom 11. Februar 1943 die verkohlten Reste eines Menschen gefunden. Eine Hausbewohnerin behauptete, es handele sich um die Überreste ihres Mannes. Eine zweite Frau aus demselben Haus meldete sich und erklärte, ihr Mann habe ebenfalls in diesem zerstörten Keller gesessen, wahrscheinlich saß da einer neben dem anderen. Es seien Leichenreste ihres Mannes dabei. Auch sie möchte gerne eine Grabstätte besuchen können. Daraufhin machte die Hausbewohnerin, die zuerst zum Trümmerstück[1] zurückgekommen war, den Vorschlag, die Reste des verkohlten Menschen zu teilen.

1 Als das Mädchen Franziska Ziegler, die zu Beginn des Angriffs einen öffentlichen Bunker aufgesucht hatte, zurückkehrte, stand von diesem Haus nur noch die linke Brandmauer. Die Schwester, 18 Jahre alt, trat hinzu. Martha und Viktor Ziegler standen aufrecht bis zur Brust im Schutt an der Wand. Als die Mädchen den Vater anriefen, fiel sein Kopf nach vorn. Die Kellerdecke, ein Viereck aus Beton, hing an einer einzigen Eisenlasche. Sie holten Petroleum und versuchten, die Toten zu verbrennen. Wenn wir es nicht tun, tun es die Ratten. Sie mußten es tun.

ABBAU EINES VERBRECHENS DURCH KOOPERATION

I

Ingrid Fahle, Ingenieurin der Abendstunde. Sie schaltet das Licht ein, läßt den Kunden herein, gibt ihm sein Präservativ. Der Kunde entkleidet sich. Sie schält sich aus ihren Dingern. Mit Ingenieursgriff umfaßt sie den Sack des Kunden, locker. Sie ist kundig. Sie befreit diesen Gast von dem zu eng sitzenden Präservativ. Sie legt diesen Kunden auf die Massagepritsche und macht sich im Raum zu schaffen. Die Vorfreude soll andauern. Sie massiert die Fußknöchel, die Kniescheiben, Waden. Sie geht über zum Brustkorb.

Der Kunde entspannt sich. Er bittet wortlos um schärfere Behandlung seines Halses. Sie würgt ein wenig. Sie nimmt 180 DM. Die Spitze des Fegers dieses Assessors ist wie ein verkleinerter Rosenkohl, aber an der äußersten Spitze angespannt, und läßt eine männliche Scheide sehen, aus der dann später Saft kommt. Sie weiß, daß hiernach keine Steigerung mehr möglich – sie lenkt ab. Ein älteres Exemplar der Zeitschrift STERN. Der Kunde sieht die Bilder an

II

Sie fügt sich in die Freitag-17 Uhr-Welle der vielen Menschen ein, die die Kaiserstraße herunter zum Bahnhof drängen. Es tut ihr gut, die Laufmuskulatur anzustrengen. Moselstraße, Taunusstraße überqueren, Niddastraße. Sie steigt die vier Treppen zu ihrer Privatwohnung hinauf. Drückt das Schnappschloß ihres Quartiers auf. Von der Arbeitswoche erschöpft, öffnet sie die Wohnzimmertür, hat die Vorstellung, daß sie sich jetzt einen Tee machen wird; sie sieht den Jugoslawen in dem schweren Klubsessel liegen, der Kopf blutüberkrustet, seitwärts auf die Lehne gelegt.

Diesen Jugoslawen kennt sie seit mehreren Wochen. »Auf Geschäftsreise von Zagreb nach Brüssel, wo er für das von ihm geführte Hotel eine Spülmaschine einkaufen soll.« »Wollte in Frankfurt zwei Diamanten verkaufen.« Sie betastet vorsichtig seinen Kopf, versucht den Oberkörper Ante Allewischs aufzurichten. Ein längliches Eisenstück liegt neben dem Klubsessel am Boden.

Das Altbauzimmer ist mit einer großen Schlafcouch und einer »Trink-Ecke« ausgestattet: Sitzbank, davor Rauchtischchen, zwei Damenhocker. Zu dieser Ecke zählt der große Klubsessel.

III

»Keiner ist alleine schlau genug.« Sie will Wasser holen, dieses Blut am Kopf wegwaschen. Sie hebt ein Augenlid Allewischs hoch, benutzt dazu (um Fingerabdrücke zu vermeiden) einen Lappen, den sie aus der Küche holt; sieht sich das Weiße in dem jugoslawischen Auge an. »Sachte pustet sie darauf.« Sie hofft auf ein Lebenszeichen. Sie zündet ein Streichholz an und hält es vor Allewischs Mund. Sie prüft den Puls. Durch den Lappen hindurch fühlen ihre Finger nichts, auch nicht durch ein Seidentuch, das sie aus dem anliegenden Zimmer, in dem Karl Schleich lebt, holt. Sie muß sofort Schleich sprechen, ihren Beschützer. Sie rennt Taunusstraße, Moselstraße, Münchner Straße, trifft ihn im »Studio Luxemburg«.

Ingrid: Im Zimmer liegt Allewisch. Tot.

Schleich: In deinem Arbeitszimmer?

Ingrid: Nein, im Quartier.

Schleich: Herzschlag?

Ingrid: Mit einem Eisenstück erschlagen. Auf den Kopf.

Schleich: Du spinnst.

Ingrid: Du mußt ganz ruhig sein. Verdaue das erst einmal.

Schleich: Und da bleibst du so ruhig?

Die beiden Vertrauten kennen einander jetzt seit acht Jahren.

Jeder ist in seinem Fach ein Professioneller. Sie laufen, wie sie immer laufen: Moselstraße, Niddastraße.
Ingrid, aschblondes Haar im Sommer, etwas nachdunkelnd im Winter oder wenn sie es nicht wäscht. Geboren in einem Großdorf in Oberhessen. »Da sie starke Knochen zu haben versprach, folgte er ihr auf das Zimmer.« »Sie wollte durch eine ungewöhnliche Figur auffallen. Ein Jahr danach wog sie nur noch 28 Kilo.« »Mit 23 Jahren stürzte sie sich während einer Familienfeier aus dem Fenster des zweiten Stockwerks. Sie hatte zu dieser Zeit ein Liebesverhältnis mit einem älteren Mann. Nach diesem Sturz begann sie wieder abzumagern.« »Gegen die Obstipation beschaffte sie sich heimlich große Mengen Abführmittel. Im Laufe des Jahres entwickelte sie eine Sucht nach stimulierenden Medikamenten.« »Zum ›Enthemmen‹ nahm sie große Mengen Nocturnetten.« »Abends trank sie regelmäßig einige Flaschen Bier.« Seit sie sich unter Karls Einfluß befindet, ißt sie regelmäßig, hat professionellen Ehrgeiz. Sie hat beruflichen Erfolg wegen ihrer Kenntnisse, nicht wegen ihres körperlichen Typs. »Meine Kunden produzieren ihr Vergnügen mit Hilfe der sachkundig ausgelösten Phantasien selber.«
Karl Schleich ist aktenkundig als Zuhälter. In Wirklichkeit: Spezialist für Einbrüche.[1] Er recherchiert die Einbruchsmöglichkeit (z. B. von einer nachts geschlossenen Imbißstube mit langem, schlauchartigem Gang die Wand zu einem Pelzlager durchstoßen, das an der Brandmauerseite zur Imbißstube nicht gesichert ist). Für diese Planung ist Schleich zuständig. Mit der Abendmaschine aus Mailand trifft ein Spezialist für Mauerdurchbrüche ein, der sich gegen 3.30 Uhr nachts von Schleich wecken läßt, frühstückt, den Durchbruch ausführt, von Schleich zur Frühmaschine 8.15 nach Mailand zum Flughafen gefahren wird. Die Pelze werden in einer Scheune im Taunus gelagert.

1 Daß die Kriminalpolizei Schleich in den Kreis der Verdächtigen noch nie einbezogen hat, liegt mit daran, daß er wegen Sittlichkeitsdelikten, also einer grundlegend anderen Tätigkeitsform in ihren Akten verbucht ist.

IV

Bertrand Russel, *Power*, Zürich 1947, S. 214: »So muß es zwei Polizeikörper und zwei Scotland Yards geben, von denen der eine, wie es heute der Fall ist, die Schuld, der andere die Unschuld nachweisen muß; so muß es zwei Erfahrungsweisen von Verbrechern geben: die einen, die es aufbauen, die anderen, die es wieder abbauen.«

Schleich, der ohne Resultat eine Kerze vor Allewischs Mund hielt, das Wachs tropfte auf den Mund des Toten, aber er wollte den Kopf nicht durch Ingrids Hände hochstützen lassen, weil er wußte, daß man bei schweren Schlagschäden die Lage des Kopfes am besten überhaupt nicht verändert. Als Schleich sich quer zu dem Erschlagenen auf den Boden legt und sein Ohr voller Vertrauen auf dessen Brust deponiert, hofft er immer noch, daß es sich um kein »endgültiges Unglück« handelt. Es wäre dann sein und Ingrids Unglück. Sie hatten schon in Pensionen Tote gesehen, die von Schlägertrupps zusammengeschlagen waren; diese Toten hatten sie in der Eile jeweils nicht genau betrachten können; hätten sie dort verweilt, wären sie als Tatzeugen in den Todesfall einbezogen worden.

Der lebt, sagte Schleich, um der Situation ihre Absurdität zu nehmen. Er ging einmal provisorisch von dieser Annahme aus. Sie wickelten den Jugoslawen in Decken. Ingrid brachte aus der Küche Wärmflaschen. Der Schlag hatte den Schädel verformt, jedenfalls schien das so bei Kunstlicht. Die flächige Wunde, in der Knochensplitter, mit Haaren und Blut vermischt, herausstanden, tropfte. Vorsichtig, wie Ingrid sonst entzündete Geschlechtsteile eines Kunden angefaßt hätte (»die sind nicht aus Gummi«), legte sie zwei Frottiertücher und eine Seidenbluse um die Wundränder.

Sie liefen zur Westendstraße, dem Quartier des Amateurpärchens Schmitz/Mera. Sie passierten Polizeistreifen, die sich aber lediglich für die abflauende Demonstration von Hausbesetzern interessierten, die ein Grundstück im Kettenhofweg betraf. Aus der Lindenstraße brach eine Polizeirotte hervor, verprügelte Studenten, die nach Westen abliefen. Kühle Abendluft. Die Bäume an der Bockenheimer Landstraße sind schon Ende April verwelkt wie im Herbst.

V

Das Amateurpärchen sitzt im Licht einer Stehlampe den aufgebrachten Professionellen gegenüber. Die »Freunde«, seit 2 Jahren verbringen sie regelmäßig gemeinsame Abende, betrachteten einander wie »fremde Hunde«.

Schleich: Ihr seid rammdösig.

Schmitz: Wir leugnen das. Der Tote liegt in eurer, nicht in unserer Wohnung. Das ist entscheidend.

Schleich: Ich habe euch gesagt, daß wir auf keinen Fall mitmachen. Das bedeutet, daß ihr euren verrückten Plan aufgeben mußtet.

Schmitz: Ich wüßte gar nicht, wovon ihr sprecht. Er liegt in eurer Wohnung.

Schleich: Wir wissen, daß ihr an die Steine ranwolltet.

Schmitz: Unter uns mag das klar sein, aber für die Polizei liegt er in eurer Wohnung.

Ingrid: Wer redet denn von Polizei?

Schmitz: Also, das ist vernünftig.

Schleich: Was heißt hier vernünftig?

Schmitz: Vernünftig ist, daß wir die Polizei weglassen.

Schleich: Das fliegt spätestens auf, wenn ihr die Steine irgendwo anbietet. Also, die Steine müssen jetzt her.

Schmitz: Das schlägst du dir aus dem Kopf. Eher zeige ich euch an. Dann müßt *ihr* erklären, wie der Tote in eure Wohnung kommt.

Schleich: Ihr habt Schlüssel zu unserer Wohnung.

Schmitz: Die haben wir weggeschmissen

Schleich geht auf Schmitz zu, schlägt ihm ins Gesicht. Helke Mera schreit, versucht Schleich zu boxen. Ingrid hilft Schleich.

Schmitz entkommt in den Flur, dreht den Schlüssel um, ruft durch die Tür:
Schmitz: Ich gehe zur Polizei.
Ingrid: Und woher willst du etwas wissen über den Mord?
Schmitz: Ich melde den Jugoslawen als vermißt.
Schmitz läuft nicht weg, obwohl er vom Flur aus die Straße erreichen könnte. Schleich und Ingrid haben Schmitz' Geliebte als Geisel. Sie befürchten, daß Schmitz notfalls diese Geisel ihnen belassen wird. Die Tür zu sprengen ist ohne Krach nicht möglich. Sie durchsuchen das Wohnzimmer. Heike Mera, der Ingrid mit Schleichs Hilfe durch Armumdrehen Schmerzen zufügt, weiß nicht, wo die Diamanten sind.

VI

»Der Giftzwerg in den Schuhen seines Vaters«
»Eine Tochter aus äußerst gutem Hause«
Dietrich Schmitz und Heike Mera versuchen eine geordnete Existenz zu begründen: »Gut« sein. Für Schmitz heißt das: in Lackschuhen, hellgrünem Sportanzug herumlaufen, *ähnlich* wie sich sein Vater, ein Kriminalbeamter, seiner Dienststellung gemäß, sorgfältig kleidete, aber *unbedingt abweichend* davon. Eine Brosche auf Schmitz' Krawatte, von der Farbe einer Friseur-Haarsalbe. Das Grenzenlose in Schmitz' Ehrgeiz bestimmt die Mittel. Daß er nicht zu Ende plant, trägt ihm die Verachtung des professionellen Schleich ein. Seit zwei Jahren plant Schmitz mit dem Professionellen Gerschwind einen Pelzeinbruch. Er führt den Plan nicht aus. Heike Mera, einflußlos, rät ihm zum »rechten Weg«, aber nach Brasilien mit ihm auswandern will sie auch; dafür brauchen die Amateure Barmittel. Jetzt stellt Schleich verblüfft fest, daß diese Amateure doch etwas »tun«.
Noch in der Nacht finden Ingrid und Schleich in einem Bootshaus in Bad Vilbel, in dem Schmitz ein Faltboot untergestellt hat, die Diamanten.

VII

Um 3.00 Uhr nachts kommen Schleich und Ingrid zu ihrem Jugoslawen zurück. »Durch Liegenlassen wird er nicht besser.« Schleich hat den Eindruck, daß der Tote doch irgendwie schwach atmet.

Es ist Samstag/Sonntag. Sie wickeln Ante Allewisch in einen Teppich und tragen ihn zu einem Lieferwagen, den Schleich ausgeliehen hat. Sie müssen bis 6.00 Uhr früh warten. Umarmt schlummern sie einige Stunden. Früh fahren sie ihn zu einer Scheune im Taunus, legen ihn in einen Holzverschlag.

Ingrid wartet vor der Praxis des Abtreibungsarztes Dennerlein, will ihn überreden, sich den Halbtoten einmal anzusehen. Dennerlein: Der Fall ist mir zu gefährlich.

Es ist aber so, daß er sich der Behandlung der von Ingrid beschriebenen Kopfwunde nicht gewachsen fühlt. Ingrid muß Schleich hinzuziehen, dessen Drohungen Dennerlein zur Kenntnis nimmt. Er fährt jetzt mit. Er betastet den Kopf Allewischs, zieht ein Handbuch über Kopfoperationen zu Rate. Sein Wissen reicht auch jetzt nicht aus. Schleich sieht das ein. Das ist für Dennerlein lebenswichtig, daß die beiden ihn nicht für einen Drückeberger halten. Dennerlein fährt nach Mainz, befragt einen ihm bekannten Assistenzarzt der Universitätsklinik.

Dennerlein versorgt die Kopfwunde. Zu dritt zerstampfen sie Tabletten, die sie dem Halbtoten einflößen. Es erweist sich, daß Allewisch schluckt. Ingrid spricht auf den Kranken ein. Später meint sie, so hätte sie das geschädigte Gehirn in der kritischen Phase in Tätigkeit gehalten, daß es nicht ganz starb. Ihr kommt zugute, daß sie jetzt ausgeschlafen ist. Auf Kunden wie ein Marchenerzähler einzureden, hat sie gelernt.

VIII

Ingrid kennt Nuttenvater Pfuller, einen Kriminalkommissar, der für Geldzuwendungen und gelegentlichen, sehr spezialisierten Geschlechtsverkehr empfänglich ist. Sie bittet ihn um einen Dienst.
Pfuller betritt die Wohnung Schmitz/Heike Mera.
Pfuller (zeigt auf seine Plakette): Kriminalpolizei.
Schmitz (frech): Sie wünschen?
Pfuller: Sie sind doch ehemaliger Kollege?
Schmitz: Was tut das zur Sache?
Pfuller: Ich habe nur ein paar Fragen.
Schmitz: Ich beantworte keine Fragen. Haben Sie eine Beschuldigung?
Pfuller (dringt in die Wohnung ein):
Das wollen wir einmal sehen, ob Sie nicht Fragen beantworten.
Schmitz: Was ist es denn?
Pfuller: Das sage ich nicht, ehe Sie mir nichts gesagt haben.
Schmitz: Ich habe nichts zu sagen.
Pfuller: Das ist ja interessant. Sie haben mir nichts zu sagen?
Schmitz: Was ist es denn? Sie können mit mir nicht so umspringen.
Pfuller: Wir wollen mal abwarten, wie ich mit Ihnen umspringe. Zunächst verfolge ich eine Spur.
Schmitz: Dann nehmen Sie mich doch mit auf das Präsidium.
Pfuller: Woher wollen Sie wissen, daß ich das nicht tue?
Schmitz: Weil Sie hier sitzen. Wenn Sie mich verhaften wollten, hätten Sie einen Kollegen mit.
Pfuller: Fehlschluß. Vielleicht habe ich Gründe, allein hier aufzutauchen?
Das währt eine Stunde. Schmitz und Heike Mera, die den Zweck dieses Besuches nicht deuten können, nehmen den Zug 16.45 nach Barcelona.

IX

Dennerlein: »Der Kunde ist jetzt transportfähig.« Auf kurze Momente ist Ante Allewisch bei Bewußtsein. Er atmet, schläft viel. Ingrid »bespricht« ihn täglich 4-5 Stunden, ohne Rücksicht auf den Sinn der Worte.
Sie hüllen den Patienten in Decken, legen ihn in einen großen Reisekoffer, in dessen Unterseite sie große Luftlöcher bohren; sie stellen den Koffer auf Backsteine, so daß zwichen dem Bretterboden des Lieferwagens und dem Koffer ein Zwischenraum entsteht. Darüber stapeln sie Tarnmasse.
Sie fahren nachts Autobahn Richtung Karlsruhe. Die Grenze nach Österreich überqueren sie auf Waldwegen. Einige Male ächzt Allewisch. Hinter der jugoslawischen Grenze halten sie in einem Waldstück. Ingrid bespricht den jetzt wachen Allewisch 1 Stunde lang: wenig Reaktion.
In Lubljana bringen Ingrid und Schleich Allewisch nachts zum Pförtner des Bezirkskrankenhauses. In Allewischs Taschen werden später Ausweispapiere und zwei Edelsteine gefunden.

X

Schleich und Ingrid Fahle, die sich am Steuer während der Nachtfahrt abgewechselt haben, sind wieder zu Hause. Die erschöpfende Arbeit der letzten 3 Wochen, unbezahlt. Aber die Kooperation schafft zwischen ihnen Vertrauen. Sie feiern für DM 50,– eine gemütliche Stunde. Ingrid sagt: »Es war vielleicht falsch –, Allewisch für seine Versorgung lediglich die beiden Diamanten mitzugeben, besser wäre eine Geldsumme gewesen.« Mit zunehmender Erfahrung wird ihre Technik perfekter.

ALLEWISCHS DIAMANTEN

Im Jahre 1936 kaufte ein reicher Zuckerfabrikbesitzer aus Jugoslawien seiner jungen Frau 2 Diamanten. Sie trug sie bis 1941, nähte sie dann in den Saum eines ihrer Unterröcke. Eine Angriffsspitze der Großdeutschen Wehrmacht, die 1944 den aus Griechenland nach Norden zurückstrebenden Divisionen einen Weg durch die jugoslawischen Berge bahnte, erschoß, in der Annahme, daß es sich um Partisanen handele, diese junge Frau und ihren Mann. Die beiden hatten Arbeiterkleidung angelegt, schliefen, in Decken gehüllt, auf dem Fußboden ihrer Villa.

Sie waren einander nach 8jährigem Zusammenleben immer noch unentbehrlich. Die Zuckerfabrik, die ausgelagerten Möbel, die Bankguthaben konnten sie entbehren; sie wollten nichts als ihre Haut retten, ohne den Ballast ihres früheren Lebens. Die Diamanten trug die junge Jugoslawin nur deshalb bei sich, weil sie nun einmal in ihrem Lieblingsunterrock eingenäht waren und sie in diesem Unterrock schlief. Die Trennung von den Attributen ihres Standes wirkte sich verheerend aus. Das Inventar der Villa hätte sie als Besitzer ausgewiesen, den Anschein, daß sie schlafende Partisanen seien, widerlegt.

Jetzt lagen sie erschossen in einem der leeren Zimmer der Villa. Die bei nachträglicher Körperuntersuchung von einem Unteroffizier entdeckten Diamanten nahm der an der Spitze der Angriffsgruppe fahrende Generalmajor Wülpert an sich. Wenige Tage später wurde Wülpert tödlich verwundet. Die Diamanten schluckte der Wehrlose mit einem Glas Wasser herunter. Er hoffte immer noch, in 2 Tagen wohlauf zu sein, weiter nach Norden zu gelangen. Als seine Leiche, in Hockstellung, behelfsmäßig in eine Zeltbahn eingewickelt, auf dem Rücksitz seines Kraftwagens vom Typ »Horch« lag, von einem Berghang herunter schossen sich Partisanen auf die Fahrzeuggruppe ein, die für den Augenblick hinter einigen Felsen Schutz fand, schnitt sein Fahrer, Obergefreiter Friedrich, seinem General den Bauch auf, um die Diamanten seinerseits zu retten. Er verschenkte sie später an eine jugoslawische Kellnerin, die ihn in Zagreb von Dysenterie heilte; er galt jetzt als Jugoslawe und war als Küchenhilfe tätig. 1972 übergab diese Kellnerin die Diamanten dem Geschäftsführer des Hotels »Metropol«, Ante Allewisch, der nach Brüssel fahren und dort eine Spülmaschine einkaufen sollte. Allewisch verschluckte die Diamanten auf der Zugtoilette und brachte sie, so einverleibt, durch den Zoll. In einem Abteil der Münchner Bahnhofstoilette schied er sie aus und wickelte die unzulänglich gesäuberten Dinger in ein Tüchlein. Er beabsichtigte, die Diamanten in der Bundesrepublik zu verkaufen und den Erlös mit der Kellnerin zu teilen. In Frankfurt war er Gast einer Frau Mera, die er von ihrem Jugoslawienaufenthalt her kannte. Deren 22jährige Tochter, Heike Mera, sprach Jugoslawisch.

Ante Allewisch: Wissen Sie nicht jemand, der diese Diamanten kaufen könnte?

Heike Mera: Diese Dreckdinger sollen Diamanten sein?

Herr Allewisch reinigte die Steine sorgsam unter Leitungswasser. Er hält sie gegen das Licht der Schreibtischlampe. Sie funkeln – ganz ähnlich wie Diamanten.

Wer hat Angst?
Adrienne: keine Angst
A. Bierstadt: Angst
S. Bierstadt: Angst
Katrin Bierstadt: Angst
Jakobine: Angst vor Geldentwertung
D. Albers: Angst
Annabelle Glaube: früher Angst, jetzt Angriffslust
Ernstchen Ermolly: keine Angst
G. Fritzsche: keine Angst
Deesdorf: Angst, wenn er etwas falsch macht
F. Gütersloh: Angst

Lieben die Angehörigen irgendwen?
Adrienne: niemand
Ermolly: niemand
A. Bierstadt: niemand
Jakobine: unbestimmt
Ernstchen Ermolly: glaubt, daß er die F. liebt
Annabelle Glaube: niemand
Katrin Bierstadt: niemand
Belve: niemand
D. Albers: pflichtgemäß alle Hilfsbedürftigen
F. Albers: evtl. seine Frau, wahrscheinlich aber niemand
F. Gütersloh: niemand

Mary Vierlinger, die Verstorbene, hatte nie Gelegenheit zu heiraten, d. h., die Eltern behielten sie im Hause. In ihrer Spitze-Schärfe-Zeit-der-Blüte liebte Mary hündisch eine bestimmte weibliche Person. Diese entwickelte sich später zu einer dicken Person. Mary änderte ihr Testament wieder. Sie wollte dieser Person später nie mehr begegnen. Sie blieb nach der unglücklich ausgegangenen Liebe zu jener bestimmten Person in ihrem unglücklichen Zustand bei den Eltern (als sei die Liebe als Ausweg aus der väterlich-mütterlichen Manufaktur mit diesem ersten Versuch widerlegt). Nachdem Mary ihr 30. Lebensjahr überschritten hatte, waren die Eltern bereits zu alt, als daß Mary sie jetzt noch hätte verlassen dürfen. Sie umsorgte sie; sorgsam kontrolliert im Tageslauf durch sich selbst und die Eltern, also 6 Augen: sie rechnete, wenn sie das Haus verließ, über die verbrauchte Zeit sowie über das verbrauchte Geld ab, glaubte auch nicht, daß ein momentanes Entweichen aus diesem Herrschaftsbereich ihr Glück bringen würde. Mit 50 Jahren konnte sie sich ein anderes Leben als dieses, das dem Rhythmus der Eltern folgte, nicht vorstellen. Nach dem Tode der Mutter, 1939, die ihrem Mann um ein Jahr nachstarb, war Mary Vierlinger, eine echte Packer, zum ersten Mal in ihrem Leben frei. Die Eltern waren ordnungsgemäß der Erde übergeben. Mary kaufte sofort einen Chevrolet. Sie unternahm eine Italienreise bis Bari. Der rasch ausbrechende 2. Weltkrieg unterband wieder die Lebensäußerungen Marys. Sie war während des Krieges aus Standesrücksichten mit karitativen Unternehmungen befaßt. Schwester Adrienne war als Vorbild da. Im März 1943 erhielt Mary eine Auszeichnung. Bis zuletzt konnte sie nicht daran glauben, daß die Engländer die Stadt der ehemals Packerschen und der Vierlingerschen Betriebe bombardieren würden. Als das dann doch geschah, kämpfte sie zäh für die Versorgung der zum Teil beschädigten Krankenanstalt, der sie zugeteilt war. Sie hielt Jahre hindurch einen gewissen Alkoholspiegel in ihrem Körper aufrecht. Eine langausgezogene Speisetafel war für Gäste, die nicht kamen, ständig gedeckt. Zwei alte Lehnstühle waren vorhanden, die Mary 1936 auf den Dachboden schaffen ließ. Wegen der Luftschutzbestimmungen mußten diese Gegenstände 1939 in den Keller transportiert werden. Erhalten waren auch Empire-Garnituren für fünf Räume. Das Schlafzimmer ihrer Eltern ließ Mary 1944 aus Luftschutzgründen zerhacken. 1950 war

Mary 63jährig. Sie selbst aß nicht viel, trank auch nicht mehr viel, verzichtete auf den Ankauf eines Fahrzeugs. Im wesentlichen hütete sie Erbschätze.

Wenige Jahre später erzwang eine Venenentzündung die Amputation eines Oberschenkels. Niemand hätte mit einem Überleben Marys gerechnet. Zusammengepreßt auf schmaler werdendem Raum saß unverbrauchte Vitalität, nie in Anspruch genommen. Nun griff zugunsten der geretteten Mary die Familie, d. h. in erster Linie die gute Schwester Adrienne, die Vermögenssubstanz der Vierlingerschen Erbmasse an; sie ließ sich Generalvollmacht geben und wollte der Schwester Erleichterung bringen. Ein Korbstuhl für Mary, fahrbar, wurde konstruiert. Mary zeigte erhebliche Freßsucht. Besucher sollten ihr zugeführt werden, um sie abzulenken.

Ohne daß Marys Lustsuche in irgendeinem Grad befriedigt worden wäre, erlitt sie, nach sechs in ihrem Korb verbrachten Jahren, eine Serie von Schlaganfällen. Sie versuchte noch zu sprechen. Hinter den fast geschlossenen Lidern lauerte ein jetzt nicht mehr gebändigter Lebenswille. Es wurde der linke, d. h. noch verbliebene Unterschenkel wegen einer nekrotischen Stelle abgenommen. Mary überstand den Eingriff gut. Zwei Jahre nach ihrem letzten Schlaganfall starb sie.

Schon die Amputation des Oberschenkels ihrer Schwester hatte Adrienne Ermolly in Verwirrung versetzt; die nachfolgenden Schlaganfälle, die darauf aufgesetzte Lebenslust der Schwester, die Todesstunden schließlich, die sich hinzogen, mit zähen Verteidigungsbemühungen der Todgeweihten (die sich bis zuletzt Schallplatten mit Beethovenkonzerten vorspielen ließ), versetzten sie in Panik. Sie hätte ein solches Ende, wenn sie davon in Zeitungen oder in Zeitschriften gelesen hätte, niemals auf sich bezogen. Sie wäre neugierig gewesen, wenn sie über ein solches Ende, zum Beispiel in Form eines

Films, unterrichtet worden wäre. Jetzt griff der langsame Tod der Schwester über auf die eigenen Kräfte. Adrienne setzte ihre Lebensverhältnisse, d. h. sich und ihre Kinder in Verteidigungszustand, d. h., sie ließ niemand von den Ihren an die kranke Schwester heran; sie selbst mied die Schwester. Die Schwester wurde von einer »treuen«, d. h. seit Jahrzehnten von der Familie Vierlinger abhängig gemachten, zu eigenem Leben gar nicht mehr fähigen Dienerin versorgt. Wenn nicht die Bedienerin und ein Gartenarbeiter, der Mary Vierlinger ebenfalls gelegentlich zu Gesicht bekam, gewesen wären, hätte Adrienne gesagt, Mary sei schon tot. Adrienne wappnete sich (sie selbst als die Gefährdetste) mit den oft geübten Mitteln der Irritation (»die alte Mary ist nicht wiederzuerkennen«, »dieses alte Stück Fleisch ist schon nicht mehr wiederzuerkennen«). Sollte Adrienne diesem Menschen nicht durch den Hausarzt ein Gnadenmittel geben lassen? Zum Schutz gegen diese Erwägungen zog Adrienne den Hausarzt der Vierlingers, der vielleicht auf den Vorschlag eingegangen wäre, gar nicht erst hinzu; sie beschäftigte für Mary nur erste Dozenten der Universitätsklinik, an die sie mit Tötungsabsichten nicht herantreten konnte. Adrienne verschloß also die aufkommende Panik in ihrem Herzen, beseitigte die Spuren von Marys Katastrophe, indem sie die Erinnerung an Mary überhaupt austilgte. Sie sorgte sich, daß eine Spur von Mary in ihr selbst, Adrienne, zurückgeblieben sein könnte, z. B. in Form einer psychogenen Krankheit oder daß sie jetzt selbst irgendwann so werden könnte wie Mary. Es schien ihr so gefährlich, der Kranken noch zuletzt zugesehen zu haben (wie das unwidersprochene Anhören eines Fluchs, andererseits gibt es keinen Zauber), daß sie eine gründliche Kur auf sich nahm; sie ließ sich von erstklassigen Ärzten vier Wochen lang beobachten. In der Waldluft des auf einer Anhöhe in Hessen gelegenen Santoriums W. beobachtete sie sich einen Monat lang, prüfte die vergangenen Jahre. Sie prüfte, ob Marys Probleme auch die ihren sein könnten. Wie sie sich vorgenommen hatte, kam sie zu einem verneinenden Ergebnis. Frisch durchlüftet von harter Waldluft, gebräunt von langen Augustnachmittagen auf der Terrasse von W. kam sie zu den Ermollys zurück, in erster Linie jetzt: um die Beerdigungsfeier für die eingeäscherten Reste Marys zu leiten.

Wie war die Anfahrt zum Krematorium arrangiert? Die Angehörigen des angeheirateten thüringischen Familienzweigs Glaube – Fritzsche – Albers – Gütersloh berieten, daß sie frühzeitig antransportiert werden mußten, damit die Fahrzeuge für den Transport der Packers und Emollys frei würden. Die Gäste warteten in einem kleinen Warteraum vor der Aussegnungshalle; diesen Warteraum wollte Adrienne überhaupt nicht betreten, da er zu *nüchtern* war. Sie ließ ihren Wagen und den Wagen für den engsten Familienkreis so lange vor der Einfahrt des Krematoriums warten, bis ein Geschäftsführer und der Geistliche, d. h. der zum thüringischen Zweig der Familie gehörende Albers, sie dort zur rechten Zeit abholten. Der Krematoriumsbau bestand aus einem dicken weißen Turm, kirchenartig behandelt, aus dem Rauch aufstieg. Vor diesem Bau war eine Säulenhalle und ein Forum angebracht. Ermolly führte Adrienne am Arm, als sie das Forum durchschritt und die eigentliche Aussegnungshalle betrat. Alle hier aus dem Warteraum schon Hereingeführten erhoben sich.

Die angestellten Musiker hinter einer japanischen Wand spielten »Christ ist erstanden«. In den Seitentüren erschienen Fremde oder Organisatoren, die die Türen sofort wieder schlossen, sobald diese Leute sahen, daß sie eine Feier störten. Als Albers das Vaterunser gesprochen hatte, erhoben sich alle Anwesenden; Adrienne und ihr Anhang warfen Blumensträuße auf den Sarg. Die Musiker spielten »Mitten wir im Leben sind von dem Tod umfangen«. Durch die Schwebevorrichtung senkte sich der Sarg nach unten. In einem Vorraum, der der Aussegnungshalle angeschlossen war, nahm Adrienne die Beileidserklärungen der Erschienenen entgegen. Ein Vertreter der Organisationsleitung fragte, ob von den Grabblumen etwas in die Ermollysche Wohnung zugeschickt werden sollte. Adrienne lehnte ab. Nach den Worten des Beileids gingen die Gäste zum »Prinz Eugen«. Eine Tafel für 34 Gäste war vorbereitet. Von 16.30 h bis in die Abendstunden saßen die Mitglieder des Familienverbandes am Tisch. Superintendent Albers erhielt von Adrienne ein verschlossenes Kuvert mit einem angemessenen Geldbetrag.

A. Bierstadt (laut): Die Gerda muß wohl mal. Antonia (still): Denk mich mal, denk mich mal. Adrienne (laut): Bitte seid doch etwas ruhiger! Eine Kapelle betritt den Speiseraum und beginnt ein ernstes Konzertstück.

Adrienne (still): Wenn Ernstchen braun gebrannt ist, treten seine Backenknochen hervor (laut): Ich glaube, nach der Musik können wir die Tafel aufheben. A. Bierstadt (laut): Das ist ja sehr schön. Ermolly: Ein fröhliches Prösterchen! Superintendent Albers: Sehr zum Wohl! Lisbeth Gütersloh: Es war eine insgesamt recht würdige Feier! Hetzschnauze Annabelle Glaube, Seniorin der Thüringischen, still, sie ist 76jahrig, sehr feine bleiche Gesichtszüge: Was war in dem Kuvert? Ermolly: Seid doch bitte einen Moment still. Hetzschnauze Annabelle (still): Rötung am Hals, das sieht nach baldigem Tod aus. Vielleicht hat er Prostata? A. Bierstadt, wie durch Gedankenübertragung (laut): Prostata, Prostata, daderadadadada! (faßt den alten Ermolly unter den Arm und zieht mit ihm und anderen aus dem Speisesaal in das Billardzimmer, von dort in den sogenannten Salon.) Annabelle, seine Mutter (still): Albers gebe ich ein halbes Jahr, Adrienne gebe ich wenigstens 50 Jahre, Ernstchen Ermolly wird alt, Gütersloh sage ich zwei Todesfälle in diesem Jahr, Dora Wilke stirbt u. U. ganz plötzlich. Ermolly im Salon registriert einen leichten Hustenreiz, den er schon seit gestern verfolgte; die Nase wie immer etwas polypenartig verstopft (laut): Ich lasse sie fegen von Professor

Beier, so kann ich abends Luft einsaugen, aber am folgenden Tage mittags ist die Nasennebenhöhle wieder besetzt. A. Bierstadt (scherzhaft): Abführmittel nehmen! Ernstchen Ermolly: Und was tun Sie abends? Gerda Fritzsche: Geh ich ins Bett, da ich wieder früh heraus muß. Ernstchen Ermolly: Ich könnte Sie morgen mit dem Auto abholen. Gerda Fritzsche: Nein. F. Albers: Wir können Dias projizieren im Billardzimmer. F. Glaube: . . . (trinkt) Ermolly: Ein ganz fröhliches Prösterchen. Adrienne: Seid doch ein bißchen ruhiger. Albers (still): Erheben werden sich die Toten und die da schuldig sind zittern . . .
Die Thüringischen gehen hinüber, Dias ansehen.

Gesichtspunkte der Thüringischen:
Blumen von der Bestattung genommen, bringen den Tod ins Haus.
Verbrennen ist nicht dem Erdreich übergeben.
Es muß besser werden, da es lange genug schlecht gegangen ist.
Auf Kaffeetafel keine Wurstbrote; Schnäpse nicht zum Mittagessen, aber evtl. nachher.
Man muß etwas auf den Tellern lassen zum Zeichen, daß es zwar geschmeckt hat, daß man aber nicht auf das Essen angewiesen war. Die Ermollys aßen alles auf. Die Fritzsche, Albers, Gütersloh taten reichlich auf die Teller, ließen von jedem etwas liegen. Die Ermollys und Packers bis hinunter zu Antonia sparten Stücke Fleisch bis zuletzt auf. Planvoll essen sie zunächst das Unwesentliche, dann das Wesentliche.
Zwei Choräle sind schäbig. Vier bis fünf wären angemessen gewesen.
Das gereichte Fleisch war zäh!
Über diese Punkte sprach niemand; sie vergifteten aber die Stimmung.
Adriennes Faustregeln:
Wenn ich in Verzweiflung wäre, würde ich mich zunächst

einmal wieder ausschlafen. Hilft das nicht, so ließe ich mich braunbrennen; ist der Kreislauf belebt, ergibt sich auch wieder eine fröhliche Stunde.
Zur Zeit des Abendessens konnte keiner der Bestattungsteilnehmer sich noch an Mary Vierlinger erinnern, dafür hatten sie sich an diesem Tage zuviel mit der Toten beschäftigt. In der Erinnerung war zu sehen: D. Albers bei der Predigt, Adrienne, die Hinfahrt leitend (in einem großen schwarzen Regenumhang), die Anfahrt der Taxen, die Herausströmenden, wie aus einem Regierungsgebäude, die zum »Prinz Eugen« wollten.

Suche nach einem Schuldigen!
An sich war an Marys Tod niemand schuld. A. Bierstadt sagte: Mary aß zuviel Fleisch. Hätte sie Gartenarbeit geleistet, hätte sie dieses Fleisch vertragen. Die Thüringischen sahen, soweit sie darüber nachdachten, Marys Tod als eine Strafe für die hochmütigen Packers. Marys Tod, sagte Superintendent Albers, war nicht vorzeitig. Der Satz ließ im Sinn der Albers, Fritzsche u.s.f. mehrere Auslegungen zu. Annabelle Glaube war die Schuldfrage gleichgültig. Sie rechnete nicht mit ihrem eigenen Tod, nahm insofern Marys Tod gar nicht wahr. Antonia Bierstadt ertrug es nicht, den ganzen Tag mit der Verwandtschaft zu verbringen. Sie wollte endlich wieder allein sein. In der Hotelküche unterhielt sie sich zeitweise mit den Dienstboten. F. Gütersloh gab die Schuld für ein Magendrücken, das er während des Diaansehens heftig spürte, dem etwas zähen Lammfleisch, das gereicht worden war; auch die Zeit der Abendmahlzeit war mit 16.30 Uhr schlecht gewählt.

Justitiar W. sagte: Darf ich Ihnen, sehr verehrte gnädige Frau, mein Beileid ausdrücken. Ich möchte Ihnen still nochmals die Hand drücken, auch von meiner Frau. Der Tod Ihrer verehrten Frau Schwester, deren Vermögen ich verwaltete, hat uns alle tief ergriffen. Der Hausarzt der Packers, Dr. von Bo., fiel ein: Wir können es immer noch nicht fassen! Adrienne sagte:

Herr Justitiar, können Sie mir morgen die Abrechnungen über das verwaltete Vermögen meiner Schwester aushändigen? Ich möchte diese Sachen gern im Hause haben. Ich danke Ihnen für die Treue. Zum Arzt gewandt: Sie haben getan, was Sie tun konnten. Der Arzt hatte Adrienne im Verdacht, daß sie der Schwester das Sterben etwas erleichtert hätte. Insofern, sagte Adrienne, war es vielleicht richtig, wie es geschah. Albers sagte: Man muß es von diesem Standpunkt her sehen. Der Justitiar W. war verletzt, weil ihm die Geschäftsführung von Adrienne genommen war.

Daß die Spiegel auch im »Prinz Eugen« verhängt werden mußten, obwohl kirchliche Amtshandlungen hier nicht stattfanden, war eine Forderung von D. Albers. Ebenfalls wurden die Lichtquellen in den Räumen etwas verdunkelt, in denen man Dias vorführte. Die drei Musiker des Stadttheaters wurden in der Küche des »Prinz Eugen« bewirtet. Adrienne zahlte sie aus, nachdem sie erklärt hatten, daß sie mit den erhaltenen Speisen und Getränken zufrieden waren.
Es war eine würdige Feier, sagten zwei der Vierlingerschen Geschäftsfreunde. Ausgewogen, sagte D. Albers. Im Sinne der Verstorbenen angemessen, sagte ein alter Freund von Mary, der erschienen war, obwohl Adrienne ihn nicht eingeladen hatte. Ein insgesamt würdiger Ausklang, sagte der ehemalige Oberbürgermeister von H.
Adrienne dachte daran, daß sich Mary eigentlich eine kirchliche Aussegnung verbeten hatte. Es wäre aber schwierig gewesen, auf die Zeremonie ganz zu verzichten. Die Trennung von Mary wäre ohne Zeremonie weniger endgültig gewesen. Obwohl Adrienne hier gar keine Wahl sah, fürchtete sie sich jetzt vor dem wirklichen oder mutmaßlichen Willen der Toten.

Trauer um Ostbesitz
Ein Grundstück in Erfurt, zwar bombenzerstört, aber großflächig, eingetragener Eigentümer Fritzsche. Zwei Grundstücke,

Parzellen mit Wegegerechtigkeiten in Quedlinburg, von Annabelle Glaube ausschließlich ihrem Söhnchen Otto Bierstadt zugedacht. Eine Handschuhfabrik in Ha., nicht ganz den Güterslohs gehörig, leider enteignet. Hypothekenrecht auf Häusern in Wegeleben und Wernigerode der Fritzsches. Garten, Pfarre, den Roten überlassen, in Quedlinburg von D. Albers.

Nie vergaß Christine Albers den Sommertag, an dem sie ihren Mann verlor. Sie wollte es immer noch nicht glauben, daß der etwas bärtige, dünnlippige Mann jetzt nicht mehr erwachen konnte, wie er es sonst tat. Sie wollte sich schon beeilen, einen Kaffee machen, als sie sich sagte: jetzt ist er zuverlässig tot. Es war notwendig, ihn rasch zu bestatten, wegen der sommerlichen Hitze. Noch abends (am Todestag) holten ihn Männer ab. Solange er im Haus war, glaubte Christine nicht laut sprechen zu dürfen. Sie wollte auch keine Freude zeigen, nicht die alten Bilder umstellen oder Möbel umrücken, die sein tyrannischer Wille seit 16 Jahren an ihrem Fleck hielt. Sie fürchtete sich vor Strafe. Sie wollte nicht, daß ihr Mann zum Beispiel aus einem Schrank hervorträte und sie bei ihrer veränderten Gesinnung ertappte, nachdem sie 16 zähe Jahre ihre wirkliche Gesinnung vor ihm verborgen hatte. Am nächsten Morgen frühstückte sie ausgiebig. Die Trauergäste, wenige Tage später, fütterte sie in einer Gaststätte ab, da sie nicht im Haus sehen sollten, daß der Lehnsessel soundso nicht am Fußende von dem und dem stand usf. Tags darauf erfuhr sie, daß sie an Haus und Vermögen vorerst nicht herankam. Ihr Mann hatte einen Testamentsvollstrecker ihr vorgesetzt. Das begrenzte ihren Lebenskreis auch nach dem anfangs so verlockend erscheinenden Tode des Tyrannen.

Was versäumten die Gäste Adriennes?
D. Albers: Fertigstellung eines Kapitels seiner evangelischen Rechtfertigungslehre. Chr. Albers: Zum Arzt gehen, zum Testamentsvollstrecker gehen, eine kleine Geldsumme abho-

len. A. Gütersloh: Abschlüsse über Kambala mit Str. Gr. K., Rei; auf dem Holzplatz nach dem Rechten sehen. A. Bierstadt: Krankenbesuche, eine Tasse Kaffee bei Mutter Th., gehacktes Brötchen bei Mutter Steinrück; eine Herzspritze machen. Antonia: Daliegen, noch einen Schlaf auf den Schlaf setzen, bis der Mund von selbst feucht ist, dann einen Kaffee! Joler Bierstadt: Leichtes Schwindelgefühl erwünscht, sei es durch scharfen Düsseldorfer Senf, Biere, Einatmen von Äther, heftiges Schaukeln, lernen oder sonst arbeiten, unübersichtlicher werdende Bewegungen, Einfahrt vom Land in eine neue Stadt: dieses Schwindelgefühl verwirrt die Übersicht über die begrenzten Möglichkeiten, die zur Verfügung stehen. Jakobine: Laut aufweinen könnte Jakobine bei dem Gedanken, was sie alles falsch macht. Wie falsch sie Ernährung, Erfolg, Erholung, Freundschaften ansetzt, gesehen vom Erkenntnisstand in 60 Jahren. Dann aber wird sie sterben, ziemlich viel früher als nötig wegen falsch angesetzter Lebensweise. Filme, die den Ablauf mehrerer Generationen verfolgen, wollte Jakobine auf keinen Fall sehen, da der Gedanke an Vergänglichkeit alle *Stimmung* wegwischte. Zwei Fritzsches und zwei Bierstadts saßen mit Ermolly bei den Dienstboten in der Küche. Sie wurden aus dieser zwangloseren Umgebung zurückgeholt. Fritzsche: Wegtauchen in ein Buch. Besser: Hineingehen in den dunklen Raum Kino. Hier die Hoffnung: Anders herauszukommen als hineingegangen. Läse er, fiele er in der Trauergesellschaft unangenehm auf.
Bis zum nächsten Mal, sagte Annabelle zu Adrienne beim Abschied; Adrienne sagte nichts, sie wußte, daß Annabelle, die Seniorin der anderen Seite, durch scheinbare Altersschwäche lediglich ihre Feindseligkeit tarnte. Die meisten Verwandten verabschiedeten sich durch kleine Küsse.

GITTIS ENDE

I

»Süß singt die Geige gut' Nacht.« Mit Gitti Bornemann hätte sich in ihrer Berliner Zeit niemand gelangweilt. Sie wollte gefallen. Wenn sich Gäste langweilten, ließ sie das Licht ausschalten. Verschiedene (für sie bedeutende) Affären ereigneten sich in den Jahren 1929 bis 1932. Sie war jetzt siebenundzwanzig. Frischgetrennt von ihrem Mann, wohnte sie am Lietzenseeufer. Im Jahre 1933 begegnete ihr J., Bildhauer, der sich nicht um sie kümmerte. Ihre Empfindungen empörten sich gegen diese Form von Neutralität. Bald glaubte sie, daß dies (die neue Affäre mit J.) ihre »große Liebe« sein könnte. Im März ging J. außer Landes. Seit Gitti ihre Busenfreundin Naemi Budweis in einer scheußlichen Halle aufgebahrt gesehen hatte, glaubte sie ihren Freunden, daß es Ernst würde. Sie konnte sich unter Ernst nicht viel vorstellen, aber die gräßlich zugerichtete Naemi in dieser scheußlichen Totenaufbewahrungshalle erschreckte sie. Als der Zettel an der Gartentür klebte

Warnung! Leute wie Sie nehmen wir uns gleich vor!
Wir rechnen noch ab! Sie denken wohl, Sie können
es mit uns machen?

Zwei SA-Leute

ließ sie noch mittags packen und nahm den Nachtzug nach Paris. »Wer flieht, steht nachmals seinen Mann, was, wer erschlagen, nicht mehr kann.«

II

Sie war glücklich, dieses scheußliche Deutschland hinter sich zu haben, sie bereitete sich vor auf einen schönen Herbst in Paris. J. war weitergeflohen nach New York. Viele von Gittis

Bekannten waren da. Ihr Wagen trug die IA-Nummer. Das Hauspersonal in Berlin sandte siebenundvierzig Kisten Hausrat, zahlreiche Ölbilder. Gitti packte einige Kisten in ihren Zimmern im *Ritz* aus. In diesem Herbst lernte sie den Filmregisseur L. kennen. Sie hörte Gräßliches aus Deutschland, jeder Zug brachte irgendwelche Bekannten, und ihr graute vor dem, was sie hörte und was sie sich ähnlich vorstellte wie Naemis zugerichteten Körper. Trotz der Schrecken war sie in diesem Herbst *glücklich*. Sie blieb in der Schwebe zwischen mehreren Männern, die sie alle gleich anziehend fand. Sie hatte das Gefühl unerschöpflichen Reichtums an Männern, Zeit, Geld und Gegenständen.
Im Oktober kam ihr Mann nach Paris. Das Dienstmädchen, das sie aus Deutschland mitgebracht hatte, sagte ihr, daß er da sei und daß sie vorsichtig sein solle, er hätte einen Armeerevolver im Gepäck unter den Hemden versteckt. Sie wollte die Warnung in den Wind schlagen, holte sich dann doch den Revolver und fuhr hinaus in die Ateliers zu ihrem Geliebten. L. ließ die Pistole durch einen seiner Mechaniker unbrauchbar machen. Abends kam ihr Mann die Treppe herunter, mit der Waffe in der Hand. Sie erwies sich als unbrauchbar. Sie versöhnten sich. Aber schon im November kamen Briefe von J., der sie jetzt in New York haben wollte. Sie erwiderte, daß sie nicht käme. Sie war sicher, daß sie nur verlieren konnte, wenn sie nach New York ginge. Nachdem sie es aber so unbedingt abgeschlagen hatte, ließ sie die Koffer zusammenpacken und nahm das nächste Schiff, das über den Atlantik fuhr. »Es ist alles nicht so schlimm, und man wird sagen: vielleicht war es gar nicht wahr.«

III

Sie überlegte sich während der Reise, daß sie hinüberfahre, um zu sehen, »ob dieser Mann tatsächlich ihre große Liebe sei«. Sie konnte die letzten Tage der Reise kaum abwarten. Sie schickte vom Schiff aus mehrere Telegramme an J. ab, zuletzt Eildepeschen. Sie fühlte sich, da er sie so gern bei sich haben wollte, wie eine in ein wertvolles Etui verpackte Kostbarkeit. Aber als sie in New York ankam, kümmerte er sich nicht um sie. Sie verlor, während er in den Ateliers von Philadelphia arbeitete und nur über das Wochenende Besuche in New York abstattete, ihren Wert. Sie verlor mit ihrer Kostbarkeit auch die Initiative, nach Paris zurückzufahren. Die Amerikareise erwies sich als ein Irrtum, sie verbrauchte das Geld, das sie aus Europa mitgenommen hatte, und im Februar war sie gezwungen, Freunde in Paris zu bitten, den aus Deutschland geretteten Besitz zu Geld zu machen. J. kümmerte sich in diesen Wochen wieder um sie. Sie glaubte gelegentlich noch daran, daß dies *Liebe* sei, wenn es auch für »große Liebe« nicht reichte. Ihm zuliebe nahm sie eine Arbeit an. Sie ertrug aber das Frühaufstehen nicht.

IV

In diesem Sommer starb ihr Töchterchen im Alter von sieben Jahren, nachdem es in einem scheußlichen See bei Rom gebadet hatte. Gitti hatte das Kind, das die Kette von Fehlgeburten, zu denen sie sich bis dahin bereden ließ, unterbrochen hatte, in Kürze nach Amerika holen wollen. Aber es hatte zu einer Initiative nicht gereicht. Das Mädel hatte in einem See gebadet, der auf Abbildungen wie Blei aussah, unter Aufsicht der römischen Großmutter, und hatte eine Hirnhautentzündung bekommen, die nach drei Tagen, die das Kind in einem Abruzzen-Hotel zubrachte, in den Tod überging. Die römische Großmutter, d. h. Gittis Mutter, war einen Monat später, ohne einen bereits entworfenen Brief nach New York abzusenden, gestorben. Dann passierte das Unglück mit Gittis Mann. Bekannte bestätigten im August, daß er aus Spanien nicht mehr herauskäme. Sie geriet in eine Krise und weinte. Sie wußte nicht genau, was sie sich vorwarf, aber sie hatte den

Eindruck, daß alles nicht passiert wäre, wenn sie in Paris geblieben wäre. Nur von Nachteilen kann man nicht leben. Sie verzieh J. nicht, daß er ihr Unglück brachte. Ihre Neigungen hatten immer in einer gewissen Beziehung zu ihren Vorteilen gestanden, und sie haßte diesen Mann, der sie Unglücksfällen aussetzte. Sie brach auch die Verbindung zu den meisten ihrer Bekannten ab, da sie sah, daß keiner ihr hatte helfen können in den Tagen, als die Telefonate mit Rom einsetzten. Sie brach diese Verbindungen ab, da sie sich nicht mehr in der Lage sah, irgend etwas, sei es Zeit, Energie oder Geld, in diese Beziehungen zu investieren, die unter den veränderten Verhältnissen nichts halfen. Sie wollte nichts abgeben und allein sein, aber J. beredete sie (unter Trennung der Betten), bei ihm zu bleiben, da sie sonst beide zu einsam wären in diesem scheußlichen Amerika. Sie hätte nicht nachgeben dürfen, weder hätte sie etwas von ihm annehmen, noch hätte sie etwas von sich abgeben dürfen. Nachdem sie aber einmal ohne Grund zusammenblieben, hatte keiner von beiden mehr die Kraft für eine Trennung.

Sie hatte ein Grauen vor diesem Mann. Als sie ihn wiedersah, fand sie ihn nicht ganz so fürchterlich. Sie führte ihre Abneigung darauf zurück, daß sie diesen Mann nicht liebte. Das wußte sie jederzeit, daß sie ihn nicht liebte. Sie war gereizt und diskutierte endlos mit ihm, ließ ihn gehen, als er drohte zu gehen. Aber sobald er ihr in den Mantel half und deshalb in ihre Nähe kommen mußte, war ein Kontakt da und sie leistete ungenügenden Widerstand.

Wie zufriedene Säuglinge: es beseitigte die Hysterie der vergangenen Tage. Erst allmählich verloren sich diese Sympathien wieder. Sobald sie ihn aus der Wohnung hinausgeleitet hatte, nicht mehr vor sich sah, kehrte die Abneigung zurück. Ihre Seele hing ein armlanges Stück aus dem Körper heraus bei der Vorstellung, daß sie mit diesem Mann etwas zu tun hätte. Nein! Sie wollte diesen Mann los sein. Andererseits ist es bei Kindern dasselbe, auch keine große Wahl. »Der wollte sich in

mein Herz reinbohren.« Schwamm über das Bisherige, das ihr vielleicht gutgetan hatte.
Der Mann kam aber, weil sie nicht genügend vorbeugte, wieder. Wie eine bittere Medizin nahm sie das zu sich. Aber man gewöhnt sich auch daran.

V

Im Herbst hatte sie einen leichten Autounfall. Danach war ihr etwas besser. Sie hatte starke Blutungen. Diese Blutungen hatten ursprünglich den Sinn eines Protestes. Jetzt gehörten sie zu der Palastwache, die sie vor »Fehltritten« bewahrte. Sie betrachtete die Bescherung im Waschbecken. »Und der Bürger sieht sie wütend an. Und der große Hund zu seinen Füßen blickt auf und will wissen, wen und wann er beißen soll.«
In einem Klavierkonzert, das sie Mitte des Winters in einer Großstadt des mittleren Westens gab, machte sie Fehler über Fehler. Sie hätte lieber gekreischt als gespielt. Einige Male rutschten ihre Finger auf den glatten Tasten aus. Freunde gaben ihr gute Ratschläge. Muß sie sterben oder sich anpassen? In dieser Verfassung überschritt sie ihr 32. Jahr. Eine Kneippkur bekam ihr gar nicht.

VI

An Dr. med. Ernst Goitie
Wien XII
Reitherrengasse 8

Mein lieber Ernst!
Ich mußte in der vergangenen Woche die ganze Zeit zu Bett liegen, da ist dann die Stimmung nicht zum besten. Man sieht alles grau in grau, das hängt aber eben mit dieser Sache zusammen. Ich war bei einem Professor und muß gleich nächste Woche wieder hin. Dann wird er wissen, ob ich nun operiert

werden muß, oder ob alles noch einmal so vorübergehen kann. Ich habe nun bald die Nase voll, es ist schrecklich, daß ausgerechnet ich so darunter leiden muß. Schreib aber nichts davon zurück, ich will vorläufig nichts mehr hören davon.
Und Du hattest wohl eine sehr schöne Zeit in Tirol, von wo Ihr diese Karte schriebt? Vielleicht könnten wir uns vor der Operation noch einmal treffen? Für einen vergnügten Abend?
Ich wollte Dich auch fragen, was diese Krankheit ist, die ich nun nicht mehr loswerde. Was soll ich bloß tun?
Leider habe ich den Namen der Krankheit nicht im Kopf und kann auch den Zettel, auf dem ich ihn aufgeschrieben habe, nicht finden. Ich hätte gern gewußt, ob Du ein Mittel weißt.
Ach, Ernstchen, ich dachte neulich an die »Ballnacht in Florida«. Alle die Abende in Deiner Zeit waren ausgezeichnet.

»Wo steck ich meinen Liebsten hin,
da ich ihm untreu war und doch nur
seine Blume bin.«

Warum bist Du nur so schäbig und hast mich nicht haben wollen?
Warum hast Du mir diesen Mann nicht einfach ausgeredet? Ich wollte Dich ja vielleicht gar nicht verlassen, man wird das jetzt nie mehr feststellen können. Vielleicht sieht man Dich doch noch hier, bevor ich abkratze. Ich sehe natürlich fürchterlich aus, aber wir könnten uns in der Abendzeit vielleicht treffen, wenn ich etwas besser aussehe?

Wie immer
Deine G.

Sie ließ diesen Brief in J.'s Büro frankieren, auf die Gefahr hin, daß J. ihn ihr aus der Hand nahm und las, verschloß ihn und brachte ihn selbst zum Briefkasten. Auf dem Rückweg fühlte sie sich schwach und setzte sich auf die Treppenstufen des Hauses, Kräfte sammeln.

VII

Seit sie an die zuversichtlichen Auskünfte ihres Arztes nicht mehr glaubte, wandelte sie sich. Wenn die Blutungen einsetzten, legte sie sich ins Bett und las irgendeinen Roman, was alle, die sie kannten, erstaunlich fanden. Sie ließ sich Pudding ans Bett bringen und aß ihn auf, und war auch nicht zu ungeduldig, Besuch zu empfangen. In den langen Wochen zwischen den Blutungen hielt sie sich in Zaum. Sie besorgte Geschenke und ging mit Lydia einkaufen, wobei sie sich bei der Auswahl überhaupt nicht einmischte, sondern nur bezahlte. Sie hatte wieder ihr altes Grinsen, und eines Tages ließ sie sich mit *einfachem* Bier vollaufen, wie in der guten alten Zeit, als sie noch mit Ernst zusammenlebte. Sie kam erst um vier Uhr früh nach Hause. Unterwegs mußte sie sich in einem Vorgarten hinsetzen, weil die Blase nicht mehr hielt. Die übrigen Abende saß sie mit J. wie immer. Sie hatten Zeitungen, und zwischendurch kam ein Anruf. Der Hund saß auf einem der Sessel, man hatte ihm ein Tuch dorthin gelegt, auf dem er liegen konnte, ohne den Sessel zu verhaaren. Wenn jemand auf der Straße lachte oder sich auffällig benahm, sprang der Hund auf und lief bellend hinaus in den Korridor. Sie schälte Äpfel und kam in eine Schimpfsträhne gegen Lydia, die dabeisaß. Aber sie fing sich wieder, als sie daran dachte, was bald sein würde, ging nach hinten und holte ein Kleid, das sie Lydia schenkte. Höhensonne und Leberspritzen halfen überhaupt nichts, was sie hätte voraussagen können. Sie sah zwischendurch nicht anders aus als früher, aber sie brauchte nur einen Fußmarsch zu machen und sie war bleich, blutleeres Gesicht, das sie lieber nicht sehen wollte. Sie machte morgens noch Sport, gab sich aber nicht mehr so viel Mühe, gerade zu gehen. Das Haar wurde dünn. Sie wagte schon gar nicht mehr hinzusehen. Den Kamm warf sie weg. Dafür erstand sie eine rotblonde Perücke, die sie auf ihr Haar, wie einen Hut, aufsetzen konnte, so daß sie jeder mit diesem rotblonden Haar in Erinnerung behalten

mußte. Es gab eine kleine Einladung, zu der auch jüngere Leute eingeladen wurden. In vorgerückter Stimmung wurde etwas getanzt. Sie fiel hin. Sie brauchte nur einen in der Krone zu haben und sie fiel hin, wenn sie tanzte. Sie gab sich Mühe, daß J. es nicht merkte, mußte viel lachen und es hätte ganz schön werden können, aber J. stellte den Plattenspieler ab, da er nicht gern tanzte.
Sie verschenkte das meiste von ihren Sachen, was ihr Krach mit J. einbrachte. Aber was heißt Krach, wenn keiner laut zu reden wagt und ein Streit entsteht, der sich unter dem Deckmantel, sie müßte sich schonen, über mehrere Tage hinzieht. Sie suchte den Besuchern, die täglich kamen, und dem Arzt zu gefallen. Sie trug ihr reiches rotes Haar, das jeder für echt hielt, was sie besonders amüsierte. Sie sah hübsch aus, wie sie, sehr schwach, in ihrem Bett lag, lindgrüne neuartige Bezüge, wie in einem großen lindgrünen Pudding. Sie bekam ihr Grinsen noch einmal zurück. Sie machte sich klein und war vorsichtig, Rotkopf, versteckte sich in ihren lindgrünen Bezügen, und nach einigen Wochen hatte sie die Krise überwunden. Sie freute sich, als sie noch einmal aufstehen durfte, und ließ sich von L. in die Ateliers mitnehmen, wo echte Tiger gezeigt wurden. Sie war sehr aufgeregt und träumte nachts von diesen Tigern und schlug im Schlaf J. ins Gesicht, aber dieses Niveau hielt sie nicht, und es begannen wieder die abendlichen Sitzungen, jeder eine Zeitung, tagsüber das Herumrennen. Sie bekam jetzt wieder Frische ins Gesicht und ertrug J.'s Lydia nicht mehr, was ein Zeichen ihrer neuerwachenden Vitalität war.

VIII

»Ein Wein aus Schmach.
Ein Bett aus Fraß.
Ein Darf, ein Pflich.
Ein Saphirhimmel, gespalten von der Adler
Bronceflug.«

Eine weitere Verszeile
»Um ihre Ufer ziehen Scharen von Zedernhainen«
strich sie wieder. Das war ihr schon zuviel an Bewegung.

IX

»Sie verweigerte das Essen unter Tränen, mochte aber besondere Genüsse wie Krabben in Gelee und saures Obst.« Sie ging in dieser Zeit mit verschiedenen Männern Affären ein, da sie eine *neue Basis* suchte, die sie aber nicht fand. Den Hauptfehler sah sie darin, daß sie mit J. zusammenblieb, wenn auch unter Ausschluß körperlicher Beziehungen. Sie hatte Angst vor ihm und verlor dadurch an Position. Später wurde sie in eine Klinik aufgenommen, wo man ihr die linke Körperseite auftrennte. Sie lag sechs Monate in der Klinik und hatte, als sie wieder herauskam, ihr Geld mit Arzneikosten *verplempert*. Den Rest ihres Vermögens brachte J. bei einer Gemüsespekulation durch. Dieses Mißgeschick verwirrte ihre Initiative. Sie suchte Arbeit, aber sie verließ nicht sofort, sondern erst einige Wochen nach der Entlassung aus der Klinik J.'s Wohnung. Er versuchte, sie zum Bleiben zu bewegen. Sie blieb standhaft, hatte jedoch durch die Auseinandersetzung mit J. und die Wartezeit die aus der Krankheit geschöpften Kräfte im wesentlichen aufgezehrt. Sie war schon nicht mehr kostbar wie eine Dame; es fehlten die Freunde, die diese Kostbarkeit schützten. Ein Riß, quer über ihren Leib. Sie sah ihren Körper nicht mehr an. Die Trennung von den alten Bekannten, die ihr nichts nützten, hatte keine Früchte getragen. Sie war von der Erfahrung ausgegangen, daß man durch Aufopferung von Beziehungen gewinnen müßte. Es fiel ihr schwer, umzulernen und zu verstehen, daß *Opfer* in der Umgebung, in der sie jetzt lebte, sie nur ärmer machten. »Gib etwas und zurück es nimm, Gott fragt dann: Wo ist es hin? Sag dann, du wüßt' es nicht.«

X

»Mir graut vor Erinnerungen,
wir besitzen sie im Übermaß.
Ein paar wenige würden als
Gesprächsstoff vollauf genügen.«

Sie wagte sich nicht zu bewegen, wurde staksig, ging nicht mehr aus, wurde verlegen, so als wäre sie nie die Geliebte von R. und die Frau von Peter B. gewesen.

An einem der Sonnabende, die das Herz zerreißen, da so viel zu geschehen scheint und alles doch wie ein Gefängnis ist, wurde ein jüngerer Mann in der Frühnachmittagsvorstellung eines Kinos von ihrem Parfum angezogen. Er fragte, ob der Platz neben ihr frei sei – das Kino war fast leer. Sie gewann dadurch Zeit, sich zu beruhigen. Sogleich hatte sie wieder ihre alten Gedanken von Rückkehr zu einfacherem Leben: »Eine Liebe von zugleich märchenhafter und schwacher Plötzlichkeit.«

Nach der Vorstellung setzte sie sich in sein Auto, so, wie man sagt: sie überließ ihm ihre Hand. Fand er sie schon zu alt? Später bog er von der Straße ab und fand eine Waldschneise, in der er parken konnte. Sie versuchte die Unterhaltung aufrechtzuerhalten. Wie an einer Regimentsfahne hielt sie an dem Gespräch fest, während er ihr schon das Kleid auszog und sie in dem engen Wagen zu umarmen versuchte. Sie wurde nüchtern, als die Narbe offenlag. Sie lag starr, als hätte sie nie etwas davon gewußt, wie man einen Mann umarmt. Der fremde Mann schlug sie ins Gesicht, ging hinaus auf den Waldweg, wo er sich an einen Baum stellte. Sie sah den fremdartigen Körper, auf den der Regen platschte; Panik: da sie nicht wußte, was sie ihm antworten sollte, wenn er wieder zum Wagen käme. Sie streifte das beschädigte Kleid über, rannte zur Straße; die Schminke verwischt und das Gesicht regenübergossen, während der Mann hinter ihr herrief.

Von dieser Geschichte, die sie ausschließlich selbst angerichtet hatte und deshalb nicht zu den übrigen Unglücksfällen rechnete, sondern zu einer neuen Art Unglück, erholte sie sich nicht. Äußerlich litt sie an einer Erkältung. Noch während die Krankheit ausbrach, entschloß sie sich, nach Europa zurückzukehren. Sie schrieb, als die Schwäche nachließ und sie wieder in der Wohnung herumgehen konnte, Briefe nach Wien an Goitie, der ihre erste Fehlgeburt eingeleitet hatte. Sie bereitete sich auf die Reise nach Wien vor. Die ehemaligen Freunde, bei denen sie Geld lieh, rieten ihr dringend von dem Plan ab: jetzt noch nach Österreich fahren. Sie wehrte sich gegen diese Ratschläge, verbrauchte dadurch ihre Energie. Die Schiffskarten gab sie zurück, brachte das Geld wieder zu den Leuten, die es ihr geliehen hatten. Aber das Leben, das sie führte, war nicht viel besser, als es eine »selbstmörderische Österreichreise« gewesen wäre. Sie konnte nicht verhindern, daß J. sich ihr wieder näherte, da er unter den Geldgebern für die fehlgeschlagene Unternehmung gewesen war. Er kannte sie gut genug, um sie dazu zu bringen, daß sie die alte Lebensgemeinschaft mit ihm (unter Ausschluß körperlicher Beziehungen) wieder aufnahm. Sie sah im Augenblick keine andere Möglichkeit, am Leben zu bleiben, als diese.

NACHBEMERKUNG

Es geht in diesem Buch um Lebensgeschichten von Menschen, deren Leben durch die Bruchstelle von 1945 gezeichnet ist. Sie haben etwas verloren, geraten in die Verzweiflung, aus der sie herauszufinden trachten: durch Flucht, durch Illusionierung, durch verzweifelten Ausbruch, durch Übersprung, durch Suche nach einem Ausweg oder in der Verschanzung.
Bücher halten nicht still. Sie sind auch nie »beendet«. Der vorliegende Band bringt die Originalfassung der neun Lebensläufe von 1962. Auf sie bezieht sich der Hinweis in dem knappen Vorwort von 1962, daß die neun Lebensläufe zusammen eine traurige Geschichte ergäben. Bei den neun Zusätzen (Seite 221 ff.) handelt es sich um Geschichten, die entweder zeitgleich mit den Lebensläufen oder wenig später geschrieben wurden. Sie leisten sozusagen dem Originaltext Gesellschaft. »Bestimmung des Gelehrten: Mandorf« war für eine Lesung in der *Gruppe 47* geplant; »Anwesenheitsliste für eine Beerdigung« wurde auf der Sitzung der *Gruppe 47* in Sigtuna/Schweden gelesen.

Alexander Kluge
Februar 1986

INHALT

Bibliothek Suhrkamp

Alphabetisches Verzeichnis